INTERSUBJECTIVITY
間主観性と公共性

社会生成の現場

The Fabric of Social Becoming

Nick Crossley

ニック・クロスリー［著］

西原和久［訳］

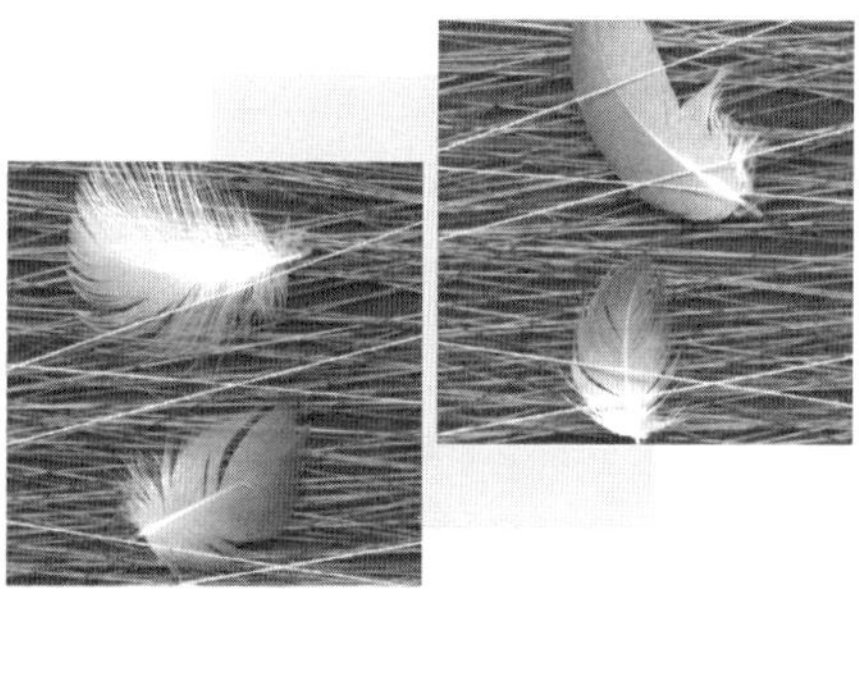

新泉社

Intersubjectivity : The Fabric of Social Becoming
by Nick Crossley

序文　本書における間主観性への視点

「間主観性」は、複合的で重層的な概念である。間主観性に関しては、本当にさまざまな理解や理論が存在している。また間主観性は、哲学者や社会科学者にとって、その人たちが取り組んだ仕事のなかで中心的な要を形成してきた評価の高い概念でもある（Giddens 1993; Honneth 1995 ; Joas 1985）。さらにいえば、間主観性はいろいろな学問間の枠を越えた概念である。それは、哲学者や社会学者や心理学者、さらには政治学の思索者にも訴えかけて、明らかにこうした人たちに、その特定の学問領域に対しても、また当該の学問と他の学問との結びつきに対しても、さまざまな洞察を与えているのである。

これらの理由だけからしても、間主観性に関する一冊の本が書かれることは正当なことだし、またその権利があるといえよう。間主観性に関しては、さまざまな見解が探られる必要があるし、またおそらくそうした諸見解は結合される必要もあろう。それらが包括的な形で学生に紹介される必要もたしかにある。さらに、この概念の学問領域を越えた可能性に関しても、何らかの仕方で徹底的に検証される必要があろう。さまざまな学問がこの概念と、いかにして、またいかなる点で関わることができ、そしてそれらの学問が間主観性に関する我々の理解に対して、どんな寄与を行い、間主観性から何を引き出したいと願っているのかということ、こうしたことを我々は考察したり例証したりする必要があろう。本書は読者の満足のいくように、これらの事柄すべてを実行したいと願っている。本書は間主観性の包括的な地図を与え、間主観性の伝統のなかで鍵となる考え方を概略し、さらに重要なこととして、哲学と社会科学における間主観主義の立場に立って、多くの議論を前進させることを狙いとしている。

こうした紹介的な役割に加えて、本書は考察される間主観性のさまざまな考え方を結びつけて、ひとつの共通なパースペクティヴへと、あるいはむしろ相互に結びついたパースペクティヴの体系へともたらす系統的な試みを与えるものである。とりわけ本書は、メルロ＝ポンティ、ヴィトゲンシュタイン、ミード、ハーバーマスの仕事にみられる共通の道を跡づけ、これらの仕事を、フッサール、ブーバー、ヘーゲルによって形成された背景と対比させながら考察する。以上のことは、恣意的な折衷主義でもなければ、いろいろな観念からなるスーパーマーケットでの馬鹿騒ぎにも似たポストモダン的な買いあさりでもない。しばしば異なった文脈や方法があるにもかかわらず、筆者が論じるこれらの理論家すべては、間主観主義という点で、またこの間主観主義に対してとる主観主義者の選択肢や客観主義者の選択肢を拒否するという点で、ひとつに結びついているのである。間主観性に関する彼らの考え方が異なっていようとも、またたとえそれらの人びとが間主観性という言葉を使っていなくとも、筆者が論じる著者たちはすべて、別々にではあるが、それぞれをすでに比較検討してきた多くの研究が示してきたように（Coulter 1979; Habermas 1987a, 1991a; Heinzig 1987; Roche 1973; Rosental and Bourgeois 1991; Spurling 1977）、ひとつの共通な基盤に向けて、一グループにまとめることができるのである。筆者が間主観性の理論を構築するさいに行うことは、さまざまな道があるいは少なくともさまざまな利害や関心がどこで重なり合っているか、ひとつの理論が他の理論からどこを引きついでいるのかを示しながら、この共通な基盤を解明することである。

本書執筆に当たっての筆者の最終目標は、筆者が必要だと感じていた批判的視点と首尾一貫性とをもった要素を導入することであり、そしてこうしたさまざまな理論家によって提起された点のいくつかをさらに発展させることであった。筆者は、そうした人たちの理論が提起した疑問に答え、筆者に刺激を与えてきたこれらの点に応答することによって、筆者の論じた理論家たちと対話をしてきたつもりである。この対話の重視によって、この本自身の間主観的な状況が構成されている。次は、読者によってこの対話が継続されること、それこそが筆者の望みである。著書とはコミュニケーションの行為である。それは、伝達と確信と刺激を与えるよう考えられている。著書は応答を求めているのである。

本書の予定について

研究のはじめに、本書で用いられる中心的概念について一定の定義を与え、採用される構図について図式的に示しておくことが通常のことである。しかし、本書の場合、それはできない。なぜならば、「間主観性」を定義することが本書が全体として取り組む主要な中身のひとつだからである。とはいっても、本書の最初の章で、「間主観性」の三つの定義が与えられる。そしてそのそれぞれが、この概念の歴史を語る重要な言明を提示している。それらでもって「間主観性」についての初歩的な意味が読者に示されるので、十分だとしておきたい。また筆者は、本書のプランに関する概要の提示も最初の章で行うようにしておいた。このプランに従えば、本書自身がこれらの定義に基づいており、あるいは少なくともこれらの定義との筆者の関わりに基づいているので、この間主観性概念に関するさまざまな定義が論じられるときに読者が読み進んでいくのは容易であろうと思われる。

謝　辞

まず、本書で論じられた考え方のいくつかについて、耳を傾けて下さったりコメントを下さった心理療法研究センターのスタッフの方々や学生諸君に感謝したい。また、はじめの方の章を読んでコメントを下さったボブ・スターンにも感謝する。さらに、筆者の両親にも、筆者の興味を引きだし励ましてくれたことに対して感謝したい。最後になるが、筆者の妻であり同僚でもあるミッシェル・デーヴィスに深い謝意を表したい。とくに彼女の助言、批判、励まし、そして時間をとって草稿全体を読んでくれたことは、非常に貴重なものであった。本書を妻に捧げる。

日本語版への序

自分の仕事が翻訳されて新しい読者の目にとまるのは、筆者である私にとって、とても光栄なことである。さらにまたこの間、私が興味深くかつ愉しい過程のなかにいたことも、とても光栄なことであった。私は、西原教授が本翻訳に取り組んでいる間、彼と一緒に多くの楽しい時間を過ごすことができた。彼の翻訳準備、および私の仕事に対して与えてくれた彼の注目にお礼を述べることから、まずこの日本語版への序文を始めさせていただきたい。

*　*　*

「間主観性」という概念のもつ数多くの面白みのひとつは、その概念を論じなければならない機会のいずれもが同時に間主観性のひとつの実験的試みであるという点にある。このことは、理解や意味の共有という問題がまさに中心になるような場である翻訳というケースにおいて、もっとも妥当することであろう。日本語の世界と英語の世界との間にある言語的境界の場に非常に複雑な問題が存在することを知り得たことは、ゾクッとするような本当に面白い経験であった。この経験の機会を与えてくれた私の友人「ニシ〔＝西原〕」にたいへん感謝したいと思う。また私は、彼の翻訳が本書の「語」の正確さを伝えるだけでなく、本書のもつ「手触り」をも伝えているであろうと強く確信している。

＊　＊　＊

こうした翻訳の過程をともにすることで筆者は、九〇年代半ばに取り組み、原書の英語版が一九九六年に刊行された筆者の著書『間主観性』〔本訳書の原著の主タイトル―訳者あとがき参照〕について、じっくり振り返る機会をもつことができた。原書が出版されてからこの六年間に、本書の議論や主張のうちのいくつかについては再考する機会が何度かあったが、今回の場合は、本研究全体を再考する機会が必然的に与えられたわけである。

読書と思索をさらに重ねてきた現在、もし本書を新たに書くとすれば、間違いなく筆者は、本書のいくつかの諸相に関しては異なった形でアプローチするであろう。たとえば、筆者が希望して、根源的間主観性と自我論的間主観性の区別、この二つの間主観性の関係、およびこの区別に関係するさまざまな議論に立ち戻ったとしてみよう。その場合でも筆者は、我々が他者たちと関わるさいに反省的には他者だとは意識せずにいる場合と、ある意味で他者たちの存在が我々にとって主題的な関心事となっているような、より状況疎外的な場合との間に、重要な差異があると依然として確信している。しかしながら、私が自我論的間主観性の側に位置づけた事柄の少なくともいくつかは、根源的間主観性の観点からみればもっと適切に考察されたかもしれないし、あるいはむしろ、特定が難しいような場合、これら二つの間主観性双方の観点から検討された方がおそらくはよかったのかもしれない。筆者が用いた語の意味では、間主観性はすべて根源的なものであり、自我論的間主観性はその根源的主観性の内部のひとつのヴァリエーションにすぎない、と明確に述べておいた方がよい場合があったかもしれない。

＊　＊　＊

今日においては、ピエール・ブルデューの仕事と結びついて非常によく知られているハビトゥスという概念がある。しかし、ハビトゥス概念は、フッサールもまた（とりわけ『デカルト的考察』のなかで）用いているし、少なくとも間接的には、（「習慣」に言及している）メルロ＝ポンティの研究においても、また（自明視されている想定や知識に言及している）シュッツの研究においても、含意されていたものである。こうしたハビトゥスという概念が、根源的間主観性と自我論的間主観性を再考するこの新たな試みにおいては、疑いもなくひとつの役割を演じるであろう。ハビトゥスという概念によって我々は、反省的な関心とその遂行が我々の存在の前反省的なレベルに「沈澱」する、その過程が何であるのかを認定し、そしてそれを考察することができるようになる。そのことによっておそらくは、他者たちと我々との根源的に間主観的な出会いが、我々の自我論的な反省によって豊饒になるという事態とその理由が我々に指し示されるであろう。同様に、ハビトゥスという概念は少なくともそれをブルデューが取り上げて用いたように、幼児期の早い段階は別にして、我々と他者たちとの関係が、獲得された知覚や理解の図式によってつねに媒介されるだけではなく、こうした図式の起源それ自体が社会的であり、それによって我々自身の個人的経験には還元できないものでもあるという点を我々に思い起こさせてくれる。ここでは、さらにこの点から展開できる含意を引き出して論じるスペースはないが、このような含意によって、異なった方向性もいくつか含めた形で本書で追求された方向性へと我々が導かれていること、このことをとりあえずここで指摘するだけで十分だとしなければならない。

＊　＊　＊

ハビトゥスという概念の考察によって、とくにブルデューがこの概念に与えた形態において、我々は、間主観性の関係を通した社会や社会構造に関するより広い考えへと発展する思考の、もうひとつ別の道を辿ることも可能になる。(訳注＊) 本書において筆者は、ハーバーマスが作り上げてきた道を辿った。この道には、確かに価値あるものがある。実際、筆者にとっては、他の進入路を辿ったのでは得られなかったであろうと思われるものを、数多くハーバーマスから得ることができた。しかしながら、ブルデューのハビトゥスを用いたならば、少なくともそれを発展させた場合には、この概念のもつ現象学的な（フッサール的、メルロ＝ポンティ的、シュッツ的な）ニュアンスと、そのより社会学的な（デュルケム的、かつヴェーバー的な）ニュアンスとの両方を引き出しながら、より満足のいく形で、間主観性と社会の間で筆者が探し求めた概念的架橋の達成が促されたことであろう。加えて、もうひとつの道として、このハビトゥス概念は、間主観的関係内部での権力の位置に関するより持続的な考察へと繋がるドアを開けることになったはずである。ハビトゥスを語るということは、諸個人が、そのもっとも親密な社会的出会いにおいてさえ、そして／あるいはその開かれた誠実な社会的出会いにおいてさえ、単数ないし複数の社会的地位を象徴しているという点を認めるということである。

＊　＊　＊

以上のように述べてきたが、『間主観性』はまさにそれが書かれた当時のままに残されていることが重要である、と筆者は考えている。本書の原書である英語版「序文」で筆者は、すべての著書がそうであるべきように、この本がより広範な論議ないしは対話の一部分となるように構想されたと述べておいた。本書では、最後の言葉としてでなく、むしろ最初の言葉として対話への呼び掛けが意図された。たとえ今日、筆者がさらに付け加えるべきものを持っていたとしても、またたとえいくつかのポイントで筆者の考え方が変化しているとしても、それは本書が生み出そうとしてきた対話への応答として生じてきたものである。少なくとも筆者にとって本書は、対話や議論の過程を生み出すのに有益であった。本書によって筆者は、自分自身との対話者になった、つまり「I」が「me」に目を向けた。最後に述べることになるが、重要な点は論じ合うことであり、本書はそうした議論を生み出すことが可能であると筆者は望んでいるし、確信している。まさにこうした理由から、筆者は本書の日本語訳の刊行を非常に楽しみにしている。本書の主張と内容が、さまざまな反応や反駁、さまざまな提議や批判をもたらすことを大いに期待している。著者としては、読者が間主観性概念の重要性に同意して下さること、そしてまた著者の議論の多くが説得力をもっていることを望んでいる。たしかに筆者は、依然として本書の傍らに待機している状態である。しかしながら、それは単なる待機ではない。そこには議論すべき事柄が数多く存在していることを筆者は認識しているし、日本における本書の出版が、そうした議論を一層活気づけ、豊饒なものにすることを、筆者は大いに期待しているのである。

二〇〇二年七月

マンチェスターにて

ニック・クロスリー識す

（訳注＊）原著者クロスリーの「ブルデュー論」の一端は、本書の付章として訳出してある。

目次

装幀　勝木雄二

間主観性と公共性

第一章　間主観性の諸次元

間主観性という概念は重層的なものである。本章で筆者は、間主観性に関して以下に述べる三つの重要な哲学的分析を論じることによって、こうした層のいくつかを取り出してみようと思う。すなわち、フッサールの『デカルト的省察』(Husserl 1991)、ブーバーの『我と汝』(Buber 1958)、そしてコジェーヴの『ヘーゲル解読入門』(Kojève 1969) のなかでの「承認を求める闘争」に関する分析である。これらの分析のいずれも間主観性の適切な説明を与えるものではないし、また各々のもつ限界は、これら三つを総合すれば克服されるというものでもない。しかし次の三つの理由から、我々の研究の導入的な段階としてこれらを論じることは大切である。まず第一に、それらの各々は間主観性の概念のもつ重要性を説得力のある形で論じているからである。第二に、それらの各々は間主観性の概念上のありように関する（異なった）地勢図を与えており、そしてそれらがすべて示されることによって、本研究が扱う諸論点とその諸論点間の関係との両者を包括的に説明することができるようになるからである。そして第三に、これらの各々は、「間主観性」に関する学問的論争の最近の歴史においてもかなり重要な意義をもってきているからである。それらは、間主観主義論者の伝統のなかにいる後の著者たち——その多くは本書の後の章で論じられる——にとって出発点となった問いを提起し、問題を措定してきたのである。

まず本章の流れのなかで、後に本書で取り上げられて論じられる争点をはっきりさせたいと思う。加えて筆者は、概念上の区別（間主観性の根源的様相と自我論的様相との間の区別）を概述するためにも本章を使いたい。この区別を筆者は中心的なものだと考えており、本書の早い段階で議論の構図を描くためにも、その区別を用いておきたいと思う。本書の一般構図は、本章の結論部分であらましが述べられる。

フッサールにおける他者——超越論的独我論に抗して

フッサール（一八五九—一九三八）は、十七世紀のフランスの哲学者ルネ・デカルトの『省察』を再踏査することによって、自らの『デカルト的省察』を開始する。デカルト同様、方法論的目的のために、フッサールは自分が絶対的には確実だといえないものをすべて疑うことを選択する。そしてデカルトの場合と同様、そのことによってフッサールも、自分の思考と知覚を超えて外部にある「実在の」世界の存在を疑う点に至る。フッサールは、たとえば自分自身の身体の存在や自分の記憶や生活史の内容といった自分自身に関する経験的な諸事実でさえも疑う。そうした現象は、幻想あるいは夢かもしれないと彼は論じる。だが、彼はどのようにしてその違いを知るのだろうか。彼が確実でありうるとするすべては、彼が思考していることであり、それゆえ思考する存在として彼が存在しているということである。このことが真だということは、彼が信じ考えているすべてのことが間違っている場合でもやはり確証される。というのは、その間違った思考も正しい思考と同様に思考であり、そうした思考として間違った思考もまた、思考者の存在を前提にしているからである。

このような立場から、デカルトの場合の戦略は神の存在を証明することであった。それは、神は完全であり、完全善なる神は――少なくともその根本的な思考法については――決して自らを欺かないと推論することであり、そうしてひとたび神は疑わしいとされていた信念は徐々に解除されて、神が復権する。こうしてデカルトは実在論者としての認識論を提唱する。だがフッサールは異なった道をとる。彼は、「実在の世界」へと立ち戻る道をとるような推論はしない。我々がデカルトの懐疑という方法から学ぶのは、意識経験の世界はその外部の世界を指し示しているという信念を判断停止することで、この意識経験の世界のなかでは何も変わることがないということだ、とフッサールは論じる。我々は、たとえ諸事物が外的な実在であるという主張が判断停止されたとしても、依然として諸事物についての有意味な世界を経験し続けている。この事実はフッサールにとって二つの含意をもっている。第一に、それが示唆していることは、我々にとって世界とは、我々の意識経験の世界以外の何ものでもありえないということである。我々は、我々の意識経験を超える世界があるとしても、それを知ることができない。たとえ実際にあるとしても、それがどのようなものか知りえない。第二に、この事実が示唆しているのは、意識は必然的に「志向的」であること、つまり意識は何ものかについての意識、あるいは他のものについての意識であるというのが意識の本質であること、このことである。

この立場からフッサールは、ひとつの哲学的企図つまり現象学に関するあらましを述べる。すなわちそれは、さまざまな対象が意識のなかで「志向」される多様な仕方、つまりさまざまな対象が意識に呈示される仕方を探究することに関心を向けることである。さらに、この企図が厳密に履行されるようにフッサールは、現象学者がデカルト的懐疑の方法を「現象学的還元」の過程として捉え直すことを提唱する。このことはデカルト的懐疑によってなされるのと類似的な外的世界の括弧入れを伴うのであるが、デカルトが行ったように、外的世界の存在を再確証する可能性をつねに含むことになるような形で自分たちの経験を超える世界の存在を懐疑するというよりも、むしろ現象学者は、ただ外的世界への自分たちの信念について判断停止して、いかにしてそれが、あるいはいかにしてその一部が意識のなかで志向されているのかを検討するために、この括弧入れを行うのである。世界の存在は還元の過程のなかでは、懐疑されることも、拒絶されることも、再確証されることも決してない。そうした可能性はすべて、意識─にとっての─存在というあり方が検討できるように考察からは排去されているのである。

この立場は、デカルトへの直接的な批判を意味している。デカルトによる世界の存在の確証という企ては、定義上、我々の認識や経験を超えているものを我々が認識しなければならないということを必然的に伴うので、不可能な企図であるとみなされる。この点は、デカルトが彼自身の周囲の経験的諸事実すべてを疑ったあとでも残されていた「超越論的自我」について、つまり思考するからそれが存在すると認識する、身体をもたない思考者について、十分に検討していないというさらなる批判とも結びついている。フッサールの見解によれば、そのような自我の存在と性格はデカルトの『省察』の鍵となる発見であったが、その発見をデカルト自身はほとんど気づかないままであったのだ。

この批判に従うならば、フッサールは「超越論的観念論」の命題を提唱したこと、すなわち彼は、意識内容が必然的に意識にとって意味あるものであると論じ、そうした意味が意識自身のもつ超越論的自我としての構成的作用に依存していると論じたことがわかる。超越論的自我は、意識のなかで志向された対象に意味を与えるものである、と言われている。さらにフッサールは、次のようにも論じている。それゆえに志向性の様相の現象学的分析は、必然的に構成の様相の分析を伴うべきである、と。こうして現象学は、経験対象の能動的な構成に関する分析となる。しかしながらフッサールにとって、このような命題はひとつの重要な問いを要請する。その問いを解こうとして、彼は『デカルト省察』の大部分を費やした。その問いとは、他の意識の存在、および自分自身と他の意識との関係についての問いである。これが、間主観性に関する問いのフッサール版である。

この問いは、独我論の問題との関係で措定されている、あるいはもっと正確に述べれば、フッサールの命題は独我論的なものになり、しかもそれは必然であるという反論を彼が予期していたことと関係している。批判者は、超越論的観念論が必然的に他者（つまり他の意識主体）を、その他者に関して人がもつ意識に還元することになると反論するだろう、とフッサールは推測している。

しかし、私のなかではたしかに志向してもいなければ志向されてもいない、単に私のなかで立証可能な総合的なまとまりである他の諸々の自我に関しては、どうであろうか。そうした他の自我自身の意味に従うならば、それがまさしく他者ではないのだろうか。（Husserl 1991 : 89, 強調は原著）

こうした問いと独我論回避のもつ重要性は、フッサールによって倫理的、認識論的、そして後に『デカルト的省察』においては、社会―存在論的な基盤において論じられている。

倫理的なレベルでは、独我論の問題と必然的に間主観主義的立場に対応する問題とがあるということはまったく明らかであろう。他の（自律的な）主体や意識を認めることは、倫理的な関係性にとっては根本的なものである。我々は、他者が他者自身の権利において存在し、他者自身の企図をもち、それについての我々の思考には還元できないからこそまさしく「他」であるような、まさにそうした他者と倫理的な関係に入る。独我論者が主張するように、他者とは、私がそれについてもつ観念以外の何ものでもないとするならば、そこには厳密な意味で義務を負わせてくる者はいないのだから、私は他者に対して何の義務ももちえないだろう。

認識論的なレベルでフッサールが独我論に関する関心を表明する理由は、彼が主張するように、世界の客観性がうち立てられる場合には、世界に関する私自身のパースペクティヴ以外の他者のパースペクティヴが必要だからである。客観性とは、この意味では間主観性である。それは、異なった独立のパースペクティヴ間での相互の一致や交渉を通して到達される世界の見方である。合理性もまたここで問題となっている。合理性は、フッサールや他の現象学者たちにとって、個人の特性ではなくて間主観的な特性である。それは強制や欺きによってではなく、共通の立証や議論に訴えることでなされる間人格的な説得や意思決定のなかに現れ、そして個々のパースペクティヴの相補性と個々の立場の相互交換可能性に至るものである。そのような相互交換可能性はもちろん、独我論者の独我論的な世界では不可能である。なぜなら、それぞれのパースペクティヴが相互に補い合ったり交換し合う他者が、そこには存在しないからである。

最後にフッサールは、独我論と間主観性の問題について関心をもつ。というのは、彼は文化や共同体といった、厳密には独我論者には近づくことのできない現象である集合的な人間現象についての哲学的な推敲を狙いとしているからだ。そうした現象は、人間の「間世界」(interworld)の可能性、つまり個人の意識を超えた共有意味世界の可能性に依存している。このことは、独我論のもつ独我性に対するアンチ・テーゼである。

フッサールは間主観性に重要性を与えて、その重要性を哲学的に確証する彼の方法は現象学的であると述べる。だが、独我論克服の重要性が認められるとすれば、他者という具体的存在を性急にうち立てたいという誘惑によってデカルトの実在論を選択しがちになる、とフッサールは注記している。しかし、我々は我々自身の意識の世界を超えることはできないのだから、この道は我々には開かれていない。少なくとも(現象学においては)我々は意識世界の存在を疑わないのだから、その道は必要ではない。我々はただ、別の他者の存在への信念を判断停止するだけである。そうすることで我々は、他者についての我々の意識のなかで志向され構成される仕方をよりよく認識するようになるのである。

志向性のこの様相に関するフッサールの分析は、その最初の段階で、他の意識が内世界的な状況のなかで我々の意識に日常定型的に現前する仕方を述べている。フッサールは、三つの点を示唆する。第一に、他者は文字通り心理―物理的な対象として、つまり動機や理性や認知などによって心理学的に支配される対象として我々に現前する。我々はそれを、知性をもったものではあるが対象に過ぎないものとして経験する。第二に、我々は他者を、世界を経験し認識する主体として、かつ我々をそうした世界の一部であると経験し認識する主体として経験する。この点で我々は、自分自身を他者によって経験されたものとして経験することができる（たとえば、我々は見られていると我々が感じるときである）。最後に、フッサールは次のように主張する。我々は世界を間主観的世界として、つまり他者たちによっても経験される世界として経験する、と。このことは、我々が他者に対して諸事物を指示したり、他者とともに諸事物について論じたりする場合に例証される。そのような議論は、他者が、我々が見ている世界を見ることができるということを前提としている。フッサールは、これら三つが一緒になって「自己移入的な志向性」を構成すると記している。

この分析のなかでとくにフッサールにとって印象深かったのは、我々の知覚や経験のなかに具現化されているまさにその他者性の感覚（sense）である。我々は、我々自身のパースペクティヴの固有性を超え、実際に他者の経験を経験することができるようにみえる。あるいはまた、我々の世界を他者が経験するままに経験することができるようにみえる。この所見は、フッサールにとって次のもっとも重要な問い、つまり、ではこのことはいかにして可能なのかという問いを提起する。人は、ひとつの固有な意識として、いかにしてもう一人の他者の意識を経験することができるのか。この問いは、他者の意識が我々の通常の経験対象とは異なって触れることも見ることもできないものであるから、難問である。それは客体ではないし、対象の形態をとっていない。それは、それ自身の権利において志向的な経験であり、それゆえその内部からしか接近できないもののようにみえる。

この問題を解く第一歩として、フッサールはさらなる方法論的還元を遂行する。すなわち彼は、意識において知覚されるものの外的な実在性を問う考察を括弧に入れて、いまやこの現象学レベル自身を、自己の「固有性の領域」に還元するのである。このことは、内世界的な意識についての彼の手短な記述のなかで示される他者性のあらゆる痕跡が、（方法論的に）括弧のなかに入れられることを意味する。他者はもはや主体としては知覚されない。他者は、自己の知覚の対象として知覚される。そして、自己の世界経験からはその客観的な感性が奪われている。経験世界は、それについての自己のみの感覚知覚に還元される。このことによって、自己の世界についての自己経験はかなり影響を受けるが、自己の精神（psyche）についての自己感覚は影響を受けない、とフッサールは主張する。

この第二の還元の背後には、二つの目的がある。第一に、このレベルにおいて、自己の精神についての自己経験が損なわれずに残るとするならば、その経験は、他者性が経験されるレベルよりももっと原初的な経験のレベルを開示し、そうして精神は、もっとも根本的なレベルでモナド的であるということを開示する。第二に、その経験は、自己に対して自分の精神の性格や形態を開示する。自己は自分自身を、ひとつの超越論的な自我であると同時に、知覚や記憶や想像力から構成され、還元不可能な身体をもつ経験的で心理―物理的な自我としても同定できるのである。この自己認識、したがってそれが還元された固有性の領域においても依然として入手可能であるという事実、それがフッサールの場合重要である。というのは、そのことが、他者に関する認識や経験が構築されうる（意識および主観性の）認識基盤を指し示すからである。

こうして自己の固有性の領域を解明したので、フッサールにおいては、意識内部で他者性を構成する自己移入的な志向性を最終的に説明する準備ができたことになる。この説明は、「類比による統覚」と「対化《ついか》」という相互に関係する過程を含んでいる。

この文脈で「統覚」とは、現象学者たちが知覚との関連で共通に認めている過程のことであって、それは、我々の知覚がそれに先立つ予想や理解によって情報を与えられている仕方を指し示し、それによって我々が実際に見ている以上のことを知覚している仕方のことである。この点の一般的な例は、家の知覚によって示される。我々が家を見るとき、我々は不可避にある特定のパースペクティヴからそれを見るのであって、我々は家全体を見ているのではない。我々は家の正面や家の裏側などを見ている。だが、我々は家の正面を見ているとは通常は言わないし、この点では我々は自分の知覚を経験していない。我々が正面から家を経験して、きわめて物知り顔でそのことを語ることはできるとしても、それは家全体がそこにあり、我々はそれをひとつの視角から見ているということを意味しているだけである。家の正面を知覚するということと正面から家を知覚することの違いのもつ意義は、我々の統覚に情報を与えた予想が間違っていたとわかるような場合に経験するショックを考えてみれば分かる。たとえば、我々は映画のセットのなかにいるのであって、家は実際には裏面も側面もないと知った場合のように。このショックが示しているのは、我々の知覚に埋め込まれたひとつの想定がそこにあり、我々は正面からそれを見ているのではあっても、家の正面を見ているのではないということである。以上によって、我々が実際に見たこと以上のことを我々は知覚しているということが示唆される。これと同様なことが諸感覚の間でも起こる。たとえば、見えるものはそれについての予想を我々に与えるし、味覚、嗅覚、重さの感覚も与える。そうした予想が誤っていたと分かるような場面でもそうである。我々が重たいと知覚したものが実際には非常に軽くて、それを持ち上げようと力を入れすぎてひっくり返ってしまうような場合がこの例であろう。

この統覚過程は、他者についての我々の知覚と経験に関する問いと関係する。というのは、この過程は、我々の知覚が我々が見るものを越えて見えない次元と一体となる仕方を語っているからである。我々が家を正面から見るときに家の裏面を統覚しているのとちょうど同じように、我々はまた身体や顔の動きのなかで意識を統覚することができるのである。しかしながら、ここには我々の統覚の源泉に関するひとつの問題が存在する。私は正面からのまなざしで家の裏面を統覚するわけだが、私がそうすることができるのは、正面や側面と結びついた数え切れないほどの家の裏面をこれまで見てきたからである。私は自分の統覚において引き出すことのできる家に関する直接経験という財産をもっている。しかし、他者に関してはあてはまらない。なぜなら、私は他者の意識を直接に見たことがないからである。もし見たことがあるならば、その場合「間主観性」は哲学的問題ではないだろう。あるいは少なくとも、フッサールが問題だとみなしていた哲学的問題ではないだろう。かくして、「統覚」はそれ自体としては間主観性の問題の解決ではない。ここに、「類比による統覚」というさいの「類比」の相が入ってくる場所がある。

フッサールが記しているように、我々は他者の意識についての直接経験をもっていない。しかし、フッサールの思索のより早い段階では、我々は自分自身の意識つまり主観的な生についての直接経験はもっているということがすでに示されている。したがって、意識主体としての他者についての我々の経験や知覚は、我々の意識生の否定できない相であるが、それは、我々自身の経験を他者へと想像の上で類比によって移し入れることに基づかなければならない。自己移入とは、想像的な過程、あるいは少なくとも知覚と想像とが結びついたものである(Ricoeur 1967a)。フッサールによれば、この類比による移し入れは意識的な推論の過程ではない。にもかかわらず、それは次のように(意識的に)再構築される推論の過程である。すなわち、他者は私と同じ身体をもち、私が動くのと同様に他者も動く。私の身体や動きは、意識生や経験に埋め込まれている。それゆえ、他者の身体や動きもまたそうであろう。さらに、この想像上の仮説は立証されたり否定されたりする余地がつねにある。人は、他者が意識主体であると信じ、他者が意識主体の観点から理解可能な仕方で行動し続けるかぎり、想像的に経験を他者に移し入れることを行い続けるのである。ハモンドら(Hammond, et al. 1991 : 217)はこれを、SFのスリラーもののシナリオになぞらえる。そこでは複製の人造人間が、すべての人間的特性を欠いた基盤のうえで、血の通った意識をもつ主人公と区別されている。それには、たとえば人間的観点からは生じるはずの不安は立ち現れない。

この過程に不可欠なのが、フッサールが対化と呼んでいるものである。我々は、類似の諸事物(どんな諸事物であれ)を知覚するときにはつねに、それらに類似の属性を移し入れ、それらを類似のものとして扱っている、とフッサールはいう。我々はそれらをひとつの対《つい》として扱う。この点において、他者の知覚についても特別なことは何もない。唯一、我々が我々の知覚対象と対化するのは、身体をもった自我としての我々自身であるということを除いては。

議論のこの点から、フッサールは、他者と関わる我々の身体が異なった位置にあることで、他者性の感覚がさらに促進される仕方を考察することに向かう。我々は、自分の「ここ」との関係で他者が「そこ」にいると知覚し、したがって我々は、他者が世界に関して異なった観点をもつということと、世界が異なった観点から異なったパースペクティヴのもとで見られうるということとの両者を認識する、とフッサールはみている。この(再度いえば、反省的というよりは暗黙理の)想像過程は、フッサールにとってすでに論じた意味で客観性や合理性や共同性の起源であり、フッサールはそれらに関する議論に最後に触れると付け加えながら、『デカルト的省察』の最終頁を終えている。しかしながら、主要な作業は、「類比による統覚」と「対化」の形ですでに成就されていた。

フッサール評価

フッサールの間主観性の説明は、かなり価値あるものである。独我論の問題に関するフッサールの関心は、ひとつの基礎づけの概念として「間主観性」を設定することの重要性を強調し、それゆえより一般的にいえば間主観主義の重要性を強調したことになる。さらになお、他者性が通常の経験において我々に与えられる仕方に関するフッサールの説明は、間主観性に関する我々の議論のなかで考察されなければならない諸現象の類型について役に立つ説明を与えてくれる。彼は少なくともこの点において正しい。つまり部分的には正しい。しかしながら、間主観性に関するフッサールの説明とともに、主要な諸問題も存在する。それらの問題を、筆者は以下でその概要を述べることになるわけだが、それらは間主観性の説明を完全には徹底させていないという問題である。第三章で筆者が示すように、これらの問題には間主観性に関するフッサールの展望が示される場がある。にもかかわらず、それは、フッサールができると信じていたと思われる根底的な役割には役立ちえない。

フッサールに対してなしうる最初にしてもっとも一般的な反論は、現象学という彼の方法的立場が、とりわけその超越論的形態と観念論的形態において、独我論の形態であると思われるということである。超越論的現象学は、それが孤立した意識の構成的能作の分析から始めてそれで終わるゆえに、独我論的要素をつねにもつだろう。それは、個人の経験の流れにもっぱら焦点をあて、そうすることで他者性はそこではつねに、その経験の流れのなかで構成される他者性についての経験に還元されてしまうだろう。この点でフッサールは彼が予期した批判を完全には葬り去ってはいないし、またそうすることもできないと筆者は示唆したい。彼の「他者」は、彼によってつねに想像上の類比的な過程を通して必然的に創造されているものである。それはただ彼が作り上げたものでしかない。かくして独我論を完全に乗り越えるには、超越論的で観念論的な現象学や、それがもつ意識への焦点化と手を切ることが必要である。我々は必ずしもデカルトの実在論に戻ることを欲するわけではないが、フッサールは我々に適切な選択肢を与えることに十分に成功していないのである。

ここで問題なのは、決して方法論的な括弧入れの問題ではない。フッサールのアプローチの困難性の大部分は、彼が人間の意識と主観性に関して抱いた仕方にある。この考え方では、以下の三つの相が問題である。第一に、フッサールのいう「主体」はもっぱら「観察」によって構成されている。その主体は、他者を観察し経験しはするが、決して他者と相互行為を行ったり、他者といかなる仕方でも交わるようにはならない。このスタンスをとるかぎり、他者は観察されるもの以外の何ものでもありえないし、さらに他者はつねに自我がそれについてもつ意識に還元されるということが強められるだけである。ここからさらに進んで、第二に、フッサールの（少なくとも『デカルト的省察』における）「主体」や「意識」は、知覚と（イメージが形をとって知覚される）想像作用によってもっぱら構成されるだけで、発話や言語の役割に関する考察は排除されることになる。これは重要な脱落である。というのは、我々の意識生の多くは、まさに我々自身と他者たちに語ることを通して構成されるからである。我々が考えることは言語の形式をとるし、ただ言語によってのみ、我々は自分が考えたことを意識するようになる。そのうえ、発話と言語は、意識生の現象として、知覚や想像以上に間主観性と明らかに結びついている。

たとえば、我々が他者たちと相互に意味ある状況に参与するのは発話によってである。さらに、筆者が次の章で論じるように、発話の対話的構造は厳密には何ものにも還元できないものである。対話に入ることによって、主体はその個人性を超え、より大きな全体の構成要素になるのである。

フッサールによる主体の性格づけに関する第三の問題もまた、言語や発話に関わるが、しかしこの場合は「意味」との関係にかかわってくる。フッサールにとって、意味は意識の構成作用に還元できる。意識は、世界に意味を与える。そうした見解には多くの問題があり、そのうちのいくつかは次の章で論じられる。しかしながら、間主観性の観点からみてもっとも問題なのは、この考え方をとると、意味が間世界ないし共同体のなかの主体によって共有されたり伝達されたりする可能性が排除されることである。あらゆる意味は、自らを構成する特定の意識に必然的に還元されざるをえない。そのようなものとして、各々の意識はその意識のみが接近できるそれ自身の意味をもつことになるだろう。このようにして意味は私事となり、コミュニケーションはただ外見上のものとなる。何ものも主体の間では伝えられず、ただ個々バラバラに話し手と聞き手によって構成されるだけの意味をもった無意味な音や文字があるだけだ。少なくとも、このことが含意しているのは、フッサールは彼が理解したつもりの「合理性」や「共同性」を説明できていない、ということである。彼が理論化した経験の世界は、必然的にモナド的であり伝達不可能なものである。

もう一度述べよう。言語や発話に焦点化すれば、この問題は回避することができる。次の章で示すように、言語や発話についての最近の哲学は、言語的な意味は厳密には個人意識に還元できないことを説得的に論じている。そこで論じられているように、言語や発話は社会的で間主観的な関係や慣習に依存し、それゆえ必然的に共有されているのである。この見解に従えば、発話は意識の作動に関わりなく必然的に有意味なのであり、そしてこの有意味性は間主観的に構成されている。それは言語から引き出され、ひるがえって言語は社会生活から引き出されるのである。

ハーバーマス（Habermas 1987a, 1991a）のような現象学批判者からみれば、間主観性との関係において言語や発話が重要であるので、批判者たちはそれらにもっぱら焦点をあてるようになるのである。ハーバーマスははっきりと、知覚が間主観性に関する議論において一定の役割を果たすという考えを拒絶し、同時に知覚への焦点化をも退ける。実際ハーバーマスは、間主観性哲学における「意識」へのいかなる言及も拒絶する。しかしながら、筆者はいくつかの理由から、ここまで一気に行ってしまうつもりはない。第一に、言語はつねに必然的に読まれたり（したがって見られたり）聞かれたりするゆえに、我々は知覚に対する考察を完全に省くことはできない。言語は受容されねばならない。そしてそれゆえ、言語の説明は知覚についての適切な説明を含まなければならない。このことは、言語的意識は知覚上の意識に還元可能だといっているのではない。まったくそうでないのは（本書の後述の箇所で明らかになるように）、言語的意識がもつ必然的に関与的な性格によるからである。その性格は、間主観性についてのいかなる説明も必ず論説しなければならない主観性のきわめて重要で還元できない要素なのである。にもかかわらず、知覚についての何らかの説明は言語の説明のなかに含まれるし、言語もまた説明されなければならない。第二に、第二章でメルロ＝ポンティを筆者が論じるさいに示すように、『デカルト的省察』で概要が示された観念論的な見解よりも優れた知覚の説明がある。それは間主観性の議論にとって適切なものである。発話や言語の議論と結びつけることによって、この説明はもっぱら言語学的見解によるよりも、我々にとっては間主観性の包括的な理解のために一層役立つものとなろう。第三に、我々の意識生の多くは、知覚や想像作用から構成されているのは明らかである。したがって、これらを排除してなされる説明は非常に脆弱なものだし、それが人間生活に関して語りうることには限界がある。主観性の言語的、知覚的、想像的な諸相はすべて、間主観性についての我々の分析において十分な重みをもって考察されなければならない。最後に、ここで次のことも付け加えておこう。主観的な生は、他者たちとの我々の関係にとって決定的に重要な情動的な要素ももつということである。

フッサールの立場の批判について、さらに三つの方向がアルフレッド・シュッツの『デカルト的省察』に関する議論（Schutz 1970）のなかで示唆されている。シュッツの最初の批判は、固有性の領域への還元に関するものである。固有性の領域へと還元することは、必然的に固有性の定義を前提とし、今度はその固有性の定義が自我に属さないもの、したがって他であるものについての何らかの意味を前提とするとシュッツは論じる。換言すれば、自己の意識はつねにすでに他者についての意味を伴っている。それらは関係的な用語であって、その各々は他者なしでは意味のないものである。この考え方は、他者の意識をそれに先立つ自己の意識に依存させるフッサールの立場についての強烈な批判である。意識を他の存在に帰属させるためには、人は自分自身の意識を特有の意識であると気づかなければならないし、このことは必然的に自己がそれとの比較によって境界づけられうる他性についての意識を伴うように思われる。

このことから、自己意識や自己認識は他者の覚識なしにはありえない、という重要なことが引き出される。それゆえ、モナド的な精神という命題は、少なくともひとつのレベルでは崩壊する。意識がモナド的であるかぎり、それは自己意識ではありえない。我々が後にコジェーヴとヘーゲルを論じるさいには、自己意識に関するこの見解が間主観性理論においていかに展開されているかをみるであろう。

シュッツの第二の批判は、自分自身の意識生の知覚と（他者の行動を通してなされる）他者の意識生の知覚との間の非対称性に関わる。シュッツが論じるには、フッサールの対化の考え方は、意識生が内側からと同様に外側からも同じものをみていると想定している。これは我々が（構成的自我として）二つのものを対とみるという認識の仕方であり、しかもそれは、我々がフッサールの説明によってこのことを知りうる唯一の点なのである。しかし、内部から外部をみるのと外部から内部をみるのとは同じではない。たとえば、痛みの経験は痛みの行動の表出を見ることとはまったく異なった感情である。同様に、知覚経験は他人の目で見たり耳で聞いたりするのとはまったく異なっているし、実際、知覚に関わっている身体運動を見ることともまったく違っている。実際のところ、我々の知覚生活の多くに関していえば、我々は知覚をまったく経験しない（したがって知覚のなかで自分自身を経験することはない）といえるだろう。知覚はひとつの乗り物であって、それによって我々はさまざまなことを経験するが、我々が知覚をそれ自身において経験することはない。さらに、我々は自分の知性や意識をもっとも表出する自分自身の身体の一部、つまり顔を見ることはあまりない。それゆえ、他者性についての我々の経験が私自身との類推に基づくということはほとんどありえない。あるいは少なくとも、我々が類推によって他者を理解するかぎり、この過程は内部から外部を見るということと外部から内部を見るということがすでに対化されているという先行の過程や要因に媒介されているはずである。この作業を明確になしうるのは、ここでもまた言語、あるいは言語以外の有意味なシンボルである。言語において、我々の経験は共通なラベルのもとで他者の経験とコード化されている。筆者はこのことを、第二章でもっと詳細に論じるつもりである。

ここで次のような反論があるかもしれない。我々は、鏡やカメラやビデオといった社会的技術によって自分自身の外部性についての観念をかなりはっきりともつことができるし、今度はそれが類比的な統覚のさいに用いられるはずだ、と。しかし、このことはフッサールを救済するには十分ではない。その理由は多くある。そのなかでもっとも重要なのは、自己像を認知する可能性、したがって自己を自己として同定する可能性は、（先に論じた意味で）すでに自己ではないもの、つまり他者についての意識を前提にしているので、その可能性は、他者についての自分たちの概念化を理解する試みのなかで発動されることはありえない、という点である。筆者が第三章の「鏡像段階」に関する議論のなかで示すように、人は、鏡のなかで自分自身を認知するためには、自分と自分でないものをすでに区別している必要がある。

シュッツの第三のフッサール批判は、我々は共同体の現象学を対面的な相互行為のモデルをめぐっては展開できないというものである。共同体は、このモデルよりも広くずっと多岐にわたる形態の関係性を含んでいるとシユッツは主張する。そして、これらの形態は共同体自身の観点から説明される必要がある。シュッツがこのことをどのようにして行っているかは第四章で論じるつもりである。そこで、ここでは次にマルティン・ブーバーの仕事を検討することにしよう。

マルティン・ブーバーと間《あいだ》

ブーバー（一八七八―一九六五）の考え方をここで示すためには、かなりの限定を付して始めなければならないだろう。『我と汝』（Buber 1958）は、間主観性に関する哲学的な研究である以上に、我々と神との関係に関する神学的な研究である。それはこの著者の信仰に基づいている。筆者はこの著者と信仰を共有しない。だが筆者は、（世俗的で唯物論的な）間主観性への問いに関してこの本が大いに魅力的であるとみなしているので、この本の神学的な要素を無視することによってのみこの問いの探究を行うことにする。したがってブーバーについての筆者の（無神論的な）読みは、必然的にブーバーが論じることの多くを無視することになる。事実それは、ブーバーがなそうと考えていたことのポイントをかなり取り逃がすことになる。読者が、こうした解釈の強引さが価値ある努力であるかどうかを決めるにちがいない。

ブーバーは次の主張をもって『我と汝』を始めているのだが、彼の中心的な論点は、人間主体の「二つの態度」に対応して、世界は人間主体にとって「二つ」であるということである。これが意味することは、人間の主観性は必然的に他性へと方向づけられており（フッサールならば、主観性は必ず志向的であると述べるだろう）、そしてその主観性はこの方向性を取り上げて、二つの道の一つ、つまり「我―それ」あるいは「我―汝」を生き抜くことができる、ということである。こうした選択肢は、その名称が示すように、他性に対応する二つの道である。第一の場合、その対応は客体化的である。それは他者を、経験され使用されうるひとつの客体（それ）として構成する。第二の場合は反対に、相互関係が開始される。さらにここから、第一の場合は他者は部分として存在するものと経験され、空間のなかに位置を占め、認識する意識によって媒介されるが、他方、第二の場合には、その関係性は直接的で、空間は他者と共有され、他者は全体として存在している、と述べられる。この第二の場合に、他者は経験されるのではない。我々は他者であることそれ自体に気づいてさえいない。なぜなら、我々はその他者とあまりにも密接に関与しており、他者と和合しているからである。このことは次のようにいうことで要約できよう。第一の場合、他者は我々の経験の客体であり、第二の場合、他者は我々とコミュニケーションし合う主体である、と。第一の場合、「我」は、他者性をそれ自体とそれの観念とに還元する特権をもつ。「それ」はコントロールされ操作される客体である。対照的に第二の場合、両当事者は平等であり、コミュニケーションのやりとりにおいて両者の間で観念が動く。

　この区別にとって不可欠なのは、「我」は二つの態度において一定ではないということである。「我」は、ブーバーにとって固定的な実体ではない。それはひとつの関係であって、他者へと向けられる態度のなかで構成される。第一の場合、この関係は客体化を通して構成される。つまり、「我」は知識と経験の主体である。「我」は反省的であり、自分自身に反省的／再帰的に気づいている。「我—汝」の場合は反対に、「我」は対話者であり、「我」が関わっている他者に還元できない形で結びついている。この場合は、鋭い区別の感覚はないし、自己と他者という反省的な覚識もない。自己は他者と非常に深く交わり関与しているので、それ自身の存在や他者の存在を反省的に覚識することはできない。

　ブーバーのもくろみは、「我—それ」関係と「我—汝」関係を明示する点で、主として倫理的かつ批判的である。彼は、「我—汝」関係と「我—それ」関係は人間の主観性や実践的な社会生活にとって必要なことであるとする一方で、それにもかかわらず彼は、「我—それ」関係が現代の合理化され工業化された社会では支配的になり始めているということに関心があり、このことを人間関係の質の低下であると見ている。彼にとって、この評価は「我―汝」関係が我々と神との関係の延長であるという見解に基づいているのであるが、我々はポイントを受容するためにはこの宗教的なお荷物を受け入れる必要はない。曖昧な言葉遣いの余地もあるが（第七章参照）、我々は、客体化を倫理的で質的な関係性のための適切な基礎であるとは通常は見ていない。客体化は、ブーバーが記しているように、我々の環境をコントロールする必要性と関係しているし、そのことは時には必要なことであるが、他の人びとに適用されると危険性も秘めている。この点は、筆者がフッサールに関して注記したのとまったく同じ見方である。このように述べてみると、フッサールが間主観性として記述したことは、ブーバーが「我―それ」関係として記述したこととより一致するように思われるが、しかしその帰結がブーバーの場合のように倫理的関係として記述されうるわけではない（Levinas 1989）。

ブーバーがフッサールに対して批判的な代替案を示したのは、倫理面においてだけではない。彼は存在論的な面でも批判している。ブーバーの「我―汝」はフッサールが説明したのとはまったく異なったやり方とみなされている。この点は、レヴィナス（Levinas 1989）とトイニッセン（Theunissen 1984）の両者によって論じられてきた。両者はともに、ブーバーはフッサールの主観中心的な存在論を越えて、「合間」あるいは「間」の存在論へと我々を導いてくれると主張する。すなわちブーバーは、人びとの出会いと関係を、それについてどちらか一方がもつ意識に還元するのではない（また、同様な理由でブーバーは、空間の座標体系の一致という観点からそれを見る、客観主義者の思考方向を取るわけでもない）。むしろブーバーは、参与者たちの出会いとその人たちを結びつける空間を、還元できない原初的な構造とみなしているのである。そうした状況は有意味で豊かな思考をもつものであるが、だがその状況が伴う意味と思考は、厳密にはどちらの参与者にも還元できない。それらは、その人たちの間で形成される間世界において形づくられ、そしてそれに属するものなのである。さらにいえば、それぞれの参与者はその結合状況との関係においては脱中心化されている。それらの人びととの思考や経験は、対話的な形で互いの他者の思考や経験と織り込まれている。

この共通のつながりは、言語と発話によって可能となる。発話のなかで我々は自分たちの思考のための共通の基礎をもつし、我々の思考は、それらが我々にとって利用可能にされるのと同様に、（少なくとも潜在的には）まさに同じ仕方、同じ時に、他者たちにも利用可能とされる。さらに会話においては、諸観念が文字通りに我々の間を行き来する。すなわち、

諸観念は我々の頭のなかに住みついているのでないのと同様に、頭上に君臨しているわけでもない。それらは、我々の間を徘徊し、我々に歩み寄ってくるのである。(Buber 1958 : 27)

「我―汝」関係における状況はまた、『デカルト的省察』において記述された状況とも（さらに「我―それ」関係とも）まったく異なる。これらの状況は、レヴィナス（Levinas 1989）の言葉をパラフレーズしていえば、根源的な他である。ここには二つの根本的な差異が含まれている。第一に他者は、自我が意識をもってその状況を把握し構成することに還元されない。他者は自我の思考過程には還元できない。第二に他者は、その他者と自我の類似によって把握されるのではないし、また類似である必要もない。実際のところ、ブーバーはもっとはっきりしており、「我―汝」関係に関わる他者は他の人間である必要もないという。それは、動物であるかもしれないし、植物であるかもしれないし、風景であるかもしれない。だが、こう述べた後にブーバーは、人間対人間の関係が特別であるとする。なぜなら、そこには言語と対話があるからである。このことが、共通理解、相互性、相補性という特別な形態を可能にする。言語的存在は問いを提出し、質疑応答する。言語という織り地（fabric）は、他者を密接に結合しつづける。

ブーバーにとって、人間の主観性は、通常「我―汝」関係と「我―それ」関係の間を揺れ動く。あるいはむしろ、それはこの揺れのなかにある。我々はたえずこの二つの間を動く。しかしこう言いながらも、ブーバーは実

存的なレベルと個体発生的―心理学的なレベルとの両方において、「我―汝」関係の第一次性を論じる。実存的なレベルでは、ブーバーは、「我―それ」関係のなかで「我―汝」関係が前提とされなければならないので、「我―汝」関係が第一次的であると主張する。彼が記しているように、「我―それ」関係は客体化を含むが、客体化は我々に対してすでに存在する何ものかの客体化であり、それゆえ客体化はそれに先行する非客体化的な他者との共存というあり方を前提にする。

この優位性は、ブーバーによれば、子供は「我―それ」関係をまだ持ちえないが、生得の汝は伴って生まれるという点で、個体発生的―心理学的なレベルでも認められる。生得の汝は、幼児がその環境との「対話過程」から――そして、この過程では自分自身について反省的な覚識は何もないように思われるなかで――引き出しているように思われる魅惑と歓喜のなかに、その例が示されるとブーバーはいう。幼児は、「我―汝」関係における対話者と同様、他者と自分自身との区別の感覚はもっていない。ブーバーによれば、これは成人の「我―汝」関係とは同じではない。なぜなら、幼児はまだ話すことができないし、秩序だった相補的な対話に必要な自己の感覚さえ欠いているからである。これらのことは、相互行為と言語の獲得によってのみ得られる特性であるとブーバーは論じる。しかし、これらと同一の過程が、反省的な客体化の可能性をも生み出し、そうして「我―それ」関係を生み出す。子供は他者たちと真に有意味な交換を行えるようになるが、同時に距離や区別の鋭敏な感覚も持ちうるようになる。

ブーバーの研究の多くがもつ含意は、関係性には非対称性があるということである。当事者たちは「我―それ」関係にあるか「我―汝」関係にある。だが、ブーバーはつねに非対称性の可能性について言及し、とくにその点で普遍的に汝として認められても他者としては認められない「悪魔的な汝」の可能性に言及する。ナポレオンがそうした人物の説明のためにブーバーによって用いられる例であるが、それはこうした人物が公的であると同時に政治的であることを示唆している。しかしながら、いつもそうである必然性はない。このような非対称性は一連の関係の異なった類型のなかに、たとえば個人的な類型にも公的な類型にも現れうることは明らかなように思われる。この意味で、間主観性はつねに権力の潜在的な場である。そして、それはつねに政治的である。

言語の重要性

言語は、ブーバーの間主観性の哲学において中心的な役割を演じる。彼は、言語について独自な考え方をするように説く。彼は、構成的な行為としての会話の役割に関心があるのだ。このことは、「我―それ」と「我―汝」という二つの言葉との関係で、とくに重要である。これら二つの言葉は、記述ではなく、関係性を開き開始する仕方である。「我―汝」関係が始まるのは、「汝」という言葉を発することによってである。このことは、これらの特定の言葉が話される必要があるとか、そうした言葉の意味や効果が文脈によって影響を受けないということを述べているのではない。さらにまた、呼びかけが不誠実な様相でなされることもある。だがブーバーの要点は、我々と他者との関係の構成は、特定の形式の呼びかけのなかでなされるという点にある。そして、この呼びかけの様相は通常は言語的であろう。

この点は、だんだん増大してくる「我―それ」関係の優勢に対するブーバーの批判のなかに見てとることができる。彼が論じるには、この歴史的な推移は、現代のヨーロッパの言語とより伝統的ないしは「原初的」な言語との差異によって示される。生活や経験のより共同的な仕方に根づく後者の言語は、ずっと具体的で関係的な形態を具現している。その言語は、「我―汝」関係のより優勢なあり方を指示し構成している。

この例はまた、ブーバーにとって、どの程度まで言語が間主観的で社会的な構造であるのかということも示している。この見解においては、言語は超越論的ではない。言語は、ひとつの制度として共同体の生活に属し、またそれは構造化する実践の原理として実践において活気づけられる。この点において、ブーバーが用いる意味での主観性は、言語共同体とその言語の共通場への所属によって包み込まれているとブーバーは信じている。フッサールおよび彼の固有性領域という考えとは対照的に、ブーバーは、主観性は（たとえ「我―それ」のさいの主観性でさえも）ひとつの共通な間主観的空間への参与、つまり間への参与にかなりの程度左右されることを強調する。

……実際には、言葉が人のなかに住まうのではない。そうではなく、人が言葉のなかに立つのであり、そしてそこから話をするのである。（Buber 1958 : 57）

主体は、フッサールのいう意味での孤立したモナドではない。主体は、つねにすでに社会言語的な間の世界、つまり間世界のなかに置かれている。そしてこのことに、意味を理解する主体の能力は依存している。この点は、ある程度までフッサールの後期の仕事のなかにも認められる。『ヨーロッパ諸学の危機と超越論的現象学』（Husserl 1970）において、フッサールは「生活世界」という概念を措定する。この概念は、我々の思考や行為という下部構造において共有され獲得される文化的な「地図」および想定のことである。後期のフッサールにとっては、ブーバーの場合と同じように、意識をもつ主観性は、他に還元できない形で意味の共有された間世界に属している。筆者は後ほど本書のなかで、シュッツやハーバーマスの仕事のなかで展開されたような、この生活世界という概念に立ち戻るつもりである。目下のところでは、ブーバーにとって間世界という根本構造は、共有された言語という慣習と形式を通して形成される、と述べることで十分であろう。

ブーバー評価

「我―汝」関係という概念は、間主観性に関してフッサールにはまったく欠けていた要素を捉えており、そしてそれは、フッサールの間主観性概念の自我論的な偏向に光を当てることに役立つ。さらに、自己と他者はつねに関係的な間柄であるというブーバーの認識は、フッサールのパースペクティヴをかなり押し進めることになる。筆者がフッサール批判において論じたように、つねに自己と他者は、ブーバーがそう説明したようなひとつの共通構造のなかの諸要素として説明される必要がある。しかしながら、ブーバーの二つの類型論には限界がある。なぜなら、それは次のような関係の類型、すなわちフッサールが記述したような他者性との関係の類型、つまり筆者が示唆したような我々の経験によって確証される関係の類型で、また同時にブーバーが示した二つの経験のいずれにも共通する関係の類型、そうした類型を説明できないからである。フッサールの説明によれば、自己によって他者は明確に「経験」される。彼の『デカルト的省察』は、まさにそうした「経験」の可能性に関心をおいている。それゆえ、フッサールの間主観性は「我―それ」関係のひとつのヴァリエーションとして解釈されねばならない。自己によって構成される経験対象としての他者は、明確には「汝」とは言えない。他者は、自ら語らず、自己とも関係せずに、自己に還元される。さらに、フッサールの説明上での「我」は経験と思索の主体であって、他者と関わり合うというよりも他者を観察する主体である。にもかかわらず他者は、『デカルト的考察』においては、ひとつの「それ」として構成されてはいない。他者はまさに、別の意識つまり別の自我として構成されている。それは、経験している者として経験される。他者は、主体の客体、つまり「それ―汝」である。そしてそのようなものとして、他者はブーバーの二つの選択肢の間にある第三の可能性を形成する。

さらにそのうえ、フッサールの立場には、ブーバーの倫理学の説明では見逃されていたひとつの道徳的要素がある。フッサールの説明では、他者は自己の経験に還元されるのだが、にもかかわらずこの過程は自己移入的であった。自己は自らを他者の位置におくが、それは他者をひとつの主体として認め、そうしてその他者に対して道徳的な地位を認めることなのである。厳密なブーバー主義者ならば、次のように反論するかもしれない。自己を他者の位置におくことは、他者を立ち退かせることと同じであって倫理的ではない、と。唯一の真の倫理的な関係とは、当事者が互いに互いを開かれた対話のなかで表出し合えるという関係なのだ、とブーバー主義者は論じるだろう。このことには何がしかの真理がたぶんあるだろうが、我々は、自己移入が我々の倫理生活において一定の位置を占めることを認める必要がある。どう少なくみても、自己移入は、真正の「我―それ」関係においてとられる他者性への道具的な関係性よりも好まれているように思われる。

フッサール的他者とブーバーの「我―汝」関係の根源的他者との間の区別は、筆者の見解では、「我―汝」と「我―それ」との間の区別よりもより重要な区別である。というのは、人間関係において、我々は「我―汝」と「我―それ」との間よりも、フッサール的他者とブーバー的な根源的他者の軸に沿って揺れ動く傾向があるからだ。つまり、我々は他者との純粋な開かれた対話と、想像上の（おそらくは偏執症的な）他者構築――それは自分自身のために（再）創造される――との間を揺れ動くということだ。我々は、コミュニケーション的な関係において他者と真に交わることもあれば、他者を予期し、想像し、自己移入することもある。したがって筆者は、ブーバーの「我―汝」関係と「我―それ」関係という区別を採用せずに、それに代えて根源的な（「我―汝」という）間主観性と自我論的な（フッサールのいう）間主観性との区別を用いたいと思う。あるいはむしろ、フッサールの立場に関して述べられた問題点を考慮して、我々が類比による統覚に意味ある形で言及するさいの立場を筆者が再構成するときには、筆者はこのような区別を行いたいと思う。

この再構成については第三章で概要が述べられるが、それには、ブーバーの多くの要素をフッサールの見解とさらに合体させるという作業が含まれている。とくに筆者は、自己と他者は必然的に関係的な間柄であり、一方が他方に先立って存在するとみなすことはできないことを論じるであろう。さらにブーバーに従い、かつ現代心理学の分析知見を用いて、筆者は生得の汝が存在するということ、そして根源的間主観性が自我論的間主観性に先行するということ、この両者を示唆するであろう。また自己と他者の自我論的な感覚は、ある特定の社会発展過程の帰結である、と筆者は論じることとなろう。最後に、筆者はブーバーから、主観性は諸態度の間での揺れのなかに存在するという考え方を取り出す。我々の生は解きほぐすことができないほどに他者たちの生と結びついていることに筆者は同意するが、しかし他者とともにいる我々の存在の仕方は、たえず根源的様相と自我論的様相との間で推移し合っている。そして、場合によっては、それら両者の様相を含む。しかし重要なことは、筆者が後に述べるつもりだが、根源的な（「我─汝」の）間主観性の様相と自我論的な（フッサールの）間主観性の様相との間の揺れ動きであって、「我─汝」関係と「我─それ」関係の間の揺れ動きではないということである。

筆者が根源的─自我論的という二分法を優先させることは、ブーバー的な意味での「我─それ」関係のもつ可能性を排除することではない。場合によっては、我々ははっきりとその各々を対象化する。「我─それ」は非─人間事象との関係（にもかかわらず、場合によってはアニミズムでもあるが）において、もっとも一般的である。筆者は本書を通してこの点の考察を明確にするであろう。とくに筆者は、第五章でハーバーマスの労働の理解との関係、および偏見と葛藤の諸形態との関係で、この点を論じるつもりである。筆者は「それ」を考察から外してはこなかった。筆者はただ、間主観的な関係を我々が理解するために、その点を中心的な位置から少しズラしているだけである。

ブーバーは間主観性に関する彼の議論において、その他にもたくさんの有益な新機軸を導入した。それらのいくつかには筆者も後に本書のなかで立ち返るであろう。とくに、彼による権力と非対称性の概念の導入は、社会関係の物象化的な形態への歴史的な移行という彼の議論と同様、重要である。この点にもかかわらず、しかしこうした論点のそれぞれに関する彼の議論は、我々がそれを用いるにはあまりにも簡略で素描的である。もし我々がこうした論点を実質的に論じようとするならば、ブーバーを越えてみていく必要がある。

承認を求める闘争

筆者がこの章で考察する最後の理論は、人間的欲望と承認を求める闘争とに関するものである。この考え方は、西洋哲学においては長い系譜をもつ（Fukuyama 1992）。しかしながら、我々の関心はこの命題に関するヘーゲル（一七七〇—一八三一）の見解、とくにアレクサンドル・コジェーヴの影響力のある著作『ヘーゲル読解入門』（Kojève 1969）のなかで措定された見解にある。この文献は、ヘーゲル研究者の間で一定の論争主題であったが（Kelly 1965）、ヘーゲルの『精神現象学』（Hegel 1979）に焦点を当てている。承認を求める闘争という考えは、ヘーゲルの『精神哲学』（Hegel 1971）においても論じられているが、アクセル・ホネット（Honneth 1995）とユルゲン・ハーバーマス（Habermas 1974）がともに彼らのヘーゲル読解において強調しているように、この考えは一八〇五—六年のイエナ講義において最初に導入されたものである。

承認を求める闘争は、ヘーゲルの仕事のなかでは、自己意識の起源に関する議論の間で措定された。ヘーゲルはこの自己意識の状態を生じさせる条件は何かに関心をもち、この条件を同定するために、さまざまな意識レベル（そのそれぞれは弁証法的に次々と取って代わられながらその内部に含まれている）を徹底的にきちんと跡づける。彼が考察する最初の三つのレベルは、別々の有機的組織性をもって与えられているもので、それは「感覚的確信」「知覚」「理解」である。段階は異なってはいるが、その各々において、意識はそれが意識しているもののなかに自らを没入する、と彼は論じる。意識はその経験の対象のなかに、またそれによって吸収され、自らと対象とが区別できなくなる。これが、意識の次のレベル、つまり「欲望」のレベルでは少し変わる。欲望においては、意識は欠乏の経験を通して、意識自身を部分的には気づくようになる（たとえば、食べ物への欲望においては、意識は空腹、つまり食べ物の欠乏を通して自らを経験する）とヘーゲルはいう。しかしながら、彼によれば、通常の欲望は十全の自己意識を説明するには十分ではない。すべての動物はこうした欲望をもつが、すべての動物が自己意識的であるわけではないと、ヘーゲルは記す。

人間という種だけが、ヘーゲルの図式では十全の自己意識をもちうる。そしてこのことは人間のみに特有な欲望によって説明される。すなわち、欲望のための欲望、あるいはむしろ欲望されることの欲望、つまり承認への欲望である。ヘーゲルにとって、人間的意識は意識として承認されることを欲望する。さらにいえば、そうした承認が求められるのは、意識が十全の自己意識を達成できる場合なのである。他者の意識という媒介を通して、意識は自分自身に立ち戻ることができ、自らを同定する。

> 自己意識は、それが他の自己意議に対して存在するとき、およびそうした事実によってのみ即自かつ対自的に存在する。つまり、自己意識は承認される場合にのみ存在するのである。（Hegel 1979 : 11）

欲望と承認と自己意識は、この図式においては心底から分かちがたく結びついている。意識は、それが他の意識の存在をそれとして同定するときにのみ、またそう同定しうる程度に応じてのみ、自らに気づくようになる。意識は、それ自身の特性を、世界に関する他のパースペクティヴの間にあるひとつのパースペクティヴとして同定し、認めることによって、自らを脱中心化しなければならない。これに先立って、意識は世界と特定の世界観との間に、あるいは自分と世界との間にいかなる区別もつけないし、またそうすることもできない。しかし、この脱中心化は緊張やギャップを残す。意識は、それが他者の意識を意識として同定するとき、自己自身から引き出される。それは自己疎外であり、意識は自己自身をただ他者の経験のなかでのひとつの対象としてのみ経験する。したがって、他者の承認だけが自己の意識を自己自身に返還することになるだろう。ただ他者が意識を意識として承認することを認めるときにのみ、意識は自己を意識として経験できるのである。自己意識とは、この意味で間主観的な現象であり、諸意識間の相互承認を通してのみ達成される。さらに、我々の自己評価の感覚、たとえば誇りや品位もこれに加えることができる。これらは、我々が他者との関係においてのみ有することのできる情感であり、それゆえそれは、我々と他者との関係や相互行為に結びついているのである。

しかしながら、ヘーゲルによれば、承認は自動的に叶えられるものではない。承認を求める欲望は「死を賭した闘争」のなかに最初の例として表現される。ヘーゲルのこの闘争という説明は曖昧であるが、それは三つの中心的要求を含む。第一に、人間であるために、そして人間であると承認されるために、人は自らの人間的欲望を動物的欲望すべての上に、とりわけ自己保存を求める動物的欲望のうえに置かなければならないし、また置いているように見られなければならない。第二に、このことは人が自らの人間性のために自らの命をも危険に晒さなければならないということを意味している。第三に、このことは各々が彼または彼女の命を危険に晒す争いにおいて表現される。そしてこれが死を賭した闘争である。人は死を賭した闘争のなかで自らを証明するのである。

この闘争が終わるひとつの形は、ヘーゲルの見解においては、一方の闘争者が他方を殺すことである。これはいずれの党派にとっても満足のいくものではない。敗者は死ぬが、他方勝者も彼または彼女の承認のための唯一の可能性の源泉を失うからである。もうひとつの可能な終わり方は、一方の党派が服従し、他方を十分に承認しはするが、彼または彼女にとってそうした承認を享受することなしに、である。彼/彼女らは自己保存を求める動物的欲望に屈服するのであり、他者の奴隷になり、それによって主人と奴隷の関係が生じる。歴史的にみれば、こうした結果はともに実現されてきた。しかし、前者は人間の死滅を生じさせるだけだが、他方、後者は歴史的力動を生じさせる可能性があり、実際にも生じさせてきた。この見解において、歴史とは、承認を求める闘争によって活気づけられる一連の社会関係の継起のことである。

この点で、ヘーゲルの分析レベルは変化する。自己意識は、社会関係の歴史的力動に依存するものとして同定される。かくして意識の分析は、具体的な歴史的環境における具体的な歴史的存在の分析に取って代わられ、承認の間主観的関係は、社会的、政治的な構造として捉えられる。さらに、ヘーゲルは彼の焦点を、個人行為者から集合的行為者にシフトさせる。ここにおいて彼は、個人的な主人と奴隷というよりも、奴隷階級と主人階級を考察しているのである。

主人／奴隷関係の歴史的形態は、主人の生物的欲求を満たすための物財を生産するという、主人に対する奴隷の労働を意味する。このことは動物的欲望という基礎領域から主人をさらに解放することであり、他方同時に奴隷をより緊密にそうした基礎領域に結びつけることである。奴隷の生活は動物的欲求を満たすために捧げられ、主人はそのような関心から完全に解放される（主人ももちろん依然として食べなければならないが）。この状況において、奴隷は市民権《シティズンシップ》を欠く、とヘーゲルはいう（Kojeve 1969 : 47）。この考え方において、市民であることとは、人が市民として認められる共同体の部分になること、つまり法や国家のレベルで公的、制度的に自律的な意識として認められることである。市民権《シティズンシップ》は十全な承認と自己意識の具体化である。

ヘーゲルの説明においては、奴隷だけが主人／奴隷関係において苦しむわけではない。主人もまた苦しむ。なぜなら、主人は奴隷によって承認されて初めて主人なのだが、その奴隷は自らが自分自身として承認されていないので、承認を与えるに値しないからである。奴隷によって承認されることは奴隷根性に達することであって、十分な自己意識に達することではない。承認は、人が、自分を承認するに値すると承認している者によって承認される場合にのみ満足される。こうして主人／奴隷関係は、その両方にとって不満足である。主人にとって、それは袋小路に陥る。主人は承認のために自ら危険覚悟の生活を送るが、うまくいかない。主人は、できること以上のことはできない。主人には闘うことも残されておらず、危険を冒すこともない。しかし、奴隷には希望がある。奴隷は、承認されていないので、承認の価値を高く評価し、その価値を闘いのために保持する。さらに、奴隷の仕事、つまり物質的環境の変形が、承認のための基礎を提供する。

労働は、死を賭した闘争において達成されるのではないが、次の三つの点で承認のための基礎を提供する。第一に、ヘーゲルがそう定義するように、労働は必然的に自然の変形を含み、自然を（たとえば道具や農耕技術を通して）支配するのだから、それは自然から奴隷を解放する。労働者は、たとえ人間支配者の奴隷であるとしても、自然の奴隷ではない。第二に、奴隷は奴隷として、自分自身の必要を満たすのと同様に他の人の必要を満たすために働いているので、自分自身の直接的な動物的欲望を越え、その欲望を従属させる（それは、自分の命を危険に晒すことによってなされるだろう）。そのようにして奴隷は、自分自身を自然から自由にする。最後に、奴隷は自然を変形し、それを人間的必要に応じた形で作り上げる（自然を、人間的世界つまり社会的世界に属するものへと作り上げる）ので、奴隷は自分自身の人間性を承認することができる外的対象をもつ。ヘーゲルにとって、労働は人間的意識あるいは精神の外化である。そのようなものとして、労働は自己意識が生起する鏡を与えるのである。しかしながら、もちろん奴隷は権利や市民的地位の形態で政治的に承認される人間性を依然として欲しており、それを達成するためには奴隷制度を廃止しなければならないだろう。労働は自己意識の微かな光を与えるが、しかしその十全の実現ではない。

この点からヘーゲルは、奴隷の意識が歴史の過程で経験してきた様々なイデオロギーの段階を記述する。それらは、十全な承認を達成して歴史を終わらせる段階――ヘーゲルがフランス革命がその段階だと考えていた地点――以前のものである。こうしたイデオロギーは、それぞれがストア主義的、懐疑主義的、キリスト教的である。これらのイデオロギーの各々は、奴隷が自分の立場とその不正さを十全に認識することを妨げる、と彼は論じる。それゆえそれらは、奴隷の意識を革命意識へと展開して解放をめざすことに反対して働く対抗力として作用してきた。たとえばキリスト教においては、奴隷は自分の力を想像上の神の姿に算入することによって自分自身の力を疎外させて、自分たちの地上での奴隷状態がこの想像上の神のもとでの平等によって解消されると思い描く。

ヘーゲルの間主観性についての説明に関して到達されるべきひとつの最終地点は、対象による欲望の媒介を理解することにある。ヘーゲルによる相互承認としての間主観性と承認を求める闘争の説明は、人間とその直接的環境およびその環境のなかの諸対象との関係の理解と密接につながっている。「物」との関係は、多くの例において他者との関係によって媒介されるといわれる（つまり、それは間主観的に媒介されている）。他方、他者との関係は、多くの例において「物」との関係によって媒介されているといわれる。

我々は、このことがどのように主人／奴隷関係の場合に働いているかをみてきた。しかし、他のヴァリエーションもある。たとえば、物や人工物に対する我々の欲望は、しばしば他者の欲望に対する潜在的な欲望であろう。コジェーヴは、彼が（戦闘や競争のときにみられる）旗や他のシンボルの獲得に対する人間の欲望を論じるさいに、このことを強調している。これらの象徴財は基本的な動物的欲望には役立たないが、しかしそれらは地位を与えるし、逆にその地位は欲望や承認を与えるとコジェーヴは論じる。同様にフクヤマ（Fukuyama 1992）は、事実、現代の消費財への我々の欲望の多くが、承認を求めるひとつの潜在的な欲望であると論じている。食物や住処を求める我々の基本的な動物的欲望は今日の世界では何度でも満足させることができるだろうが、財に対する我々の欲望はまだしばらくは飽くことを知らないかのようである、とフクヤマは論じる。というのは、こうした財が他者の欲望を象徴しているからであり、それゆえ財の所有が自尊心や自己価値への鍵となっているからである。このことは、この流れの歯車が再度変転するまで続くであろう。

ヘーゲル評価

ヘーゲルの立場とフッサールの立場との間には、いくつかの興味深い類似性と対称性がある。ヘーゲルは他者による承認を自己意識の前提条件にし、そうしてそれはほとんどフッサールの見解（必要な関係的要素をその見解に織り込んだとしても）と対立するのだが、しかしヘーゲルの自己意識に対する説明への関心は、意識が何とかして自らを超越し他者を承認しようとする仕方を説明するフッサールの関心と、非常に類似している。両方のケースとも、意識がそれ自身の特殊性を超えて、その特殊性を承認し、さらには集合的で合理的な一致を通して構成される普遍性という可能性に向かって移動する仕方に対して、共通した関心がある。承認は、他者と協力し自己自身を脱中心化する意識を含んでいる。さらに、ヘーゲルが欲望と承認を求める闘争に関して述べたことの多くは、筆者が間主観性の自我論的形態と名づけたものに一致する。諸主体は互いを経験する存在として経験し、自らを経験されたものとして経験する。事実このことは、承認を求める欲望にとっての基礎である。フッサールがヘーゲルよりも優れている点は、フッサールがこうした意識についての意識を説明しようと試みたことである（ヘーゲルはそうしなかった）と筆者は言いたい。しかしながら、ヘーゲルが優れている点は、彼が自己と他者との関係主義とそれらの間にみられる欲望や緊張をはっきりさせたことである。欲望と緊張は重要である。なぜなら、それらは人間の相互行為を活気づける動機づけを説明する方向に向かうからである。筆者はこの点を示唆しておきたい。この動機づけのいくつかは、もちろん我々の食物への欲求や性的な動因によって説明される。しかし、それがすべてではない。承認を求める欲望は、それ以外の多くを説明することができるであろう。とりわけ、それは地位や卓越化《ディスタンクシオン》（Bourdieu 1984）への明らかに人間的な動機づけを説明するし、あるいはまたここでも示したいのだが、品位や誇り、罪、恥、愛、正義といった道徳的感情をも説明する（Honneth 1995; Sartre 1969）。

興味深いことに、我々が論じてきたヘーゲルの見解、つまりそれはまたコジェーヴの見解であるが、それもまたフッサール的な観察の優位性を、観察がもつ問題点全部を伴いながら再現している——ただし、このことは初期のヘーゲルには当てはまらないが（Honneth 1995）。諸主体は互いに気づき互いに闘争するが、コミュニケーションには失敗するように見える。この点は、『存在と無』においてサルトルによってなされた承認を求める闘争の利用と、『知覚の現象学』や『シーニュ』においてなされたそれに関するメルロ＝ポンティの議論との対比のなかに、鋭い形で引き出されている。サルトルが大いに焦点を当てているのは、「まなざし」をめぐる闘争に関する議論である。そこで彼は、我々が見られていることに気づいたり感じたりするときに我々が経験する不安や疎外感を検討している。他者のまなざしは我々を捕捉する、とサルトルはいう。我々は紛れもなく自己意識的にされている。しかし同時に、我々はあたかも我々が他者の経験のなかで客体であるかのように感じる。サルトルの場合、このことは、間主観的関係の核心において解決不可能な葛藤を指し示している。我々は関係性のなかで基本的な選択権をもつ、と彼は論じる。つまり、我々は自分自身を、他者の凝視のなかで疎外され客体化されるものとして経験することもできれば、他者を客体化することもできる。我々は支配するか支配されるかである。逆にメルロ＝ポンティにとっては、発話の可能性が第三の選択肢を与える。「まなざし」のもつ不安と葛藤は、メルロ＝ポンティの見方によれば、コミュニケーションを行うことに対する（伝達された）拒絶からのみ生じる。諸主体は他者から引き返し、他者を互いに客体化せざるをえない。だがこの緊張と葛藤は、メルロ＝ポンティの場合は、よいコミュニケーション関係が回復されれば解消するものである（Crossley 1993, 1994）。

以上のことから、発話は承認を求める闘争に終わりをもたらすと考えてはならない。発話は、多くの理由から真のコミュニケーションに失敗することがある。また、承認を求める闘争はしばしば発話によってなされうるし、同時にそれに裏をかかれることも多い。にもかかわらず、メルロ＝ポンティの立場は、二つの興味深い点を押し進めた。第一にその立場は、言語と発話を真正面から承認の議論のなかに導入した。第二にそれは、承認を求める欲望と闘争が特定のタイプの間主観的関係の作用であることを示唆している。それらは、開かれたコミュニケーションや他者を通した自己の経験から撤退して、我々が反省的な自己に逃げ込むときにみられる。この論点が、筆者が本章で導入した根源的間主観性と自我論的間主観性の図式へと流れ込むのである。承認を求める欲望と闘争は自我論的間主観性の関係の作用であって、根源的間主観性のそれではない。根源的間主観性の関係のなかに含まれるコミュニケーションは、承認を求める闘争を克服するか解消するのである――もちろん、我々が根源的形態と自我論的形態の間を揺れ動くとすれば、そうした解決は決して永久的ではないだろうが。

自己と他者に関するヘーゲルの関係的な考え方は、ひとつのレベルで、ブーバーの関係的な考え方と対照することができる。ブーバー同様、ヘーゲルは個人意識とアイデンティティの相互依存性を認める。この点で、ブーバーのヘーゲルに対する優位は、ブーバーがヘーゲルと比べて、社会関係の二つの（歴史的に共存する）類型を認めたことにある。しかし、ヘーゲルの優位は、ヘーゲルがより詳細により深く相互依存性を探究したことにある。たとえば自己についてのヘーゲルの考え方は、あるレベルで、より対話的である。ヘーゲルは、自己が承認の関係においてどのように形成されるか、また我々の誇りや尊厳が、他者が我々を把握するさいの評価にどのように関わっているかについて考察している。さらに彼は、物質的な依存性の意味をその叙述のなかに導入した。彼の描く主体は裸の意識ではない。諸主体は具体的な社会関係を通して構成され、今度はその社会関係がより広い歴史的文脈の一部を形成する。だからといって、こうした具体的な社会関係や社会についての（コジェーヴが読解したような）ヘーゲルの考え方には欠点がない、というわけではない。それどころか逆に欠点がある。とくに問題であるのは、ヘーゲルが、対面的な関係から強引に思えるほどに歴史的全体性に飛躍する点であったり、個人行為者が集合的行為者に取って代えられたりする点である。個人と階級が類似なものとして取り扱われうるのかどうかは、少しも明瞭なことではない（Hindess 1988）。また、個人間の二者関係の運動と歴史の運動との間にも埋めらるべき概念上の溝がある。それにもかかわらず、ヘーゲルが個人の相互行為から社会構造や集合体へと移行する点は重要である。この点は、間主観性の議論へのヘーゲルの基本的な寄与のひとつである。さらに、ヘーゲルがこのレベルで、市民の概念をしっかりと設定したことも重要である。このことによって我々は、ブーバーの政治的ほのめかしを越えて、間主観性の政治的重要さに関するしっかりとした理解へと進むことができる。この点を、筆者は第七章で取り扱うつもりである。

アクセル・ホネット（Honneth 1995）は、彼の最近の研究『承認を求める闘争』において、「レベル」に関するこの議論に興味深い貢献をしている。ホネットは、承認が適切な社会的行為者にとって不可欠なものであり、したがってそれは批判的社会理論にとって道徳上の要として役立つだろうと論じる。さらに彼は、さまざまな形態の承認が生起する三つの異なったレベル（あるいはむしろ、我々の社会の歴史過程において区別されるようになる三つのレベル）を措定する。すなわちそれは、家族、市民社会、そして国家である。家族のレベルでは幼児と養育者の間の闘争があり、そこで幼児は愛という形で承認を得なければならないと彼は論じる。このことによって、幼児は基本的な自己意識と信頼と自信を得るであろう。この点は、ヘーゲルに影響を受けた数多くの子供の発達研究――そのすべてが、自己感覚の獲得は実際に子供期の社会的相互行為の所産であるということを示す傾向がある――と再度結びつく興味深い点である（Benjamin 1991; Merleau-Ponty 1968b）。さらにここにはブーバーとの交点もある。こうした研究は、ブーバーが「我―それ」関係で示したような自己意識は、（ブーバーがそうしたように）生来のものではなく獲得されるものであるということを示す傾向がある。筆者はこのことを、もっと詳細に第三章で論じるつもりである。

市民社会のレベルでは、我々は権利と権利が我々に与える自尊心とに関心がある、とホネットは論じる。このレベルの例となるような闘争に関しては数限りない。だが、ジェンダーをめぐる闘争、人種をめぐる闘争が二つのよい例であり、ホネットはとくにこれらに焦点を当てることに関心をもっている。承認を求める闘争についてのヘーゲルの理解によって、我々はこれらを、（ホッブスのような）万人の万人に対する闘いの例というよりは、むしろ道徳的闘争として見ることができるようになるとホネットは論じる。我々は、それらが真剣な道徳的要求を前提としていることを認めることができる。だが、それらが闘争であること、ヘーゲルによって我々がそれらを闘争として考えることができるようになったこと、こうしたこともまた重要である。というのは、そのことによって我々は、我々の道徳的感受性と具体的な歴史的過程や歴史的実践とが同じようなものだと見ることができるようになるからである。このレベルでのホネットの関心は、従属集団の位置とアイデンティティ、あるいはその集団の心理とその媒介機関の不足といったことを理解するために、承認を求める闘争を用いた多くの偉大な政治的著作者たちとも再び結びつく（Easton 1987; Habermas 1974; Lloyd 1985; Merleau-Ponty 1969; Sartre 1948)。

ホネットの論じる最後のレベルは、国家のレベルである。彼にとってこのレベルの関心は、個々人が完全なまでに自分たち自身の潜在能力を（競争し合うなかで）発展させる可能性をもつことにある。このことは、個人であることの必要性、個人としての自己価値の感覚をもつことの必要性と関係している。このレベルでの「報償」は自負心である。

この図式は確かに役に立つ。他のすべての図式と同じように、そこには完全にその図式に適合しない両義的なケースもつねにあるにもかかわらず、それによって我々は、承認が異なったレベルや異なった争点との関係で達成されるに違いないことをみることができる。筆者としては、市民社会という中間レベルに関して、さまざまな集団が異なった相互行為の文脈で受けとる形式的な権利と実質的な取り扱いとの間を、ホネットがもっとよく分けた方がよかったであろうということを示唆しておきたい。現代の多くの議論は、権利の法的な重要さと同時に、権利の実質的な実現に関心がある。しかしこの点は、ホネットのモデルのさらなる展開の問題にすぎない。そのことによって、ホネットのモデルを否定することにはならない。

ヘーゲルに関する議論の最終地点は、死を賭した闘争という考え方である。この考え方は、筆者にはとくに曖昧な観念だと思われ、ひとつの寓話以上には理解できないものである。だがこのことにもかかわらず、あらゆる神話と同様、それは何がしかの真実を指し示している。この場合は、現実は血なまぐさい戦争や革命ばかりでなく、人間自身になるための人間的欲望、自分自身と闘って自分自身を検証し勝ち取るための人間的欲望でもあるということであろう。間主観性の現場（fabric）は、共有と合意の場であると同時に、競争と係争の場でもある。

間主観性の諸次元

本章で筆者は、フッサールやブーバーの研究、そしてコジェーヴによるヘーゲル解読のなかで措定された「間主観性」についての異なった見解を論じ、批判的に評定してきた。以上の議論は、筆者が本書の後続部でより詳細に検討していく領域の地図を効果的に描くためのものであった。ここでは、概念、分析のレベル、そして我々が考察しなければならない不足点が明らかにされた。さらに、そうした議論として、ここでは後続の章で展開されていくことに対する理論的根拠も与えられた。

本章でうち立てられた基本的な区別は、間主観性に関する根源的位相と自我論的位相との区別である。この類型論に従えば、根源的位相はブーバーの「我—汝」関係と等しい。それは、自己意識の欠如と他者へのコミュニケーションの開けを意味するが、それらは無条件的なものである。自己は他者とこの様相で関わるが、他者を他者として経験するわけではない。これに対して、自我論的間主観性は、フッサールから引き出されている。それは、自己を他者の位置に想像上で移し入れることによって、他者性を経験する自己移入的な志向性を意味する。間主観性のこれら二つの位相と、それが伴う争点（たとえば、自己性）が、次の二つの章の主題を形成する。次いで、残りの四つの章は、そうした章から立ち現れてきた別の中心的関心を述べるであろう。第四章は生活世界の問題を取り扱う。第五章は社会構造およびその社会構造と生活世界との関係の問題を取り扱う。第六章は権力の問題を扱い、第七章はシティズンシップの問題を取り扱うことになる。

第二章　主観性、他性、そして間《あいだ》——根源的間主観性について

本章で筆者は、第一章で定義されて論じられてきた「根源的間主観性」を発展させて、それにさらなる考察を加えたい。議論の土台は、次の四つの主張をめぐって構成される。第一に、人間の主観性は本性上、外的（物質）世界から切り離された私的な「内的世界」ではないということ。つまりそれは、感覚をもち身体をもつ存在の日常的実践のなかに存在すること、そしてそれゆえ公的で間主観的であることである。第二に、主観性は、他性（alterity）の経験やその客観化のなかに存在するというよりも、まず第一に他性に対して前反省的に開かれ、それと関わりをもつことのなかに存在するということ。第三に、人間行為、とくに発話は必然的に社会的に制度化された形態をとること、そしてこの形態は発話の有意味性にとって本質的であること。第四に、人間の多くの行為と経験は対話的な状況から生じること、すなわち個々の人間主体に還元できないシステムから生じること。これらの点を考え合わせれば、以上の四点によって我々は、間主観性を、共有された意味をもつ還元不可能な間《かん》世界として概念化することができるようになり、そして人間の主観性を必然的に間主観的なものとして理解する

ことができるようになるのである。

筆者は主にこうした主張を、モーリス・メルロ゠ポンティの研究の批判的議論を通して展開していきたい。メルロ゠ポンティの研究には問題点もあり、そのうちのいくつかは後に論じられるであろう（Crossley 1994も参照せよ）。だが、この点にもかかわらず、彼の研究は根源的間主観性概念のための強靭な哲学的基礎を与えるという点が筆者の論点である。この論点を裏書きすることこそ、本章の目的である。

以上の立場を論じるさいに、筆者はエマニュエル・レヴィナス（Levinas 1985, 1987a, 1987b）と反対の立場に立つことになる。レヴィナスは、メルロ゠ポンティの哲学が「他者（the other）」に関するフッサールの観念論的で自我論的な還元と十分な形で関係を絶つことに成功していないと論じてきた（第一章参照）。レヴィナスからみれば、メルロ゠ポンティは他者性（otherness）を一人の主体による他者の知覚に還元している。筆者はこの点に関して、次の三つの根拠から反対する。第一に、レヴィナスの主張は、メルロ゠ポンティの知覚に関する理解の根源的性格を十分に考察していない。メルロ゠ポンティの知覚理解は、他性を客観化するような還元としてというよりも、他性と前反省的に関わっているものとして、まさに知覚を措定しているのである。第二に、もし知覚が間主観性の諸理論のなかで説明されないとすれば、それらの諸理論は知覚を考察するように強いられるときはいつも躓くことになろう。第三に、知覚はメルロ゠ポンティの間主観性の説明のほんの一部に過ぎない。彼はまた、発話や身振りや情動の役割を検討し、それらの要素を彼の知覚の説明と統合しているのである。

メルロ゠ポンティの研究が本章の主要な焦点ではあるが、もっぱらそれだけというわけではない。その間に筆者はメルロ゠ポンティの立場を、ミードやシュッツやヴィトゲンシュタインの見解で補足し続けるであろう。これらの人たちのおかげで、我々はメルロ゠ポンティの思考がもつ弱点のいくつかを克服できるし、またメルロ゠ポンティ自身が捉えたもの以上に彼の考えをさらに発展・展開することができるようになる。これらの人たちは、人間の主観性についてメルロ゠ポンティと類似の見解をもっているが、しかしその各々は強調点も異なれば、各々が与える洞察の点でも異なっている。

本章は知覚の分析から始める。これに続くのは相互行為と対話の議論である。最後に、筆者は情動を考察する。本章の結論において筆者は、根源的間主観性は間主観性の複雑な過程の一位相にすぎないということを示唆して、間主観性の根源的な概念のもつ限界も明らかにしたい。

知覚と他性

知覚は、メルロ゠ポンティの哲学において特権的な位置を占めている。彼は、あらゆる意識は知覚意識に基づき、「［我々は］知覚の世界に住むことを決してやめない」（Merleau-Ponty 1968c : 3）と主張する。この意味で知覚はあらゆる知覚的様相、つまり視覚、触覚、聴覚、味覚、嗅覚を含む。そしてメルロ゠ポンティは、こうした諸様相の相互関係を非常に強調していた。にもかかわらず、彼の用いた例と議論の多くは視覚的知覚に焦点が当てられ、彼の概念上の新機軸の多くはこの様相にはっきりと向けられていた。これは問題であるが、筆者はこの点をここで訂正する余裕はない。筆者は、メルロ゠ポンティの偏重を再現せざるをえない。

メルロ゠ポンティの知覚の議論は、正反対の二つの思想要素、つまり経験論と主知主義の批判から始まる。この前者つまり経験論は、知覚が物理的な感覚であり、視覚システム上（視覚システムそれ自身は物理的な客体ないしは機制と考えられている）のひとつの規定的な対象、すなわち「刺激」が引き起こす効果であると考える。この見解に関するメルロ゠ポンティの最初の反論は、この物理的感覚という考え方が知覚的意味の考察を排除すること、すなわちそれは、知覚が誰かによって見られたものを伴い、見られたものはそれを見る誰かにとって意義をもつことについて、十分に考察していないということである。さらに、経験論者が知覚的意味を認めることがあるとしても、だが経験論は原子論的で客観主義的であると彼は続ける。経験論は、自らを視覚的システムに押しつけることができる前所与の孤立した対象を想定する。そして経験論は、知覚対象がつねに構造化された視覚野の文脈で生じ、その文脈が対象の概要とその意味の文脈的条件とに対して必要な、浮き立たせるような強調を与えるものであるということを認め損なう。たとえば鉛筆で記された小さな点は、その点とは異なるある背景に対して、ひとつの点としてだけ見られる。もし鉛筆で記された点の面積が我々の視覚野全体を満たす場合、たとえば我々が自分の視界のなかにそれ以外のものが見えないように非常に接近する場合、そのとき我々は点を見ないであろう。さらに、その点の意味、つまり我々が点を見る見方は、我々がその点を見るさいの背景よってまったく異なるだろう。もしその点が顔の絵の中、しかもまさに眉毛の下にあれば、我々はそれを目として見るだろう。もしそれが書かれたテクストの一頁という文脈で、垂直な線の上端に置かれていれば、我々はそれを文字「i」の一部として見るだろう。それが一連の単語の終わりにあれば我々はそれをピリオドと見るであろうし、また一連の単語のつながりをひとつの文として見るであろう、等々。対象の意味は、そしてそれゆえ我々にとって対象がひとつの対象としてまさに存在しているということは、その対象と背景との構造的関係によって決定されるのである。

経験論のもつ原子論に対するこのような挑戦に加えて、構造化された視覚野という考え方は、さらに次の二つの点で経験論に挑戦する。第一に、この考え方は視覚野における背景構造を指摘することによって、見られていることのなかで考慮に入れられているが、実際にはそれ自身において見られているのではない視覚野の諸相を明らかにする。このことは経験論者にとって問題点であった。というのは、経験論は、諸事物は見られているか見られていないとだけ主張するからである。経験論は両義的な現前を説明できない。第二に、視覚野という考え方が示唆するのは、対象は、対象としてのその存在が視覚野の組織化に構造的に依存し、それゆえ対象は知覚の規定因ではありえないということである。対象は、決して知覚の「原因となる」ことはできない。

ヴィトゲンシュタイン（Wittgenstein 1953）の示したウサギ／アヒルの反転図形のような両義的な像は、このような批判のいくつかを例示する。視覚的意味あるいは視覚像の対象は、経験論者が刺激とみなすものの変化がなくとも変化する。さらに、画像のなかのあれこれの対象は、しばしば見いだすのが難しいこともある。そうした諸現象は、対象が規定的だとする考え方に強烈に挑戦する。それらが示唆するのは、対象は視覚野の組織化に依存し、しかも視覚野の組織化は固定的ではないということである。実際それらが示唆しているのは、我々に見えているもの（知覚の対象）は、少なくともその一部は我々が見る仕方によって規定されているということである。

経験論へのこうした批判の多くは、メルロ＝ポンティが主知主義者の伝統と呼ぶものによって措定されてきた。デカルト（Descartes 1969）のような主知主義者は、対象としての身体（および視覚システム）という経験論者の考え方を共有しているが、しかしそうした主知主義者は他と区別される実体、つまり非物質的な精神を措定する。有意味な知覚や他の「精神的」現象を説明するためである。こうした人たちによれば、知覚とは意識による判断、あるいは意識の構成作用である。我々は精神でもって見るのであって、目で見るのではないとそうした人びとは主張する。

このような主知主義者の見解を支持しながらデカルトが与えた例は、窓の下の通りを歩く人を見るというものである。この場合、見る人は実際には人間を見ていないとデカルトは論じる。その人が見ているのは「幽霊あるいはマネキン人形が身につける帽子あるいはコート」である（Descartes 1969 : 110）。しかしデカルトは、それらが人間であると判断し、そしてこの意味で次のような彼の知覚の有意味な感覚を構成する。すなわち、「私は、私の精神に住みついている単一の判断力によって、私が自分の目で見たと信じているものを理解するのである」と（ibid.）。

この主知主義者の見解は、知覚の有意味な性格を重要なものとして考慮する利点をもつが、しかしそれは、メルロ＝ポンティの見解によれば、まだ多くの欠陥をもつ。第一に、判断としての知覚というこの説明は、判断される（有意味な）知覚対象を前提にしており、したがってそれは、有意味な知覚とは何かという問いに答えるというよりも、むしろその問いを要請するのである。たとえば、デカルトの説明は（人間だと判断される）帽子とコートの有意味な知覚を前提とする。この場合、その説明は有意味な知覚を説明することはできない。このことを別の仕方で表現してみると、主知主義はまさに知覚を説明する場面で知覚の主体を前提にしているということができるであろう。それはちょうど、まさに知覚を説明するその場面で、経験論が知覚の対象を前提にしたのと同様である。

第二に主知主義は、身体とは切り離された領域のなかに知覚の有意味な相を配置する点で、精神／身体の二元論における多岐にわたる問題点を生起させる。この問題点の少なからぬものは、二元論者はこうした二つに区別された「実体」がいかにして相互作用をなしうるのかを説明できないという問題、つまり知覚との関係で明確に浮き上がってくる問題である。というのは、知覚はまさに意識と世界の接点を必要とするからである。

メルロ＝ポンティにとって、主知主義の第三の問題は、それが知覚上の間違いを説明できないことに関わる。もし有意味な知覚が意識作用によって構成されるならば、我々の（最初の）知覚が、詳しい検討に基づいた場合にいかにして間違いだと判断することができるのかということが明確ではない、と彼は論じる。世界に意味を付与するのに責任がある精神は、自らに対してごまかしを演じるのでなければ――我々はそうしないと想定している――、誤ってそうした意味付与を行うことはありえない。なぜなら当該の判断が、本来設定されていた判断とは別の判断であると判断する正しさの基準は存在しえないからである。しかし、我々が知覚上の間違いを犯すことははっきりしているのである。

それゆえ、メルロ＝ポンティは主知主義者の見解を拒否する。そして、実際において知覚世界を判断作用や構成的意識に還元するようないかなる見解も拒否する。知覚において、知覚者は自分自身を越えなければならないと彼は論じる。知覚者は自分以外のものに向けて開かれなければならない。知覚は、生体とその環境との間でなされるひとつの弁証法的過程であるはずだ、とメルロ＝ポンティは論じている。それは「形式を伴って懐胎」している世界に「問いかけ」、その「世界全体に広がり、住みつく」ような「まなざし」であり、またそれは、その世界自身に関する一定の見解を是認したり否認したりしながら、その世界に抵抗も試みるような「まなざし」のことである（Merleau-Ponty 1962 : 53）。知覚は他者性への開けであり、関与であって、他者性を還元したり、他者性に還元するものではない。それは、形式を求める活動的な尋問なのである。

主知主義者と経験論者がともに犯す間違いは、メルロ＝ポンティにとっては、その両者が説明を求めなければならないことを実際上は前提にしていることである。経験論者は知覚の対象を前提にし、他方主知主義者は知覚の主体を前提にしている。両者とも、こうした要素が関係的に構成されていること、それゆえどちらも他方を説明することができないこと、そしてまたそのどちらも事実上知覚の原因であるよりも知覚の結果であること、こうしたことを十分に見ていない。以上の理由から、知覚は生体とその環境との弁証法的関係に根づく原的過程であって、そうした過程が知覚の主体と対象を生み出すのである。

しかし、この過程から生じる（知覚の）「主体」と「対象」は、伝統的な哲学によって想定されている十分に形式を整えた反省的な類型ではない。知覚意識はまず第一に実践的意識であり、そうしたものとしてそれは前反省的、前対象的、前自我論的である。見る人は、反省的レベルにおいても大部分は自己無意識的である。さらにまた、見る人は自分が見るものについてさえ（反省的なレベルで）無意識である。自分たちが見ていることが、自分たちから対応する行為を呼び起こす。それはしばしば、反省的な思考という熟考や覚識なしになされる。そのうえ、見られるものは、そこに知覚と行為の間の弁証法的運動があるので、見る人が関与している活動によって枠づけられる。つまり、行為が知覚を枠づけ、知覚が行為を呼び起こす。この意味で、知覚は見る人を行為の場へと差し向ける。そのようなものとして、見る人の世界はじっくり考えられたり観察されるのではない。それは参入されるのである。

このことについてのメルロ＝ポンティの主要な例は、サッカーの例、つまり獲得された文化的な規則および慣習（「ハビトゥス」）の知覚活動における役割に光を当てるのにも役立つ事例を中心としている（Merleau-Ponty 1965 : 168）。サッカー選手は通常、プレイしているときに競技場や試合のことも熟考してはいないと彼は記す。彼らはプレイに熱中しており、反省的な思考を行うには展開が早すぎるのである。競技場は彼らが行為をする背景であり、また彼らの知覚は自分たちをプレイに絡ませる手段である。彼らは試合を読むが、それは読者が本を読むときに単語や文の文字の形に注意を集中しないのと同様に、競技場の人たちや「客体」に注意を集中しない。彼らは、空きスペース、パス、オフサイド、ゴールを見る、つまりサッカーの試合にとって適合的な特定の意味ある出来事を見るのである。さらに、見ることがもつこうした意味合いは、反省的ではなく実践的である。見ることが、即座に「考えることなし」にプレイヤーから反応を呼び起こす。ストライカーは空きスペースを見、直ちにそこに動く。選手たちは、自分たちが見たものが空きスペースであるかどうかを反省的に認識する時間はないし、そこに移動するかどうかを熟慮する時間もない。

知覚についてのこの見解は、第一章で論じられたブーバーの「我—汝」関係の理解と明らかな相似点をもつ。メルロ＝ポンティにとって、知覚は第一に対象「についての経験」ではない。それは差し向けであり、対象との絡みである。それは、他者性との「交流（communion）」である。

身体性と知覚

メルロ＝ポンティの知覚分析のさらに中心的な構成要素は、「主観身体」という彼の概念である。それは、主知主義者がもつ問題のある心身二元論と、身体を物理的対象とみる問題のある機械論的見解——しかも後者の見解をもつ哲学者たちは、経験論者とその見解を共有しているのだが——との両者に取って代わることを意図した概念である。二元論的な見解に反対してメルロ゠ポンティは、我々とは我々の身体のことであり、そして我々の意識と我々の生を活気づける意味との全体は、世界への我々の活動的で身体的な（かつ間身体的な）絡みに基づいている、と断定する。筆者は、本研究を通して、この考えをさらに肉付けしていくつもりである（Crossley 1994, 1995a, 1995b）。目下のところでは、知覚の身体的基礎についてのメルロ゠ポンティの見解を手短に考察することで十分であろう。

あるレベルで、知覚における身体の役割とは、パースペクティヴを与えることである。現象学的分析が示したのは、知覚はつねにどこかから（たとえば、上から、横から、近くから、など）の見えであり、どこにもない場所からの見えという考えは、つじつまが合わないということである。知覚される「事物」は、つねにそれが見られる地点を前提にする。そして、身体とは、それが空間に拡がり空間を占めるものならば、このどこかにある。我々が見ることができるのは、身体として我々が我々の世界にひとつの場所を取り、その場所との関係で立つことのできる力を我々がもっているからである。しかしながら、メルロ゠ポンティに従えば、身体性はそこから見る立脚点以上のものを与える。「抵抗」に出会う「尋問」としての彼の知覚の見解は、見るものと見られるものが同じ「素材」からできているということ、そしてそれゆえ我々が見る者であるのは、ただ（物理的な）主観身体としてだけであるということを必然的に伴う。この議論に従えば、デカルトの「精神」がそうであるような、身体とは異なった純粋な実体は、世界を見ることができない。なぜなら、その精神と世界とは、接触する地点がないからである。この二つは関わり合うことが決してできない。

以上のことの含意は、知覚を感覚でもって捉える経験論者の断定を批判して、メルロ゠ポンティがこの考え方に関する自分自身の見解を据えるということである。つまり彼は、先に述べた問題点を克服するために、二つの決定的な点でこの考え方を修正する。第一に彼は、知覚の文脈では、感覚は意味から分離することができないと主張する。知覚的感覚野は、主観身体にとって有意味なゲシュタルト構造を形成していると彼は論じる。この点は、あらゆる意味と観念とは具現化されなければならない（たとえば言葉、身振り、人工物、儀式などにおいて）という、より一般的な論点と関係する。第二に彼は、感覚という考え方を伴う私秘性のもつ含意について保留を表明する。彼は、知覚を知覚者の「なかに」位置づけることを拒否する。我々は諸事物を我々の頭のなかで見るのではない、と彼は論じる。我々は諸事物を世界のなかで見る、つまりそれらに触ることができ、それらを操作することができ、それらを他者に指し示すことができる世界のなかで見る。知覚は、外的世界についての内的表象ではない。それは、知覚の弁証法という先に述べた考え方のなかではっきりと開示されるような、世界における開け、世界への開けである。そのさい個人化された感覚が知覚関係の一方の極を形成するが、その感覚は、知覚意識や知覚野という考え方に先行するものではありえない。知覚意識や知覚野は、知覚する者と知覚されたものとの間の空間のなかで、この二つのものの活動的な関与によって形成されると理解されなければならない。知覚野は、ブーバーのいう意味での「間」あるいは「合間」である。

相互反映的関係——間

メルロ＝ポンティの知覚に関する見解は、これまで展開されてきたように、根源的間主観性という考え方の観点からみて明らかに積極的な含意をもつ。知覚を、前反省的、前対象的、前自我論的なレベルで機能する、他者性への開けであると定義することによって、この考えは私的な知覚世界という独我論的な考え方に挑戦し、それに代えて、我々のまなざしが重なり合い、相互に織り合わされる共通空間へと開かれると断定する。

ここには他我の問題はない。というのは、見ているのは、私ではないし見る彼でもないからである。つまり、無名の視覚可能性、視覚一般がその両者に住みついているからである。（Merleau-Ponty 1968a : 142. 強調

は原著）

我々の知覚の開けは、我々を間世界に差し向ける。我々は共有された視覚世界、つまり「間世界内的な空間（intermundane space）」へと開かれる（Merleau-Ponty 1968a : 269）。さらに、知覚意識がメルロ゠ポンティにとってあらゆる意識の基礎だとすれば、人間的意識それ自身もそれゆえに他性への開けとして定義される。

このことは、間世界内的空間に巻き込まれている者の知覚が同一のものである、ということではない。メルロ゠ポンティにとってあらゆる知覚は、筆者が述べてきたように、必然的にパースペクティヴ的なものである。さらに、二人の人が同一時間に同一場所を占めるということはできないので、二人は必然的に同一のものを見ない。実際、社会的位置や「文化資本」（Bourdieu 1984）から、目的、雰囲気、一時的な好みに至るまで、視覚経験における不一致を説明する多くの要因がある。こうした要因のすべてによって、我々は自分の環境を異なった形で尋問するようになる。にもかかわらず、意見の不一致や相違の場合でさえも、間主観的な場（fabric）は崩れていない。知覚者たちは自分が見たものについて論じたり論争したりすることができ、また同一の仕方で同一のものを見る見方を互いに示し教え合うことができる。知覚者たちは、お互いの知覚野に入り込むことができるのである。

このように述べたあとで、二つの留意を付け加えることが重要である。第一に、レフォート（Lefort 1990）が記しているように、我々の知覚上の探究と交渉は、メルロ゠ポンティの研究がときどき示唆しているほどには自由ではない。レフォートが論じるように、幼児の場合のような我々の初期の（学習期の）知覚経験は、ある程度自分たちの知覚的現実を定義し、自分たちが見ているように見ることを強要する権利をもっている大人たちによって、媒介されている（ここでは言語の媒介が中心である）。いいかえれば、我々は幼いときには、視覚世界に対するある特定の見方の手ほどきを受ける。我々は、その文化に特有な知覚図式を獲得する。第二に、ポルナー（Pollner 1975）とクルター（Coulter 1975）の両者が経験的研究で示したように、「知覚上の非対称性」をめぐる意見の相違は、そこに見られるべき単一の知覚可能な現実があるという現実主義者の想定に基づく傾向がある。そうした想定は、解決できない意見の食い違いが、一方の人は正しいと思われ、もう一方の人は間違っているとされるような結果、つまり偏見であるとか、近視眼的であるとか、場合によっては狂っているとされるような結果になりやすいという結論を伴ってなされる傾向がある。ポルナーが論じているように、一方の知覚が他方の犠牲と不利益のうえで妥当なものだとされるような、知覚経験に対する「政治学」がそこにはある（第四章参照）。

メルロ゠ポンティの場合、間世界内的空間の構成においてさらに重要な要因は、知覚する主体の「可逆性」である。主観身体は、見る者、触る者、聞く者などであると彼は論じる。主観身体は、自らが開いていく知覚可能な世界の一部を形成している。このことが意味する重要な点は、複数の主観身体は互いに開き合っているということである。それぞれの主観身体は、他者にとって見ることが可能である。このことは、メルロ゠ポンティの間主観性理論にとって根本的なことである。それは、諸主体が互いに差し向けあう仕方を説明する。しかしながら、メルロ゠ポンティの場合、それが間主観性を実際に設定する主観身体の透明な可視性でないことは明らかである。他者の有意味な行動こそが重要である。メルロ゠ポンティにとって、別の人を知覚することは、書かれたテクストを読み、話された言葉を聞く（そして、そのいずれかまたはその両者を含むことは明らかだろう）のと同様である。人はひとつの物理的対象（たとえば身体やひとつながりの活字）を見るのではない。むしろ、人は意味に影響されている。他者の主観身体は活気づけられ、そしてその活気が伝わる。さらに、ひとつのコミュニケーションとして、この行動は応答を求める。我々は、他者のコミュニケーションを熟考するのではない。我々は、コミュニケーションに影響を受けて、それに応えるのである。他者の行動は我々について問いを発し、そして我々の最初の傾動は、その問いに、あるいはその問いを発した者に対するというよりも、ひとつの応答に対する傾動である。

人間行動の政治的観察者ならば、紛れもなく異論を呈するであろうこの説明には、相互性という含意がある。たとえば凝視は、フェミニストや黒人批評家からは、客体化や権力や葛藤の源泉として認定される（Beauvior

1988; Fanon 1986; Young 1980)。だがそうした異論が、我々の立場に対立するものとされるのであれば、その異論は修正される必要がある。第一に、我々の見解は、相互反映的関係のなかで調和を意味しているわけではないことを記さなければならない。他者の意味に私が影響を受けているということは、私が怒っているということを意味することもある。第二に、相補性は、メルロ＝ポンティの立場からいえば相互反映的関係のほんのひとつの可能性にすぎない。メルロ＝ポンティは同様に、筆者が第一章で記したことだが、フェミニストや黒人批評家によって記述されたような、他者の客体化や他者によって客体化されているという感情は（自我論的様相においてだけだが）ありうることだと認めている。だが、メルロ＝ポンティの立場が批判されるところは、見えるものがある程度は政治的な差異化の現場であるということの、その程度に関して十分に認識していないということである。その政治的な差異化の現場のなかでは、諸集団が、他と区別される自分自身の視覚的アイデンティティの感覚を生じさせているのである（Hebdidge 1988; Wilson 1985）。そしてまた、彼が批判されるところは、イデオロギー的な影響によって、ある集団の成員が他の集団の成員によって客体化される可能性が増大するという点に関しても、十分に認識していないことである。たとえば男性のために、我々の社会が女性を視覚的な考察や消費の対象として構成していることや、このことが対話者として彼女たちを見たり対応したりする可能性をかなり減らしているということ、このことを否定することは難しいであろう。我々は、この政治的次元を我々の見解に合体させなければならない。我々は、我々の視覚可能性がシンボリズムや政治的価値を帯び、そしてそのようなものとして、それが葛藤やコントロールの関係の場所として役立っていることを認めざるをえないのである。

間世界内的な空間と会話

知覚によって与えられた他性の把握や、この把握の相互性や共有性は、メルロ＝ポンティによれば、もともとは行為や発話によって補充される。知覚や行為や発話は、世界を一貫して把握するようにする相互的な告知の振舞いのなかで結びつく。（発話の）いくつかのケースでは、このことは主体の存在の仕方の根本的な変容を意味しうる。話すことによって、主観身体は反省的、再帰的な主体へと自らを変容させることができる（第三章参照）。だが多くの例では、この変容は起こらない。主観身体は有意味な仕方で行為し、我々はそうした行為を知識と理解の両者を含むものとして記述するであろうが、しかしそうした知識も理解も、あるいは意味も、反省的ないしは再帰的な形式を想定しているわけではない。それらは、意識に現前しているわけではないのである。このことの明確な例は、車の運転である。この行為は目的、知識、理解を含む。運転手は自分がどこに行くかを知らねばならないし、変化する道路の出来事や条件に対応しなければならず、適切なときに制御を効かせることができるように制御装置が車のどこにあるかを知らなければならず、それの使い方と使い時を知らねばならず、また制御と関係するものがどこにあるのかも知らなければならない。だが、こうしたことのすべてが通常は前反省的な仕方でなされる。運転手は運転の仕方を理解している。しかしこのことは、運転手が実際に運転するとき、その人の心の前面に生じてくるものではない。運転手は「思考することなく」ブレーキをかけ、ハンドルを操縦し、進路を変え、車を進め、ギアを変える。こうした行為は計画されたものではなく、知覚において与えられた環境によって呼び起こされるのである。機械の故障といったような通常ではない出来事が生じた場合にのみ、反省的思考は始動するのである。

こうした見解によってメルロ＝ポンティは、主観身体はその環境とともに「システム」を形成しているという考えをもつことになる。主観身体は行為（action）を通して構成される、と彼は主張する。もし主観身体が行為的（active）でないならば、それは経験論者のいう物質的対象にすぎない。だが、もしそれが行為的であるならば、そのときこれは知覚—行為の弁証法のなかで与えられたものとして、必然的にその行為の周囲環境と相関的なものになる。主観身体は環境に反応する。それはその環境との対話のなかにあり、この対話は還元不可能なものである。その行為が「その環境」と関わることなしには理解できないということは、「その環境」が、自らの性質をその環境に与える知覚―行為と独立には理解できないということと同じである。

この考え方は、他の人間との相互行為に適用されるとき、根源的間主観性についての我々の理解をかなりの程度増大させることになる。いまやメルロ＝ポンティは、諸主観身体の間で形成され、反省的客観化によっても壊れない間主観的「システム」、つまり各々のどちらの側にも還元不可能だが各々の行為を生じさせるシステムについて語ることができる。諸主体は「我―汝」関係のなかにともに立つ。諸主体の行為は絡み合い、関わり合う。各々は他者によって、また他者への指向を通して動機づけられ調整される。しかしこのことは、自己や他者のいずれかを意識的に措定することも、そうすることを反省的に覚識することもなしに行われるのである。諸主体はその他者のことを考えない。諸主体は他者に反応し、ひとつの共通の行為に没頭するのである。一方における行為の各々が、他方における行為を呼び起こし、その呼び起こされた行為が、最初のものから次なる行為を呼び起こし、以下同様に進んでいくのである。

このような前反省的な相互行為は、それを「身振り会話」として論究するミード（Mead 1967）によっても理論化されている。ミードによれば、こうした会話は、そのもっとも基本的な形態が人間世界のなかだけにしか見いだせないものではない。それは他の種にも存在している。実際、そうした会話のもっとも有名な例は闘う犬の例であり、そこにおいては各々の犬が他の犬に対して「身構え」、他の犬がとる位置に応じて位置を変え、他の犬もまた位置を変える、等々と続く。メルロ＝ポンティと同様、ミードもまたこの「会話」を分析の原初的な単位だと見なしている、つまり意識的反省レベル以下で構成され機能する各部分（各個人）よりも基本的なシステムだとみなしている。この見解において言われていることは、人間行動を理解するためには人間が関わる間主観的システムを理解する必要がある、というである。そのシステムは、個人よりもより根底的である。

ミードの場合、そうした間主観的システムは、会話が言語的である場合は少しずつ変化する。反応はまだ無媒介であるが、話し手は自分が話すことを聞き、それゆえその対話者と同様な反応を予期するとミードは述べる。話し手は、自分自身の問いに実際に答えることができる。こうして、一定の反省性の要素が言語的コミュニケーションのなかに含まれる。それは他の形態のなかには含まれない。だがこうした相違点にもかかわらず、ミード、メルロ＝ポンティ、そして解釈学的哲学者ハンス＝ゲオルグ・ガダマー（Gadamer 1989）はすべて、言語的コミュニケーションのなかに類似の間主観的システムを認める。彼らは対話を、コミュニケーション的システムと同定する。それは無媒介的で、当該の二人の話者の総計を包摂しながらも、それ以上の広がりをもつものである。

対話においてはひとつの「共通の基盤」が自己と他者の間に構成され、両者は「単一の生地に織り込まれる」とメルロ＝ポンティは述べる。

……私の言葉と私の対話者の言葉は、議論の状態によって呼び起こされる。そしてそれらの言葉は、我々のどちらが創設者だというわけではない共有の作動のなかに組み込まれていく。(Merleau-Ponty 1962 : 354)

この過程において、「パースペクティヴの混交」が起こり、諸パースペクティヴがひとつの「共通世界」へと入り込むとメルロ＝ポンティは続ける。我々は「他者の思考が生まれいずるとき」にそれを把握する。

……実際、私の対話者が私の言うことに対して提起する異議は、私が抱いているかどうかは分からない思考を私から引き出す。こうして私が相手に思考させるその同じ時に、相手もまた私が考えるようにさせることによって往復運動を行うのである。(ibid.)

あるいはまた、ガダマーも次のように述べる。

それ自身の捻れをもち、それ自身の結論へと到達する会話の場合、ひとつの言葉がもうひとつの言葉に続く仕方は、何らかの方法でなされるであろう。しかし、会話する当事者たちは、その仕方の導き手というよりも導かれる者である。誰も会話から何が「生じてくる」かは、前もって知らないのである。(Gadamer 1989 : 383)

そうした会話の後でのみ我々は出来事を思い起こし、それを自分自身の私的な生活と私的な歴史に統合する。つまり我々は一定の観念を自分自身に帰属させ、いくつかは他者に帰属させるのである。こうメルロ＝ポンティは結論づける。談話しているときには、あらゆる思考は対話者の間で形成する相互行為のシステムにのみ属していた。このシステムはそれを構成する行為には還元できないし、行為はその行為の意味と存在理由を、そのシステムから引き出してくるのである。ミード、メルロ＝ポンティ、ガダマーにとっては、この意味においてこそ、我々の決定、選択、観念が純粋に共有されているものとみなされうるのである。こういったケースでは、諸観念は個人の所有物ではなく、このペアの所有物なのである。諸観念はひとつの合間、つまり間において生じる。

特権的通路という問題

以上の見解に対して、数多くの批判が浴びせられるかもしれない。この見解は発話のさいの社会構造を無視しているとか、発話や他のシンボリックな交換においてしばしば含まれる権力関係を無視している、といったことが論じられるであろう。あるいはまた、我々の行為は、上記の例が示唆しているほどには無媒介でも没入状態でもないということが論じられるかもしれない。自己が望む結果の達成を確実にするために、我々は他者との相互行為において防御線を張ったり、我々の行為の仕方を事前に計画しリハーサルしたり、我々の出会いの舞台操作を行ったりすること、こうしたことが我々にとってはより通常のことだと論じられるかもしれない。さらにそのうえ、間主観主義論者の立場は、「外的」な行動だけを考察し、「内的」な世界を、つまり自分だけが近づくことのできる世界を無視している、と論じられるかもしれない。この世界およびこの世界への我々の特権的通路の存在によって、我々と他者との関係よりも我々と自己との関係の方が早く生じており、それゆえに、ミードやメルロ＝ポンティやガダマーによって同定された間主観的関係の想定上の原初性は否定されるということが確証されている、と論じられる場合もあろう。こうした見解によれば、我々と他者の主観性との関係は無媒介的ではありえないし、他者の主観性は外的表現から推測されうるだけの内部性であり、間主観性はそれゆえ二次的な構造なのである。

筆者は、相互行為の社会構造を第四章で論じ、次いで権力を第六章で論じるつもりである。だから筆者はここで、権力と社会構造は、ミードやガダマーやメルロ＝ポンティが論じた無媒介性を不明瞭にすることになるという点は少しもないと述べること以外に、こうした異論について語るつもりはない。「舞台操作」に関する異論に応えておくと、筆者は、このことはもちろん生じるし、十分に証明されると認める。人びとは、公的な自己と私的な自己をもちろんもっている。このことは、ゴフマン（Goffman 1959）やホックシールド（Hochschild 1979, 1983）によってエスノグラフィー的に研究されてきたし、歴史的にはエリアス（Elias 1978a）によって研究されてきた。だが、意識的な舞台操作があらゆる時代に生じているということは決して明らかではないし、あるいはそれが会話のなかで我々が「没我状態」になることを不可能にするということも決して明らかではない。舞台操作的な行為でさえも、他者の反応に開かれ、それに適応しなければならない。我々は即興で振舞わなければならず、しかも我々は他者の即興的振舞いと提携してそうしなければならない。さらに、そうした現象に関するあらゆる研究がもつ証拠は、私的空間が内的空間ではなく、間主観的一致を介して間主観的空間から得られていることを示唆している。つまり我々は、我々が当然なすべきだと一般的に（間主観的に）合意している事柄を、私的だとする傾向があるということである。

しかし、特権的通路に関してはどうであろうか。我々の精神状態は、本質的に私的ではないのか。そして、他者の主観性に対する我々の関係は、ただ推測されるだけの第二次的なものにすぎないのではないか。メルロ゠ポンティ（Merleau-Ponty 1962, 1965）に従って、筆者はそうではないと示唆するつもりである。メルロ゠ポンティが論じているように、もし我々が精神／身体の二元論を越えようと願うならば、我々は通常「精神的な出来事」だと捉えていることが、内側からも外側からも同じ様に見える身体化された遂行ないし行動からは切り離しえない、ということを認めないわけにはいかない。さらにこのことから、我々が他者の精神状態に気づくのと同様に、自分自身の精神状態に気づくようになるということが帰結する。このようにして我々の精神状態は原理上、我々の遂行を経て、つねに間主観的に入手できるようになるのである。筆者は本章を進めていくなかで、この点についてたくさんの例を与えるであろう。しかし現在の目的のためには、ヴィトゲンシュタイン（Wittgenstein 1953）も同様の脈絡で論じた例である「理解」の例を考察することができる。

人が理解していると述べることは、その人の言語的な行動や筋肉運動の行動とは無関係なもの、つまり「内的」なものを指示することではないとメルロ゠ポンティは論じる。それは、いくつかの公的な基準に応じて、与えられた課題をしっかりと遂行する能力を示すということである。たとえば、人が長除法［13以上の数字で割ること］を理解しているというのは、その人が長除法を行うことができるときであって、それはどんな内的感覚とも無関係である。さらに、このことは我々自身に関しても適用できる。たとえば、もし自分が長除法を理解しているかどうかを知りたいならば、私は自分の過去および現在の遂行を考察する以外に判断の方法はない。筆者は、「理解したときの相槌」といった曖昧な感覚をあまり信じない。あるいは少なくとも筆者は、そうした相槌が理解していることの保証にはならないし、人は相槌なしでも理解することができる、と述べるつもりだ。このことに関するさらなる議論は、ヴィトゲンシュタインから引き出せる。すなわち、「理解している」といった言葉は、それが公的な言語に属しているのだから、公的に利用可能な遂行を指示しなければならないというものである。この議論に従えば、公的言語のなかにある言葉は私的事態には適用できない。というのは、我々は決してそうした私的事態に対する共通の適用ルールを持ちえないからである。筆者は、後にもう一度この議論の流れに立ち戻るつもりである。

以上の議論は、メルロ゠ポンティ、ミード、ヴィトゲンシュタイン、ギルバート・ライル（Ryle 1949）の研究において明確に示されているように、すべての心的な述語（信じている、意図している、意味している、など）に適用される。これらの場合のすべてにおいて、我々が自分たち自身や他者たちにそうした述語を帰属するのは、我々が行っていることを基礎にしているのであって、あるいは我々がそれを行っている仕方や様式を基礎にしているのであって、「内的」な出来事を基礎にしているのではない。

感覚と他者

この特権的通路の問題に関して考えうる可能なテストケースは、感覚である。痛みのような感覚は、私的な状態ではないのか。メルロ゠ポンティは、この点をあまり深く探究してはいない。彼は感覚が身体感覚であるかぎりで、それは私的であると想定しているように見える。彼はだが同時に、それはあまり大きな意義をもっていないと考えていたようでもある。大部分の場合はそうであろうが、しかし痛みのような感覚は（たとえば倫理との関係で）意義があるし、無視できない。そうした感覚と、間主観的な生における感覚の位置を説明するために、我々はヴィトゲンシュタイン（Wittgenstein 1953）の有名な「痛み」の分析に目を向けよう。

ヴィトゲンシュタインの分析とその分析方法の両者については、本章の後の部分でより詳細に論じるが、その両者は、部分的に言語および言葉の「文法」の分析に基づいている（他の部分は広くいって現象学的である）。この意味では、「文法」とは言葉の使用に関する論理のことを指している。ヴィトゲンシュタインによれば、多くのより深遠な哲学的争点とは、哲学者による言語の誤った使用およびその使用が作り出す混乱の結果である。この議論のひとつの特別な例示が、「痛み」、とくに自分自身や他者が痛いのかどうかの認識に関する彼の分析である。彼は、個人だけが自分が痛いのか痛くないのかを知りうるという考え方に異議を唱える。

この異議の第一段階は、「知る」ことの文法の分析である。ヴィトゲンシュタインの主張はこうである。この言葉をある状況に適用するためには、人は同様に「疑う」とか「学ぶ」といった概念を、その状況に等しく適用できなければならない。「疑う」と「知る」は、それぞれが他方の否定である。それらは、我々が知りたいと望むものを疑うことができるはずだという帰結からは独立した項である。そのうえ、「知る」は、我々が「知る」ことを我々が「学ぶ」必要があるかぎり、「学ぶ」と文法上は結びついている。議論の第二段階は、人は自分が痛いということを疑うということ、あるいは人は自分が痛いということを学ぶということ、こうしたことを言うことは意味がないと気づくことである。したがって、人は自分が痛いということを「知る」と主張すること、あるいは「痛いんです」(I am in pain) といったような一節を、知識要求とか記述として解釈することは厳密には不適切だ、という結論が引き出される。ヴィトゲンシュタインにとって、この「痛いんです」という一節は、記述や知識要求というよりも、感嘆である。それは、「痛い!」とか「アー」と同じであり、赤ちゃんの叫びのような自然な痛みの反応行動に対する、後天的な文化的置き換えである。

ヴィトゲンシュタインがここで言おうとしているのは、より現象学的なレベルでみれば、痛みは知られうる対象ではないという考え方である。つまり「それは何か<u>あるもの</u>ではなく、何ものでもない<u>もの</u>でもない」(Wittgenstein 1953:102 強調は原著)。この点は、多くのヴィトゲンシュタイン研究者を当惑させてきた。だが、メルロ=ポンティの観点からみれば、完全に意味が分かる。我々は身体であって、それゆえその身体をひとつの対象だとか「何かあるもの」だとみなすさいに求められるような、その身体との距離化された関係に立つことは完全にはできないのである。メルロ＝ポンティが記しているように、（長い棒のような）延長物が我々を傷つけていると述べるような仕方で、我々の身体の一部が我々を傷つけていると述べることはできない。たかだか、我々の身体の一部が「痛みを寄生させている空間」を構成できるだけである。「私が痛みを持っている」（Wittgenstein 1953 : 89）ので自分自身の痛みについて学ぶことはできないとヴィトゲンシュタインが主張するとき、彼は以上の分析に同意すると筆者は述べたい。自分の痛みについて知るということは、その痛みが自分自身の現存とは独立の現象としてかつて存在していたが、いまは存在していない、ということをおそらく前提にしている。それゆえ、人は自分の痛みそれ自身について知ることはできないのである。

この点の別の側面は、我々が他者の痛みを知ることは一体できるのかどうかという問いである。文法的なレベルでいえば、このことは完全に有意味な可能性である。我々は、他者が痛いということを疑うことができるとか、他者が痛いということを学ぶことができるとか述べることはもっともなことであり、したがって他者が痛いということを人は知ることができるという考えに対して、直接的、文法的には異論がない。しかしながら、この点については、非ヴィトゲンシュタイン主義者は異論をもつ。それは、我々はただ他の人の痛みの外部（痛みの行動）を見るだけなので、我々は実際にはその人が痛いのかどうかを知ることは決してできない、という異論である。痛みの行動には、言語上の公言という形式においてであろうとも、あるいは身振りという形式や痛みそれ自身においてであろうとも、ヴィトゲンシュタイン自身が認めているように、原理上はまったく別の二つの事柄が存在し、それゆえに人は実際にはそうでないのに痛いと装って見せたり、実際には痛いのにその痛みを隠したりすることができる。人の痛みは厳密には私的な事柄であって、間世界内的空間には開かれてはいない。

このような異論に対して、ヴィトゲンシュタインは再び、文法分析と現象学的分析とを結びつける。他者が痛いのかどうかを我々は決して知ることができないと述べる人びとは、「知る」という言葉に対して間違った基準を適用している、とヴィトゲンシュタインは主張する。彼らが実際上否定しているのは、我々は他者の痛みを決して知ることができないということではなく、我々は他者の痛みを決して持つことができない（明らかに我々はそうできない）ということである。「知る」「疑う」「学ぶ」の通常の意味では、他者の痛みを疑うことも、それを知ることも、ともに完全に可能である。

だが、争点はこれで終わるわけではない。興味深いことに、ヴィトゲンシュタインは、「認識」や「懐疑」の文法を越えてある、あるいはその下にある、他者の痛みに対する可能な関係をほのめかしているように思われる。一方で、この考え方は、他者の痛みを懐疑を越えたところに、つまり結局のところ知ることを越えたところに置くかのような、経験上の挑戦の形をとって現れる。「誰か他の人の恐れや痛みを――実情そのままに――まさに疑ってみよ」（Wittgenstein 1953：102）と。ここでの論点はおそらく、我々は他者における純粋な恐れや痛みを疑わないし、疑いえないということであり、そのことは、他者の痛みと我々との原初的な関係が、知るということのひとつでもないということを意味している。さらにヴィトゲンシュタインは、他の人の痛みに関する我々自身の確信が、その痛みに対する我々の反応の形を取らないのかどうか、問うている。つまり、「同情といってもよいが、それは誰か他の人が痛いということについての確信の一形態である」（Wittgenstein 1953：98）。この意味において、他者の痛みと我々との関係は、我々自身の痛みと我々との関係と同様、反省的な認識の関係よりもより直接的であるということをヴィトゲンシュタインは示唆しているように思われる。まず何よりも、我々は他者の痛みについて考えるのではなく、それに反応するのである。この点において、ヴィトゲンシュタインのおかげで、我々は身振り会話という我々の考え方に立ち戻ることができる、と筆者は主張したい。そこでは、他者は反省や認識の対象ではなく、むしろ対話者である。我々は他者の痛みを知るのではなく、むしろそれが我々に伝達され、我々はそれに影響を受けるのである。

この手短な議論の帰結は、次の点にある。すなわち、感覚は、少なくともそれが痛みの感覚に譬えられうるかぎり、根源的間主観性についての我々の理解に挑戦するものではない。我々は決して他者の痛みを持つことはできないが、他者が痛がっているということを知ることはできる。そのうえ、前反省的で根源的な間主観的レベルでは、我々は他者の痛みについて反省的に知ることに先んじて、それに反応することができる。他者の痛みは我々に伝達でき、それが我々を行為のなかへと呼び込むのである。

この身振り会話の可能性はもちろん、他者の「態度」に左右される。もし他者が痛いのであれば、我々はその他者の痛みに対して前反省的、前再帰的に反応しうるだけである。もし他者が自分の痛みを隠すことを選び、それを私的な空間に保持するならば、そのとき我々がなしうることは何もない。

時間性と相互同調

知覚と行動に関してこれまでなされた強調は、間主観的な間世界に関するとくに空間的な像を描いてきた。我々が間世界に位置を占めるのは、我々が共通空間に対して開かれているからであるとか、他者への志向や理解は我々の目の前で展開されるからであるとか、我々自身の理解や志向は我々の行動によって見ることができ、触ることができる空間を占めているからである、ということを筆者は論じてきた。「間世界」や「合間」や「間」という用語でさえも、空間とその（相互の）占有を示唆している。

だが間世界の構成においては、アルフレッド・シュッツ（Schutz 1964）が「相互同調（mutual tuning in）」という考え方で示したように、時間性もまた等しく重要である。我々の行為や発話の意味は同時には与えられない、とシュッツは論じる。それらは、リズムやメロディの構造を伴って、時間を通して展開する。さらに、諸主体がひとつの行為や意味に加わる場合、そのとき諸主体各々の行為や言葉の時間的地平は融合して、ひとつの共有された地平を形成することになる。諸主体は、同一の生きられた時間地平を共有する。シュッツはこのことを、音楽に言及して例示する。二つの音楽の楽曲が、客観的には同一の時間幅で続くとしても、一方が急速で疾走するかのような場合もあれば、他方はゆっくり流れるような場合もあるように、それらの「生きられる」時間構造はまったく異なるとシュッツは記す。それと対応して、我々が音楽を聴くとき、もしそれを鑑賞しようとするならば、我々はその曲とともに疾走したり、あるいは漂うようにしたりしなければならない。我々は、それが演奏されるがままに、いわば急いだりゆっくりしたりしながら、それを聴かなければならないのである。

この論点に関するシュッツの議論の多くは、音楽の例とともに取り上げられるが、しかし彼にとって、生きられる時間地平の融合は、上述の身振り会話を含むあらゆるコミュニケーション的で相互行為的な状況にとって必要であることは明確である。たとえば、言語的コミュニケーションの場合、言葉や発話の意味は、それらが正しく連続し、それらの間の時間的継続が正しく認められるときにのみ、はっきりと分かる。さらに例を挙げれば、もし意味を正しく理解しようとするならば、我々は答えとそれ以前になされたこと（たとえば質問）とを、ひとつながりのものだと認めなければならない。あるいは別の例だが、もし発話を理解しようとするならば、我々は発話のなかにある句読点のような休止を、正しく同定しなければならない。休止は、話の一節の意味全体を変化させうる。このことは、身振り会話についても同様に適用される。身振りは、その進行中の連続状態と独立にはほとんど意味をなさない。だが、生きられる地平の融合なしでは、このことはまったく不可能である。相互行為は、ひとつの共通なリズムと順番取りの組織化と調整のための基礎を必要とする。

次の章で筆者が論じるように、このことは我々の身振り会話、たとえば親子の間の身振り会話のもっとも基本的なもののひとつにおいて裏付けされる。いくつかの研究が示していると思われることだが、リズムと順番取りの交換は、赤ちゃんがまだ言語や知覚および行動のレパートリーを十分に獲得していないときの、両親と赤ちゃんの間の関係を構成する鍵となる要素である（Coyle 1987; Stern 1977）。

メルロ゠ポンティ、ヴィトゲンシュタイン、シュッツ、ミードにとって、もっとも社会的で間―行為的(inter-action)な行為の鍵となる媒体は、言語である。さらに、言語は間主観性の構成にとって中心的であるということに、彼らはすべて合意する。この構成過程における言語の役割は多様であり、筆者は本研究で何度かそれに立ち戻るであろう。だがここでは、思考と言語の関係の理解に関するメルロ゠ポンティの議論から筆者の考察を始めよう。

メルロ゠ポンティは、思考と言語の間の親密な関係を認める。彼は、言語はその大部分において、我々がそれでもって思考する道具であると信じている。この立場は、二つの場面で支持される。第一の場面は、彼が失語症という言語障害を考察する場合である。この言語障害の二つの相が、とくに彼の関心をひく。第一に失語症患者は、その言語問題とともに「思考障害」を経験する傾向があり、そのことによって思考と言語とが絡み合っていることを示唆しているという点。多くの失語症患者は、たとえばカテゴリー化する活動のさいに問題を経験する。第二に失語症患者は、ある文脈のなかで、ある目的のために、ある単語は使うことができるが、その他の場合にはできない傾向にある。このことは、発話は単に三人称でもなければ機械的な過程でもなく、語られたことの意味に、つまりその思想性に密接に結びついていることを示唆している。このことに加えて、メルロ゠ポンティは思考／言語の密接性を示唆する経験のより一般的なレベルを指摘する。我々は、我々が考えていることが何であるかを見いだすためには（たとえ「内的」であっても）話さなくてはならない。したがって諸事物は、我々がそれを名づけ分節することができるまでは、我々にとってある程度未決定のままである。つまり我々がいったんそれを名づけさえすれば、その問題をめぐって考えることができるようになる。こうしたことをメルロ゠ポンティは記している。このことは、思考が言語を決定するとか、反対に言語が思考を決定するとかいうことではない。そうではなくメルロ＝ポンティは、このことよりももっと密接な関係を認めているのである。つまり、思考と言語は同じメダルの表と裏なのであると彼は論じる。どちらも、それ自身が存在するためには「他の半分」を必要とする。我々は言語において思考し、言語を通して思考するのである。

ここで、ヴィトゲンシュタインの立場からは、メルロ＝ポンティの議論は「思考」および「思考すること」を本質化しているという異論が出るかもしれない。これらの用語は通常の発話では多様な仕方で用いられており、「言葉からなる思考」のすべてを直接的に指示しているわけではないし、またそれを直接的に指示しているもののうちでも、「言葉からなる思考」のすべてを指示しているわけではない、と論じられるだろう。実際、我々は時には「思考すること」を、思考と言語の密接な同一化に先んじる仕方で用いていると論じることができるであろう。たとえば、「私は思考することなしにそれを言った！」というように。さらにメルロ＝ポンティの主張は、人間発達の系統発生的段階と個体発生的段階の両者における、「思考」と「言語」の明らかな独立性に言及することによって、より心理学的な立場から挑戦を受けるかもしれない。たとえばヴィゴツキー（Vygotsky 1986）は、思考と言語は大部分の成人の場合は同じコインの表と裏であると主張しながら、にもかかわらず幼児の場合も霊長類の場合も、前言語的思考（たとえば問題解決する思考）や前知性的発話を認めることができると主張している。

こうした批判は困惑させるようなものではほとんどなく、メルロ＝ポンティの立場にまったく容易に吸収することができる。たとえば、主観身体についてのメルロ＝ポンティ自身の分析は（非言語的）人間行動は知的であるとはっきりと措定しており、したがって彼がヴィゴツキーに同意しないのは、そうした活動が「思考」と名づけるべきかどうかという争点に関してだけである。そして、ヴィトゲンシュタインとの関係では、我々は「思考」を多様な仕方で用いていることを認めることはできるが、それはメルロ＝ポンティの議論の意義を減じるものではない。すなわち、人間が影響を及ぼす反省的で認知的な諸過程のほとんど多くは、シンボリックな形態の使用によってなされており、またそれに左右されるのであって、しかもこうしたシンボリックな形態は、人間自身がこうした過程を覚識するようになる手段であるからだ。メルロ＝ポンティは、我々の意識的観念と反省的経験との多くがシンボリックな形態に左右されるということに対して注意を引くよう望んでいただけである。この意味で、ヴィゴツキーとヴィトゲンシュタインの両者は、メルロ＝ポンティと一致しているのである。

思考と言語との同一性は、メルロ＝ポンティにとって重要である。なぜなら、それによって思考は、共有された（間主観的な）社会的資源によってのみ生起する活動であることができるのであり、それゆえその同一性はつねに間主観的な性格でありうるからである。このことが示しているのは、思考とは間主観的な行為であり、社会的共存在の世界の背後に思考の私的な心的世界などは存在しない、ということである。さらにそのうえ、このことは、我々は実際に自分たちの思考を公的なものにすることができ、コミュニケーションを行うことができるということを意味している。もし思考と言語が分離しているならば、我々は、自分たちが言ったことで同じことが意味されているかどうかを決して知ることができないであろう、と彼は論じる。そうでなければ、言葉は、誰もが自分自身の仕方でのみ解釈する空虚な運搬体にすぎなくなるだろう。さらにまた、そうでなければ学習のような過程は不可能であろう。なぜなら、それぞれの人が、教えられる以前に教えられる内容を解釈する仕方を知らなければならないから、いいかえれば教えられるようになる以前に教えられるようになる内容を理解しなければならないからである。

この立場を十分に練り上げるために、メルロ＝ポンティには言語や言語的意味の社会的性格についての説明が必要とされる。彼の研究のなかには、そうした説明を与える試みはいくつかあるが（Edie 1987）、しかし彼は適切で十分な説明を与えることに成功していない（Crossley 1994; Ricoeur 1967b）。こうした理由があるので、我々は少し遠回りをして、ヴィトゲンシュタインの哲学を再度検討するようにしたい。そうすることで、我々にはメルロ＝ポンティの一般的アプローチにふさわしい言語の哲学的見解が与えられ、我々が概要を述べている間主観主義のモデルをさらに強力なものにすることができるであろう。

ヴィトゲンシュタインと言語ゲーム

ヴィトゲンシュタインの哲学のうちで、筆者が関心をもっている側面は、彼の後期の作品から引き出される。そしてそれは（少なくとも一部は）、彼の最初の哲学的著作『論理哲学論考』（Wittgenstein 1961）のなかで概要が述べられた意味と真理の理論に対して反対する形で書かれたのである。ヴィトゲンシュタインは、語は対象を指示し、そうして対象に一致すると論じていた。また彼は、この一致の関係が実際にはその語の意味を構成するとも主張していた。さらに、有意味な文は実際に対象世界の事態を記述するということができ、そしてそうした文は、語が記述するその事態が対象領域の事態と一致するかどうかに応じて、真または偽として定義できると論じていた。この理論に従えば、ひとつの語の意味は、他の単数ないしは複数の語の形で与えられる（たとえば辞書の定義）が、定義の過程は結局のところ、明示的につまりその語が示す対象との直接的な関連づけによって定義される単純な語に至らなければならない。明示的な定義の典型的な形態は、名称を繰り返し、それが名指すものを指し示すことにある。

この理論が意味しているのは、我々が通常の日常言語で述べることの多くは、文字通りには非―意味的であるということである。なぜなら、それらはいかなる対象をも指示していないからだ。ヴィトゲンシュタインは、その後期の著作『哲学探究』（Wittgenstein 1953）において、この点を再び取り上げている。この研究で彼は、意味の表象理論に反対し、代替的なアプローチを設定している。この後期の理論に従えば、語の意味を決定するためには、我々はその使用を検討しなければならない。すなわち、多くの場合——すべての場合というわけではないが——、そこで我々は語の「意味」を用いるが、それは次のように定義できる。すなわち、語の意味は言語におけるその使用である。(Wittgenstein 1953 : 20)

ヴィトゲンシュタインはここで、語の「意味」という彼の定義において、ためらいを表現している。というのは、単一の語は数多くの異なった仕方や数多くの異なった状況において用いられうるし、それによって数多くの異なった可能な意味をもつことができるということが彼には明らかであるからだ。実際、文脈が彼の後期の意味へのアプローチにとっては中心的である。にもかかわらず、ヴィトゲンシュタインの後期哲学の脈絡でなされる語の意味への探究は、語が特定の文脈で発せられるときになされる働きへの探究である。ヴィトゲンシュタインは、文脈と使用とのこの結合を示すために「言語ゲーム」という表現を用いて、たとえば冗談を言う、命令する、依頼する、質問する、説明するといった数多くのそうしたゲームを掲げる。それらは、我々が言語でもってなす事柄の種類であり、我々が行うゲームなのである。

言語ゲームを行うために、そして語を有意味に用いるために、人は規則を理解し、規則に従わなければならないとヴィトゲンシュタインはみる。彼の後期哲学では、明示的な定義という初期の考え方に取って代わって、規則が意味にとって中心的である。実際、明示的な定義という考え方は、『哲学探究』ではかなりの批判を受けている。明示的な定義が働くのは、語を定義する人がすでにかなり言語を理解している場合、あるいは少なくともその人が、定義する人とともに前もって理解の形式を共有している場合、しかもその場合のみであるとヴィトゲンシュタインは主張する。例を挙げよう。もし人がある対象、たとえばある青いカップを指し示すことができるならば、他の人に対して「青色」を定義し、「青色」とはそのカップの色のことだと説明することは、比較的やさしいであろう。しかし、もし彼らが「色」とか「カップ」という語を理解していないとしたら、その人たちは私が指し示したのは色であって、人工物としてのカップ、あるいはその肌合い、形状、場所ではないと、どうして知ることができるのであろうか。さらに、その人たちが前言語的な段階にいるとしたら、その人たちはこの特定の状況において指し示すことや発話すること、たとえば所有権を主張すること（「それは私のものだ」）や判断を下すこと（「味がない」）といったことが定義であって、それ以外のものではないと、どうして知ることができるのであろうか。その人たちは、私がどんな言語ゲームを行っているのかを、いかにして知るのだろうか。しかも、私が定義しているのをその人たちが分かったとしても、いかにしてその人たちは、私の手から伸びて爪の先までに至る私の指の方向を目で追って、さらにそれが何かに到達するまでの前方を見ることができると知ることが可能なのであろうか。なぜ指を「後方に」追って、私の腕に沿って肩までいく方向に行かないのだろうか。あるいは、なぜ単純に犬がそうするように、手だけを見ないのであろうか。

ヴィトゲンシュタインが実際にここで挑戦しているのは、共有された言語的な慣習や前提を前もって想定していない間柄、つまり言語それ自身を前提にしていない間柄においては、言語は正当化されたり、基礎づけられることはできないということである。そして事実上このことは、言語をそれ自身の外部にあるものに基づけさせる試みへの批判なのである。ヴィトゲンシュタインにとって、慣習を越える基盤はない。だがこの消極的な結論は、それが、効果的な言語は人間の一致や共有された理解に依拠していると示唆する意味で、その積極的な裏面をもっている。ヴィトゲンシュタインにとって、言語は言語使用者間で言語の規則、つまり言語が用いられる仕方について、それ以上還元できない一致があるということに基づいているのである。それは、必然的に間主観的な制度なのである。

ここで、この一致は、反省的ないしは意識的な一致を意味するのではない、と付け加えておくのは重要なことである。さらにこのこと以上に、次のことはより根本的なことである。すなわち、「彼らは彼らが使う言語のなかで一致している。このことは、意見における一致ではなく、生活形式における一致なのである」（Wittgenstein 1953 : 88, 強調は原著）。「生活形式」という概念の定義は、ヴィトゲンシュタイン主義者の間でも大きな論争になっている主題である（Hunter 1971）。だが我々の目的にとっては、ヴィトゲンシュタインが意図したのは、どんな意識的反省にも先だって人間の言語実践の間には合致や合意があるということだと示すことで十分である。言語使用者たちの行為の間に一致がある。これは、共通の生物学的構成に基づいているかもしれない（Hunter 1971）。あるいはそれは、共通な文化的遺産に基づいているかもしれない（Winch 1958）。だがおそらくは、その二つの混和に基づいているのであろう。

私的言語の可能性

ヴィトゲンシュタインは、私的言語の可能性、つまりある一人の個人が理解し、従うことができる言語の可能性を考察することによって、言語の共有された基礎に関するこのパースペクティヴをさらに探究する。この「私的言語の議論」は多くの論争者の主題となり、数多くの異なった仕方で解釈されてきている（たとえば、Ayer 1981; Hanfling 1989; Kripke 1982; Malcom 1981; Perkins 1981）。本研究にとっては、私的言語という考えが、厳密な意味では根源的間主観性という考えにとって正反対であるので、重要な問題である。私的言語という考えは、我々が言うことの意味は個人によってのみ孤立した形で決定され、それゆえ意味は決して純粋には共有されたり交換されたりしない、ということを示唆している。逆に、私的言語という考え方を拒否することは、間主観主義のためには前進への大きなステップとなるだろう。そしてその拒否は、必然的に（言語的）意味が根源的で間主観的な現象であるということを示唆するだろう。この議論は、異なった形であるが、特権的通路に関する我々の先の議論の続きである。我々はいまや、我々が言うことの意味は、私的な意識作用によって決定されるのかどうかということに答えを出そうとしているのである。

私的言語の可能性に関するヴィトゲンシュタインの分析の第一段階は、我々が使う通常の公的言語のいくつかの相が、私的な意味をもつと言えるかどうかを考察することにある。この争点に関する彼の考察は、二つの部分に向けられる。最初に彼は、語の意味が語の発話や言語ゲームとは独立に、私的な心的過程によって与えられると言えるかどうかを問う。彼はこの問いに、より広い経験的な仕方で、読者に以下のことを求めることでアプローチする。すなわち、まず彼の読者に、何かを言ってそれを意図するように求める。次に、それを意図することなく言ったり、それを言わずに意図したり、別のことを意図してそれを言ったりすることを求める。そこでは、読者が失敗することが期待されている。もちろん、何かを言ってそれを意図しないとか、何かを言って他のものを意図するということは可能だという認識もある。皮肉やパロディなどのような言語ゲームは、このことを可能にする。だが、そうした場合のすべてにおいて、意味の複雑な構造化は発語、文脈、遂行の間の関係に属しているのであって、作用を伴う心的過程に属しているのではないのである。このようにして、ヴィトゲンシュタインにとって、語の意味は私的な心的過程には依存しないということになる。

以上に続いて彼は、痛みといった感覚を示す我々が用いる語は、私的な定義、したがって私的な意味を前提にするのかどうかを問う。もし「痛み」という語の意味が、自分の身体内部の感覚への言及に依存するならば、そのとき個人だけが彼ないしは彼女の身体内部の感覚に言及できる――他のだれもそれには接近できない――のだから、意味は私的でなければならない、とヴィトゲンシュタインはみる。

この問題の解決は、すでに一部は（先に）与えられている。すなわち、ヴィトゲンシュタインにとって、「痛いんです」というのは――筆者がすでに記したように――感嘆であって、記述や報告ではないのである。さらに、我々のより自然な痛みのさいの感嘆や行動にとって代わって、我々が（他者から）学ぶのは感嘆文なのである。たとえば、赤ちゃんは泣くことに代えて「痛いよ」と言うことを学ぶ（Coulter 1989）。痛みがときに痛みの行動と一致することは、もちろんこのことにとって本質的なことである。ヴィトゲンシュタインは、この前提を受け入れる。とくに彼は、赤ちゃんは装ったりうそをついたりする方法をまだ知らないのだから、赤ちゃんにとっては、この二つのことの一致が密接であると信じている。「うそをつくことは言語ゲームであり、他のすべてのことと同様、それは学ばれなければならない」(Wittgenstein 1953 : 90)。こうして語の使用とは、いかなる私的な経験にも、ましていかなる対象にも言及することなしに学ばれる共通の用法である。

感覚、とくに痛みや痛みの行動について先に指摘した点とのつながりで、以上のことが、我々の共通言語内の語が私的なものを指し示すという考え方にヴィトゲンシュタインが反対した根拠である。だが彼は、どんな事例が実際にあるのかを考察することに加えて、どんな事例がありうるのかを考察することを望んだ。感覚を表す語には、私的な意味が与えられうるのか。この点を彼は、ある特定の感覚を経験したときに、いつも「S」という記号を自分の日記に書く人を想像して考察する。それはすでに、その人が、定義という言語ゲームを行う仕方を知っているということを前提にしているのである。この議論の場合、ハンフリング(Hanfling 1989)が記しているように、ヴィトゲンシュタインは感覚と記号との間で連想がなされると想定している。だがヴィトゲンシュタインは、そのことが効果をもつのかどうか問うているのである。「しかし、この儀式は何のためになされるのか。それはまったく儀式であるとしか思われないからだ!」(Wittgenstein 1953 : 92)。日記の書き手は、ひとつの連想を形成している。しかしこのことは、言語でも、あるいは意味でもない。言語として役立つ効果はないので、この連想がどのようにありうるかということは明らかではない。さらにそれは、適切な定義として役立ちえないので、何の機能ももたない。定義というものは、語の使用がチェックできる独立の基準を前提にしている。しかしこれは、現在の例には適用されない。つまり「私にとって正しいと思われていることは、何でも正しい。そしてこの場合、私は『正しい』についてここでは語ることができないということを意味する」(ibid.)ので、この例には適用されない。ヴィトゲンシュタインがここで行おうとしていることは、言語的意味は絶対的な基礎づけをもたないという考え方に、我々を引き戻すことである。このことは、(上述の)明示的な定義に関する批判のなかで提起されていたものであるし、一致とは何かという問いに遡及することなしには解決されなかったものである。そしてヴィトゲンシュタインは、そうした一致なしには定義は正当化されないし、効果的なものになることもできない、と論じている。かくして、私的言語は存在しえない。

多くの注釈者たちは、この点で、私的言語に関する議論の考察を放置している。だが、ハンフリング（Hanfling 1989）は考察をさらに進めた。彼は、感覚名称以上のものが言語にはあると記し、語の意味とその機能は他の語との関係に依存するのであって、このことは単一の感覚名称が無益で無意味であることの理由であると主張する。たとえば、「S」は感覚名称であり、それが意味をもつのは「sensation［感覚］」という語との関係である。そこで、ハンフリングは問う。「sensation」が特定の感覚の名称、たとえば「S」といった特定の感覚の名称から区別されうるとすれば、いかにしてそれは私的に定義されるのであろうか、と。定義する者は、特称的なもの（「S」）と全称的なもの（「sensation」）との間に区別を設ける必要があるだろう。しかし、定義する者は「特称」と「全称」をいかにして私的に定義しうるのかと我々はさらに付け加えてもよい。この点の可能性に関するヴィトゲンシュタインの考察は、先の場合に比べてよりペシミスティックでさえある。すなわち、

……人は哲学するとき、結局のところ、未だ不分明な音声だけを発したくなるような地点へと到達する。
（Wittgenstein 1953 : 93）

この議論によって、我々は、我々が最初に出発した地点に戻ることになる。つまり言語、したがって言語の意味は、結局のところ発語の仕方に関する共有された一致や理解に基づく議論に戻ることになる。それらは、人びとの「間」での還元不可能な一致に必然的に依拠し、それゆえつねに根源的に間主観的なのである。

発話行為と社会的世界

ヴィトゲンシュタインの見解のさらなる展開は、オースティン（Austin 1971）の仕事のなかでなされた。この観点からみれば、オースティンの貢献は二つである。第一に彼は、発話は行為であり、我々の通常の社会的行為は本質的に発話行為であると論じる。我々は話すことによって多くの課題を遂行する。たとえば我々は、言明し、禁止し、請求し、命令し、要求する。第二に、我々の発話行為の効力は、自らの課題を遂行するときに何らかの「適切性条件」に依存し、その「適切性条件」のいくつかは先行する生活形式の一致に依存する、と彼は論じる。たとえば質問に答えることは、解答者が発話者の行為を質問と認め、しかもその行為が状況に対して適切だと思われる程度に応じて効力をもつ。あるいはまた、選挙を宣言することはひとつの発話行為だが、すべての人の発話が社会的に発話行為として十分だとは限らない。ただ首相だけが総選挙を宣言することができる。なぜなら、首相の発話行為だけが、そうすることに対して共通に（間主観的に）認められた権限を与えられているからである。したがって、この意味において我々は次のように述べることができる。すなわち、我々の社会的世界は発話行為が達成したものであるが、その発話行為の効力は、生活形式の間主観的一致と、その生活形式内部の異なった発話者たちが与えた正当性の型に依拠している、と。このことは、社会的世界と社会的行為とがもつ間主観性を理解するための我々の最初のポイントであった。

オースティンの仕事は、社会理論家の間に多くの反応を呼び起こしてきた。我々の目的からすれば、もっとも有益な反応は、ピエール・ブルデュー（Bourdieu 1992）のものである。ブルデューは、オースティンが識別した発話の権利は、社会的世界における権力のもっとも意義深い形態のひとつ、つまり象徴権力についての基盤を構成していると論じる。この象徴権力とは、我々が真理であるとみなすものを定義し、決定する権力である。社会秩序についての言語モデルは通常、その秩序を自由な交渉の達成であると描くが、しかしオースティンの議論はそうしたことに挑戦しているとブルデューは論じる。オースティンの議論が示しているのは、発話状況は制度的条件に埋め込まれており、ひるがえってその制度的条件が、誰が発話することができ、何を言うことができるのかを決定するということである。ブルデューからみれば、我々は決して単純に発話者であるわけではない。我々はつねに制度的役割の担い手であり、その役割には、それに付随する発話に関する諸々の権利や特権が伴うのである。そしてブルデューによれば、この意味で我々は、象徴権力がまさに間主観性という場（fabric）に織り込まれていると言ってよいであろう。

情動と感情

これまで我々は、我々の知覚、行為、語られた思想によって、我々がいかにして他者や共通な世界に関わっているかを述べてきたが、重要な論点がひとつ残っている。それは、情動（affect）ないしは感情（emotion）の問題である。我々は、主観身体間での出会いにおいてしばしば、愛、嫌悪、嫉妬、誇り、羞恥、およびその他の情動的な力に満たされているという事実を説明しなければならない。メルロ＝ポンティならば、我々と他者（および諸物）との関係にはつねに「気分が漂う」と言うだろう。さらに、そういった気分性からの逃げ道はない、とも言うだろう。一見して感情的に中立的な態度であっても、ひとつの感情的態度である。さらに、間主観的諸関係が具体的な人格間の諸関係であるかぎり（Barrel 1985）、そうした諸関係の情動的構成は、その関係の重要な特徴のひとつである。

感情についての多くの（経験主義者の）研究は、感情を物理的感覚の布置状況と考える傾向がある。だが、メルロ＝ポンティはこの考え方に批判的である。心臓の高鳴りのような感覚も、文脈に依存する質的に異なった感情（たとえば恐れや愛）を構成する。そしてこのことが暗示するのは少なくとも、「感情」とは感覚の文脈的な意義のことであるとメルロ＝ポンティは論じる。だがこの意義は、我々が行為する仕方、状況において我々が行う内容、そしてそれを我々が行う様式や仕方によって、さらにより決定的に固定される。実際、行為するこれらの諸々の仕方は、何らかの特定の感覚が鎮静化した後も長く続くであろうし、そうした感覚を伴わずに存在することさえありうるだろう。これらの行為が、メルロ＝ポンティにとっては感情解明の鍵となる手がかりである。感情は、状況化された身体的態度、世界との関係における存在の仕方である。さらに、それは本章でこれまで述べてきた主観性の他の諸相から分離できない、とメルロ＝ポンティは主張する。それは、我々の知覚、我々の発話／思考、我々の筋肉運動的行為や身振りのなかに、また我々の理解や解釈の仕方のなかに立ち現れる。かくして我々の怒りや愛は、我々の身振りのなかに、我々が発話したりあるいは出来事に反応したりする仕方のなかに、そして長期的には、異なった状況を横断して我々の諸行為を統一する仕方のなかに、存在している。たとえば愛は、私が愛する人への私の我慢のなかに、私たちの間で立ちふさぐ人びとへの我慢のならなさのなかにあるかもしれず、また愛する人に関わるすべての事柄への私の詳細な気配りと注目、他の事柄への私の等閑視のなかにあるかもしれない、といったようにである。

本章で述べられた主観性の他の諸相に関して、メルロ＝ポンティは、我々の諸感情は原初的には前反省的レベルにおいて機能するということ、したがって我々はそれらに対して必ずしも反省的に覚識しないであろうということ、これらのことを主張する。実際、我々がある感情的態度に熱中するすればするほど、我々がそのことに気づく可能性は少なくなるだろう。たとえば、我々が怒り狂ったり嫉妬しているときには、そのことに気づかずに、そうしている場合がある。

間主観性と感情に関しては、三つの重要な点が、以上の手短な説明からまとめられる。第一に、感情は内的状態ではない。それは、我々が行為する仕方のなかに立ち現れ、またそれは、潜在的には少なくとも公的、間主観的に定義可能な状態である。第二に、感情は関係づけの仕方として定義される。それは、我々が他者たちと形づくる「システム」の一部を形成する。我々は、感情によって他者たちと結びつく。第三に、このことから言えることだが、感情はそれゆえ対話的に構成されなければならない。つまり感情は、我々と他者たちとの相互行為を形づくり、またそれによって形づくられる。たとえば、我々が怒れば、他者に恐れを生みだす。それによって、そのとき我々は自責の念を感じるようになる。なぜなら、我々は他者を傷つけたくなかったからだ。そして、我々はこの自責の念を、別の疑念が生じて我々が他者に対して怒るような次の状況まで維持するであろう。

感情についてのさらなる間主観的側面は、ジェフ・クルターが示しているように（Coulter 1979）、感情のもつ説明責任《アカウンタビリティ》である。この場合、感情は（感覚というよりも）行為に根ざしている。クルターの場合、感情が間主観的であるということは、次のことによって例示される。すなわち我々は、人びとがその感情に対して合理的に説明できるよう期待しているということ、また我々は、人びとをその感情のゆえに批判する権利と、人びとにそうした感情をもたないよう話しかけたりする権利、その両方を保持しているということ、こうしたことによって例示されるのである。たとえば我々はある友達に、嫉妬を感じるのは良くないと言って、その人にそのように感じるのではない事例を示したりする場合がある。明らかにこれは、頭痛のような私的な感覚で行動する仕方ではない。したがって、クルターの議論は、メルロ＝ポンティの立場をさらに強めて、感情が間主観的な場に織り込まれている様子を示すことで、メルロ＝ポンティの立場に付け加えを行っているのである。

このことは、人びとが自分の感情を自分自身に留めて隠すことはできないとか、実際にそれを隠してはいない、ということを意味するわけではない。それはまた、我々が感情に付与するところの、まさにしばしばみられる私的な意味を否定するのでもない。そうではなく、それが示唆しているのは、感情はまず最初にこの私的な形態をとるわけではないということである。それは、歴史的にはエリアス（Elias 1978a）の研究によって補強された事実である。エリアスは、我々が自分の感情に与える私事性が、いかにゆっくりとした歴史的過程の産物であるかということ、そして現在の多くの私事化された感情が、かつては人前に現すことが普通であったということを示している。だがエリアスにとって、この私事化は間主観的過程である。つまり彼は、多くの感情がおおっぴらに示されることが間主観的には受け入れがたくなってきていることを論じているのである。社会の成員たちは自分たちの生活形式においてだけだとしても、一定の感情を隠したり特定の社会的状況に対する自分たちの感情表出を差し控えたりすることについて「一致」しているのである。

根源的間主観性から自我論的間主観性論へ

本章は、第一章で導入された「根源的間主観性」という考え方を展開するよう努めてきた。筆者は、時間と空間を通じて調整され、諸個人を結びつける、相互行為からなる還元不可能な「システム」という、ひとつの非還元的な理解に賛成する議論をしてきた。さらに筆者は、言語の理解を還元不可能な間主観的現象として措定してきた。その現象は同時にまた、人間の主観性の構成にとっても中心的なものである。このことが意味しているのは、人間主体は必然的に間主観的存在であるということである。

この議論に不可欠なことは、主観身体としての人間主体という前反省的な存在を記述してくることであった。そしてそこでは、根源的間主観性がありうることが示されてきた。というのは、人間存在は、それが他性に対して開かれ、それとコミュニケーションを行う前対象的、前反省的な態度をとることができるからである。

批判者は、この議論が我々の主観的な生のより私的な次元を無視することによって成り立つに過ぎない、と異論を唱えるかもしれない。明らかに批判者は、我々は他者には近づきえない感情や思考の私的世界をもっていると言うだろう。さらにまた、我々は前反省的な存在の仕方をとったりすることができるかもしれないが、一方で我々はまた、自らも反省を行い、他者についても反省するのであると言うだろう。こうした点に関する筆者の対応は、次の二つの点にわたる。

　第一に、この章で提起されたいくつかの点に立ち戻ると、筆者が示したかったのは、我々の「私的空間」の多くは、実際上、間主観的に構成されているということであった。それは、こうした私的空間が、その構成のために（たとえば言語といったような）間主観的な資源に依拠するという意味においても、またそうした私的空間が間主観的な秩序によってこそプライバシーとして区別されるという点においても、さらにその空間が文字通りの「内的」空間においてというよりも、「外的」空間が縮小されるなかで生じるという意味においても、このように言えるであろう。多くの社会学的研究は、この点を支持するのがつねだといえよう。まず、一定の思考、行為、感情が自己に対して保持されるよう今日では期待されているといったように、自己の私事化への強調が現代社会の間主観的な場の内部で生じてきたこと、しかもそれがどのように生じてきたのかということ、このことを示す歴史的諸研究がある（Abercrombie et al. 1986; Elias 1978a; Foucault 1979）。こうしたもののうち、エリアスの研究はとくに面白い。それは、この歴史的過程が幼児の心理発達のなかに圧縮されていることを示唆しているからである。幼児は、一定の感情、思考、行為を、自分自身のために、あるいは特定の文脈のために、保持するよう教えられるとエリアスは記している。さらに、こうした歴史的研究に加えて、ゴフマンの『日常生活における自己呈示』（Goffman 1959）のようなエスノグラフィックな研究もある。この研究がはっきりと例示しているのは、諸主体が、あるタイプの状況に対してあるタイプの行為が適切かどうかに関する間主観的なスクリプトをどのように学んでいるのか、そして諸主体が仮面を外す「裏舞台」をどのように展開しているのかということである。この説明においては、本源的な裏舞台といったものはないし、自己の本源的な私的空間といったものもない。さまざまな場所が、各々に対して表となり裏となって役立つ。我々は、間主観的に規定された規則に従って、一定の状況において一定のものでありうるのである。

　このことに関する事例は、我々の自己感覚と、我々が反省的態度をとる可能性との両者が、我々と他者との関係から引き出されてくると筆者が論じる次の章で、かなりの程度はっきりと示されるであろう。反省と自己性は対話的過程の内在化であると、筆者は（ミードに従って）論じるつもりである。

以上のことを述べたので、筆者の対応の第二点目を記そう。それは、これまで概要が示されてきた根源的間主観性の説明は、人間の想像力やその想像力が可能にしているプライバシーの形態については何も説明を与えていないということである。想像力によって、我々は共有された知覚の世界から、部分的にだが自分自身を引き離すことができ、そうして本章で記述してきた間主観的世界から（部分的に）逃れることができる。我々は想像力を通じて、私的な空想的想像が絶大な支配力をもつ世界を切り開くことができる。さらに、想像力のこの世界によって、他の人びととの関係性の異なった形態も考慮に入れられるようになる。我々は、自分自身を他者の場所に置いたり、物事への他者の反応を想像したり、他者に対して語るつもりのことを事前にリハーサルしたりすることを、他者に対して語るために実際に他者と居合わせることなしに、つまり対話的システムのなかで他者と関わることなしに行うことができるのである。この可能性は、本章で筆者が論じてきた間主観的関係の型から離れる傾向があり、間主観性の自我論的様相の傾向をかなり示している。この自我論的様相、およびそれと根源的様相との関係が、次の章の焦点をなす。

第三章　想像力、自我、そして他者——自我論的間主観性について

これまでの章で論じられた根源的間主観性という概念は、経験と行為の社会的構造化に関する説明に強く依拠している。筆者はたとえば、獲得された知覚図式、「自然」な表現と行動の文化的形成、そして言語という（共有された）制度のなかでの思考と反省の基礎づけに言及してきた。このことは、まだ社会化されていない存在、つまり幼児の間主観的思考に関する重要な問いを提起している。幼児は、つねにすでに他者志向的であるのか、それともそうした志向自身が社会化の結果であるのか。もし後者であるならば、何が前間主観的な主観性を特徴づけ、いかにしてそれは間主観的になるのか。以上が本章にとっての最初の鍵となる問題群である。子供の発達の理論や研究を検討することによって筆者が考察していくのは、根源的主観性が原初的に人間有機体に根ざすのかどうか、それともそれは、より原初的なものに付け加わる第二次的な構成物なのかどうか、という点である。

このことを問いつつ、またとくに子供の発達に関するミードやメルロ゠ポンティの理論を考察しながら、筆者は、前章の最後で考察し始めた「自己」の発達、および分離という人間的感覚の発達を論じていくだろう。この

ことによって我々は、自己と他者の両者が我々の経験の対象であるような、我々の間主観的経験における自我論的契機の性格と、より一般的な我々の存在に関するより反省的で再帰的な諸相との両者を考察することができるようになるであろう。

これもまた前章で導入されたことであるが、こうした論点の議論によって、我々が世界内的《ムンダーン》な間主観的世界から道を離れていくことになる想像力や想像的世界に関する問いが提起されるのは不可避である。前章で論じられたように、こうした想像の世界は、その章で概要が示された考えの多くに一見したところでは挑戦するかのようにみえる。なぜなら、こうした世界は、意識の（間主観的というよりは）私的な世界の存在を指示しているようにみえるからだ。この点が本章で語られる最終的な論点である。

子供と他者

第一章で記したように、『我と汝』のなかでブーバー（Buber 1958）は、幼児はコミュニケーションや社会性の慣習化された実践、あるいは制度化された実践の外側にいるので、幼児は決してコミュニケーションを行う存在ではないと示している。幼児は生まれながらの前もっての性向に応じて、その親と身振りで「語り合う」。さらに個性や私的経験の世界は、ブーバーにとって、そうした相互行為を通じて、またそれを基礎にして構築される第二の構造である。この見解はメルロ゠ポンティやミードによっても共有されるが、しかしそれは唯一の見解というのでは決してないし、もっとも一般的だとさえいえない。子供の発達に関する理論には長い伝統があり、そこにはピアジェ（Piaget 1961）やフロイト（Freud 1984）のような中心的人物の仕事や、子供の精神状態を「自閉症的」だとみる研究、つまり「想像的」な現実のなかに自らを閉じこめ、それによって自分の周囲の世界から隔離される状態だとみる研究も含まれる。この（後者の）見解によれば、子供の社会化は、子供に（ミードやメルロ＝ポンティの場合にも考えられていることだが）その社会的世界やその世界での特定の場所の行事や規則や慣習を教えたり、手ほどきしたりすることだけではない。それは同時に、子供の心を他者や共通に共有されている世界に「開く」ことでもある。子供は文字通り社会的にさせられ、かつ間主観的現実を分けもつようにさせられなければならない。

　カストリアディス（Castoriadis 1987）の「心的なもののモナド的な核」という命題は、こうした見解の最近の極端な例である。カストリアディスは、心的なものを、その本質においてモナド的なもので、自らのなかに閉ざされているものであると理解する。彼の見解において社会化とは、子供をその両親や共同体からなる制度化された世界に導き入れるために、子供をその「モナド的な核」から引っぱり出す「暴力的」な過程である。カストリアディスによれば、しかし主体をそれ自身からもぎ取るこの暴力は、決して完全ではない。そこにはつねに私的な想像力の残滓が存在している。だがそれは、社会的で間主観的な世界の不可欠な基礎である。この場合には、社会的―間主観的な世界は、そうでなければモナド的な心理的生であるはずのものに対して押しつけられる第二の構造である。

　カストリアディスの立場は、一定の訴える力をもつ。とくにそれは、人間生活における想像力の役割と、我々がその世界との関係において享受するプライバシーの感覚との両者を説明するからである。だがそれは、理論的レベルにおいても経験的レベルにおいても欠陥がある。理論的にそれが欠陥をもつのは、それ自身の内部に押し込められている想像的なモナド的核がいかにしてその外部のものによってもぎ取られうるのか、そしてそれがいかにして間主観的世界に同一化されうるのか、ということが明らかではないからである。仮に、外部が心的なものに影響力をもつならば、そのとき心的なものは外部に開かれ外部を指向しているのであって、どんな意味においてもモナド的なのではない。我々はこの点に、カストリアディス自身の限定的な言明のひとつを引くことによって付け加えを行っておくことができる（Castoriadis 1990, 1991）。すなわちそれは、主体をそれ自身から引き出し、間主観的世界に引き入れるための説明として断言された「暴力」とは、我々の通常の世界で理解される暴力ではない、という限定である。それは物理的暴力ではない。それは、子供の想像的世界を否定するという意味においてのみ、暴力なのである。このことを筆者のコメントに付け加えておくのは、次の理由による。すなわち、両親は、自分たちの子供を自分たちにあるいは自分たちの共有する世界に方向づけるために（物理的に）極端なことを行う必要がないということ、つまり再度繰り返しておけば、モナド的命題とは反対に赤ちゃんはつねにすでに（何らかの仕方で）世界に対して（したがって他者に対して）方向づけられているということ、こうしたことが筆者が示唆する点だからである。

以上に加えて、新生児は自らが取り組む先行的な（「現実世界」の）経験的な素材をもたないならば、自らがもつ「イメージ」が何に依存するのかが明確ではないゆえに、新生児は想像的なモナド的核に閉じこめられていると示唆することにも、ひとつの問題がある。想像は、たとえ形のうえでは創造的で非日常的であれ、間主観的世界から引き出される視覚的および言語的なイメージから構築されるのである（Cohen and Mackeith 1991; Ricoeur 1991）。かくして、現実との我々の関係よりも先行する想像的な領域という考えは矛盾の多いものであり、それが答える以上に、さらなる問いを要請するものなのである。現実の経験をもたない子供のイメージや想念は、何に依拠できるのだろうか。カストリアディス（Castoriadis 1987）はこうした批判を予想して、（派生的である）第二次的想像力と、他の認知機能（とくに知覚）の心的に原初的で発生的である根源的想像力との間の区別を論じる。しかしながら、このことでは問題は解決しない。というのは、それは幼児のモナド的な心理的生の内容を依然として十分に説明していないからだ。

こうした批判の道筋は、経験的レベルでも示される。たとえばダニエル・スターン（Stern 1977）は、発達心理学者の間でかなり合意を得ていることを繰り返しながら、幼児はその誕生のときから積極的に刺激を求める者であると論じてきた。実際スターンは、「現実」を幼児に暴力的に押しつける必要性を認める以上に、幼児は知覚的刺激と認知的刺激の両者に対する衝動を示すようにみえると論じる。この衝動によって、幼児は、最初の何週間か何カ月のうちに、幼児を世話する人の現実を含む「現実」に適応し、同化することができるための感覚運動図式を形成することが可能となる。さらに幼児は、「標準」の経験に慣れる生まれながらの能力をもっているようにみえる、とスターンは付け加える。幼児は、馴染んだことには注意を向けず、新しい異なった刺激に注意を集中し、そのことが学習へのより大きな機会を与えるのである。もちろん子供には、とくにその初期の幼児期には刺激過剰になる場合があることも真実である。また幼児が、そうした過剰な刺激を避ける段階を踏むことも真実である。共有される感覚運動的世界についての図式をもつことには時間がかかるし、幼児は、すぐにそうした世界の複雑性に直面することはできない。にもかかわらず幼児は、誕生の瞬間からそうした世界に「開かれて」おり、部分的にはその世界へ自分自身を同化させる主体であるようにみえる。

メルゾフとムーア（Meltzoff & Moore 1977, 1983, 1991）による幼児の模倣に関する最近の研究は、この見解を生得的な間主観性の方向でさらに展開している。彼らは、感覚運動的にはかなり未発達だと特徴づけられる時期の子供であっても、生後四十二分といった早い時期から、（舌出しというような）大人の顔の表情身振りを模倣するよう動機づけられ、そして実際に模倣することができるということを見いだした。このことは、模倣する性向および能力が、生まれつきのものであることを強く示唆している。そしてそれは、二つの点で重要である。第一にそれは、子供が自分自身の社会化のなかで、まさに能動的な役割を演じるように能力を授けられているということを示唆する。子供は、外的な「暴力」の受動的な受容者ではない。第二にそれは、幼児の（生きられる）身体が前反省的に「対化」され、そうしてその他者の身体と間主観的に結びつけられているということを効果的に示している。幼児が、他者の舌だし行動に反応して舌を出す。それは、幼児が舌を持っているということでさえ知る以前のことであり、それによって発達の非常に早い段階で、身体の等価性（相手の舌／自分の舌）についての生きられる意味を論証しているのである。

この点は、幼児期の主観身体に関するメルロ＝ポンティの議論（Merleau-Ponty 1968a, 1979）を考察することによって展開できる。もう少し年齢の上の幼児に言及しながら、メルロ＝ポンティは、学ぶことにとって重要である模倣に関して、数多くの観察を行っている。第一に、幼児は自分が模倣する特定の動きよりも、むしろその［模倣対象の］行為の帰結をしばしば模倣する（たとえば、大人があるものを見るために目を向けるならば、幼児はそれを見るために頭全体をそれに向ける）とメルロ＝ポンティは観察している。このことはメルロ＝ポンティにとって重要である。なぜなら、それが示唆しているのは、子供は、大人の身体の空間上での経験的な延長点に対してというよりは、身振りの（目的としての）意味に対して指向し、反応するということだからである。換言すれば、子供はつねにすでに他者の意味的行為に指向しているのである。第二に、幼児は自分自身についてであれ他者についてであれ、自分が見ることができないものをしばしば模倣する（たとえば、話すことを学ぶとき、幼児は、自分自身の喉頭も他の人の喉頭も見ることができないのに、喉頭の正しい調整を模倣する）、とメルロ＝ポンティは観察する。このことは第一の点を補強し、加えて主観身体間の身体的等価性に関する生きられる意味という考え方のための、強力な事例として役立つ。それは、生まれながらの間身体性を示唆する。

以上のことは、子供が間主観的現実への完全な指向をもって生まれてくるということを示唆しているわけではない。それはまた、間主観的現実や、子供が指向する「現実」の文化的特性に対して、子供を方向づける過程でみられる世話する人の作用や媒介を否定するものでもない。子供の心や、その心のシンボル的で政治的に秩序づけられた世界への指向は、幼児が特定の社会形成の主体者として自らの場所を占める用意ができる以前に、莫大な仕事を要求する。しかしながら、要点は次の点にある。すなわち、こうしたことが可能なのは唯一、子供はつねにすでにその環境に「開かれて」おり、したがってその環境の形成に影響を与えることにも「開かれて」いるからだ。子供は、自分自身の形成にも積極的に参与する。さらに、このことが我々を次の点に進める。すなわちそれは、子供はつねにすでに間主観的関係に巻き込まれているので、間主観的秩序をもった実践の影響力を通して、そうした秩序に入っていけるのであるという点である。この点はさらに考察が必要である。

筆者は他のところで（Crossley 1994）、我々の主観性を形づくりコントロールする（場合によっては抵抗もする）社会的実践は間主観的実践であると論じた。こうした実践は、関係性についての（より広い意味での）共有された意味やその力に依拠している。このことは同じく社会化の場合にも真実であり、多くの最近の発達心理学の研究においても支持されている。スターン（Stern 1977; Stern et al. 1977）、ニューソン（Newson 1977, 1979）、そしてより特定されてはいるがトレヴァーセン（Trevarthen 1977, 1979; Trevathen and Hubley 1978）の仕事は、たとえば大人の社会の間主観的世界に入ることが、「第一次的」間主観性、「第二次的」間主観性の諸段階によって達成されるということをはっきりと示している。そして、それらの間主観性の前者、つまり「第一次的」間主観性は、子供の明らかに生まれながらのコミュニケーション的で間主観的な性向によって可能となると示されている。幼児は、志向的行為ないしは目的的行為に対する性向をもって生まれ、そしてとくに（何らかの原基的な能力と同様に）コミュニケーションを行いたいという欲望によって動機づけられている、とトレヴァーセンは論じる。初期の間主観的段階（「第一次的間主観性」）において、コミュニケーションを行いたいという欲望は、自分の世界の対象に対する関心から明らかに分かれてくる。幼児は、世話する人と遊びたがったり、（もう少し後の年齢ではあるが）自分の世界の他の諸相を操作したがったりするが、両者が同時になされるということはない。だが第二次的段階においては、環境やその諸対象が幼児と世話する人との関係を媒介するといったように、二つのものを一つにすることが徐々にできるようになる。その段階の幼児は対象と遊び、しかも他者と一緒に対象世界を共有する。さらに、第二段階の過程を通して、子供は世話する人の関心に関心を示し始める。世話する人のある対象への関心は、子供をその対象へと関心づけ、子供は、世話する人が刺激を与えることができる関心をもっていると知るようになる。関心のこの絡み合いは、子供に対して影響を与える重要な力となりうる。子供は、行為する前に世話する人の是認を求め、また新しい危険な経験を試そうとするとき、その是認に頼るようになるのである。

第一次的間主観性、第二次的間主観性というのは、第二章で示された間主観性と大きく異なっているのは確かである。幼児はまだ言葉を一言も話さず、大人の相互行為の一般的規則の多くは、子供がそれらに反応する必要があっても子供には通用しないに違いない。時間的、空間的に身振りを誇張すること、目と目の見つめ合いを拡大すること、「赤ちゃん言葉」を使うこと、以上は皆そのためになされる例である（Stern 1977）。にもかかわらず、筆者が第二章で示してきたような間主観性の特徴の多くは原基的な形では存在している。そうした特徴のなかで、とくに明確なのは「相互同調」（mutual tuning in）である。時間的枠づけの共有、リズムとテンポの共有は、幼児と世話をする人との関係の決定的な構成要素であると思われる（Coyle 1987; Fogel 1977; Stern 1977）。だがもっとも重要なのは、幼児―養育者の関係の「正しい記述」をトレヴァーセンが主張したことである。すなわち、それの「正しい記述」は、

……その複雑性を十分に捉えるために、相互志向性や心的状態の共有といった観点からなされなければならない。どちらの当事者も、「表示」つまり「表現行動」を率先して始めるであろうし、両者はこうした率先行動の共有と交換を維持すべく行為する。両者は、相手に伝わりやすい形で、複雑な目的をもった刺激を表現する。（Trevarthen 1977 : 241）

第二章での我々の説明に従えば、このことを可能にするために、幼児と養育者は（知覚世界に加えて）言語ゲームと有意味シンボルの両者を共有しなければならない。すなわち、身振りは、両当事者にとって同一の意味をもたなければならない。このことは、実際にその通りだと思われる。トレヴァーセンとニューソンに従えば、身振りは両当事者にとって同一の意味をもつと思われ、しかもそれはいくつかのタイプの「所為」ないしは社会的活動と結びついた意味である。もちろん、これらの意味は「幼児的」であり、それらの交換過程は、幼児が大人社

会の秩序の有能な成員となる前に明確な形で変形されなければならない。さらに、この時期に多くの言語ゲームが（たとえば命名することが）精確に学習されるようになると思われる。それゆえ、言語ゲームは生まれながらのものではない。にもかかわらず、コミュニケーションの原基は生まれながらのものだと思われる。

子供の発達研究の証言が、ブーバー、ミード、メルロ＝ポンティの一般命題を支持しているので、それによって我々は、カストリアディスのモナド的見解を批判することができる。幼児は数多くの洗練された仕方で、すでにつねに自分の環境と他者とに対して指向しており、この原初的な間主観性こそが、大人の間主観的秩序への移行の基盤を与えている。社会化はコミュニケーションであって、暴力ではない。だがこのことは、社会化には葛藤がないということを示すものではない。

母性、認知、闘争

原初的な間主観性の時期に、とりわけ社会化過程の文脈においては、子供は養育者に非常に依存している。養育者は子供に食事と思いやりを与え、起こりうる危険から子供を守る。さらにケイ（Kaye 1991）の研究が示すように、子供の社会化と教育は、子供との相互行為を枠づける養育者に依存している。枠づけとは、幼児にその発達のために必要な状況と援助とを授けるために相互行為の時間と空間をコントロールすることである。さらに枠づけは、養育者が子供の行為を、有意味な社会的行為やコミュニケーションとして解釈することを意味する。そしてそれがなされるのは、子供が自分の行為を適切な社会的行為へと発達させることを学べるように、その行為を補佐する場合であったり、子供が自然的身振りを慣習的で文化的な形に変換するように、まさに教え込んだりする場合である（Clarke 1978 : Schaffer 1991）。

自然的身振りを文化的身振りに変換するというこの考え方は、ヴィトゲンシュタインの痛みの行動に関する分析の正しさを立証し、間主観主義的な事例にさらなる支持を与えるものである。だが、あらゆる学習が変換であるとは限らないということを記しておくのは重要である。獲得された最新の図式は、実際に子供の世界を変化させうる。その図式は、新たな経験と新たな経験の可能性とを創造し、幼児が解決能力を発達させるために新たな問題を据える。ある子供が大人の行動の仕方を模倣するとき、意図せざる結果として、その子は実際に大人の意味世界や経験世界へと一段と接近できるようになるのである。

枠づけやより一般的な発達にとって不可欠なのは、先に述べたように養育者の関心に対する子供の関心と、養育者によって是認される子供の欲望である。これは、幼児と養育者の間にある依存性の第三の次元である。だがベンジャミン（Benjamin 1991）が観察しているように、重要なことはこの依存が二つの方向を取ることである。初期の養育者――ベンジャミンは通常それは母親だとみているが――は、子供からの承認を必要とする。それは母親のためでもあり、また母親の子供への関心と承認を維持するためでもある。反対に、子供が承認を必要とするのは、社会化過程を通して正しく自分の関心を動機づけるためであり、また自我の感覚を確立するためである。これが行き着くところは、ヘーゲル／コジェーヴ的な意味での相互の承認を求める欲求（第一章参照）であるとベンジャミンは記す。だが、ヘーゲルの説明のなかにもあるように、この欲望される状態は必死の闘争である。両当事者は、その他者に承認されようと欲するが、両者は同じようにその他者を脅威として経験し、互いに独立を求め合う。

ベンジャミンの論点は、示唆的で興味深い。それによって我々は、養育者と幼児の関係を、承認に基づく還元不可能なシステムと認めることができる。それゆえ、ベンジャミンの論点は、大人の間主観的関係へと進んでいく原初的な間主観性状況に関する我々の理解に、かなりのものを付け加えることになる。母親は、幼児が承認を求める母親の欲求を満たすことができるのと同程度に、幼児の承認欲求を満たすことができる。さらにベンジャミンは、こうした原初的な関係の文脈で、子供は自我の感覚を発達させ始めるという重要な論点を提起する。だが残念なことに、彼女以前のヘーゲルやコジェーヴと同様に、ベンジャミンにおいてもまた、「自我」が何に依拠するのかとか、それがどのように発達するのか、という点に関する彼女の説明は十分に明確だとはいえない。彼女は、多くの経験的な証拠をもって自分の説明を証拠立ててはいない。少なくとも、直接的な観察といった類の証拠はない。彼女のこの溝を埋めるために我々は、メルロ＝ポンティとミードの仕事、および子供の発達に関するいくつかの最新の研究に立ち戻ることができる。

自我の過程

メルロ＝ポンティとミードの両者にとって、自我は社会的には制度化され、時間的には媒介された反省的な過程である。自我は、自分自身を「外側」からみるために、あるいはむしろ他者がそれをみるように、自分自身を（時間を通して）「振り返る」主体である。この意味で、それは第一章でコジェーヴに関連して論じられた自己意識という考え方に非常に類似している。さらに、コジェーヴ同様に、メルロ＝ポンティとミードの両者は、この反省的過程は主体と他者との相互行為を通して可能になると主張する。実際コジェーヴ同様に両者は、意識はそうした相互行為なしには自分自身にはほとんど気づかないままである、と主張する。両者のうち、ミードはとくに有益である。というのは、彼を参照することで、我々はこうした過程を概念化することができるからである。それゆえ筆者は、両著者の観念に形を与えるための手段として、ミードの図式を使うことにする。

ミードは二つの概念を措定する。それによって、我々は自我の過程の諸相を分離することができる。すなわちそれらは、「I」と「me」である。「I」の精確な定義はミード研究者の間では論争の元であった。よく知られているように、彼はこの点に関して曖昧であった。だが、我々の目的にとっては、Iを第二章で示されたような（メルロ＝ポンティのいう）主観身体という活動的な主体者と同様なものだと認めることで十分だろう。Iは知覚し、行為し、話し、感じる主観身体である。それは（まだ）、自分自身や自分の世界を反省的に覚識してはいない。

我々は自分が何であるかを決して十分には覚識しておらず、我々は自分自身の行為によって自分自身を驚かせるというのが、我々がいうIの根拠である。我々が自分自身を覚識するのは、我々が行為するときである。（Mead 1967 : 174）

そしてミードは続ける。Iは、過去時制で自分自身を知るだけである、つまり「me」として。

それは、与えられたものとして「me」であるが、最初はIであったmeである。そこで、もしあなたがあなた自身の経験から直接に、Iはどこに現れるのかと問うならば、その答えはこうである。すなわち、Iは歴史上の人物として［つまり「me」として］現れる、と。（ibid.）

meはIの客体化されたものであり、自分自身の回想、イメージである。それは、「I」が自らについて形成する概念である。この概念は、Iが自分自身について外部の見方を採用することを意味する。つまり、（ミードが「他者の役割取得」と呼ぶように）Iは、他者が捉えるように自分自身を捉えるということである。そうしたものとして、さらにそれは必然的に、他者のパースペクティヴの感覚をも伴うのである。

ここで、次のことを記しておくことは重要である。すなわち、ある人とmeとしての自分の自我との関係は、（第一章でみた）フッサールの図式における、ある人と他者との関係とに直接的に対応するということである。自我は、自分自身を「経験」する。自我は、自分自身を経験の対象として構成する。これは、間主観性の自我論的様相にとって中心的であり、主体が主として自己覚識的ではないその根源的様相とは、はっきりと対照的である。

ミードの議論における強調点の多くは、meの歴史的性格に関するものである。Iは、諸状況のなかに突き進む能動的で反応的な力として描かれ、meは、そうした過程を回顧して説明するなかで受動的に構成されたものとして描かれる。だがこれは話の全体ではない。ミードがIとmeを自分の議論のなかに導入した中心的な理由のひとつは、反省や計画や予期の可能性を説明するためであり、この過程ではmeが中心的な役割を果たすことは明らかである。一方でmeは、Iが自らを未来の出来事に想像上で投影することができるようになるためのイメージであり、またIがそのなかに自分の希望や恐れや夢を与えることができるようになるためのイメージである。他方でmeはまた、主体が自らとの対話に従事し、そうしてかなりの程度の意識的覚識をもって、自らがしたいと欲することの決定を実際に可能にするような、Iとmeとの再帰的な輪環《ループ》なのである。このループは、決定がなされたり、行為が保証されるまで（あるいは行為が検討の過程を中断させるまで）、他者の態度を取得しながら、ときには自らの見解を振り返ったり、それに反応したりし、またときにはこの反応に反応するなどといったようにして、ひとつの見方へと押し進める。この意味において、meが構成されるのは、主体に対する他者の実際に起こった過去の反応を通してではなく、Iが想像上の様態で構築し予測する行為に対して、予期的に反応することを通してである。さらに、こうした反応は、（想像上の）特定の他者たちの態度を取得することが少なくなり、ミードが「一般化された他者」と呼ぶものの態度の取得に、より多く基礎をもつ傾向になる。つまり、特定の誰かの見解ではなく、むしろ共同体全体の見解の取得である。meは、共同体全体の見解の観点から設定される。

ミードにとって、この点の含意は、実際にmeが社会的コントロールの内在化された場であるということだ。自我の過程がIとmeとの間の対話であるかぎり、それは諸個人が自分自身の志向をより広い共同体から引き出された観点（「一般化された他者」）で監視するということを伴う。このことは、意見交換をして個人が共同体の見解に従うであろうという保証を必ずしも含むものではない。にもかかわらず、ミードの見解において、それは自由な民主制の効果的な基礎を確実にするのに十分である。ミードは次のように主張する。我々は、このような内在化されたコントロールの機能をもつという理由だけで、つまり我々は自分たちが行為する以前に、他者たちおよび共同体全体の態度や見解を考慮に入れるという理由だけで、自由な民主制の利益を享受することができ、過度な処罰の体制の脅威なしに生きることができるのである、と。行為のコントロールに加えて、さらにこの過程は同様に行為の調整も行う。諸個人は、諸々の出来事や行為に対するお互いの反応を予期し、それを基盤にして、こうした出来事や行為を調整することができる。ミードからみれば、このことは、社会生活それ自身の可能性にとって非常に根本的なことである。

ここで、諸々の現代社会の社会集団やアイデンティティがもつ複数性を説明するためには、ミードの「共同体」や「一般化された他者」という考え方は複数化されうる、ということを付け加えておくことは重要である。この複数化は、筆者が第七章で論じるように、おそらくミードの場合、政治的諸問題を実際に措定するものであるが、しかし分析的かつ心理学的なレベルでも、ミードの理論が、多元的に重なり合う共同体やアイデンティティという考えと一体化できないという理由は存在しない。

自我の過程の出現

メルロ＝ポンティの場合、自我の過程に関して構成的である再帰性という原型が、まさに主観身体の「肉」へと仕上げられる。あらゆる知覚には、ひとつの再帰性がある（Merleau-Ponty 1968b：168）、あるいはナルシシズムさえある（Maeleau-Ponty 1968a：139）。なぜなら、我々は見えるものを見る者であり、触れるものを触る者であり、聞こえるものを聞く者だからである。すなわち我々は、我々が知覚する（知覚可能な）世界の一部だからである。このようにメルロ＝ポンティは論じる。さらにこのことは、我々自身に対する我々の関係にも広がる、と彼は続ける。我々は自分自身を見ることができ、自分自身に触ることができる。我々は少なくとも一定程度、知覚可能な我々自身の存在を知覚する。『見えるものと見えないもの』(Merleau-Ponty 1968a) において彼は、このことが、触っている自分自身を触るとか、見ている自分自身を見るといったような、完全な再帰性および表裏の反転可能性にまで広がる可能性を熟考している。だが、経験はここまで達しない。表裏の完全な反転可能性はつねに差し迫ったものだが、しかしそれは実際上は決して実現しない。我々は表裏の合致の「縁」までは行くが、知らぬ間に通り抜け、決してそれは実現されない。

……合致はそれが実現されるときには消滅している。そして、二つの事態のうちの一方だけがつねに生じる。すなわち、私の右手は現実に触られたものの地位に移行するが、そのとき右手による世界保持は中断される。あるいは右手はその世界保持を維持するが、しかしそのとき私は、実際にはそれに、つまり触っている私の右手には触れていない。私は、自分の左手で、右手の被いを触知するだけである。(Merleau-Ponty 1968a : 147-8, 強調は原著)

このことは、ミードの言葉を使えば、なぜIが自らをmeとしてのみ経験するのか、そしてなぜ自我はつねに必ず時間の過程なのか、ということである。Iは、決して完全には自分自身と一致しない。さらに、(文字通りの意味でも比喩的な意味でも) 自分自身を完全に見ることが困難であるとすれば、このことが、再帰的なループを完成させるために他者の見方が必要だということの理由なのである。他者は、その相手自身では決して可能ではない点から相手を見る。そして、自分が実際に自分の知覚可能な存在を認識できるようになるのは、他者が上述のようにその相手を見るということを、自分が認識することによってだけである。他者に対する私の視覚可能性について私が認識することによって、「私がはじめて、私自身のまなざしのもとで裏返しになって完全に明らかになるように自分自身に現れる」ということが可能になる、とメルロ＝ポンティは主張する（Merleau-Ponty 1968a : 143）。だが、このことはメルロ＝ポンティやミードにとって即座に達成されることでもなければ、社会制度から独立して達成されることでもない。それは、長い社会化の過程の結果である。誕生からしばらく経っても、幼児はこのような仕方で自分を同定したり、自分自身と他者とを区別したりすることができない。幼児は、自己と他者のいずれかについても反省的意識をもっていない。せいぜい幼児は、未成熟な知覚や感覚のなかに表れる、自分自身に対する漠然とした身体感覚をもつだけである。

以上の見方と、先にその概要が示された生まれながらの間主観性とを区別することは重要である。先に示された見方は、幼児が、共同で行う有意味な相互行為への生まれながらの性向と、そうした相互行為を行う能力とをもって生まれてくるということであった。我々がいま示した見方は、幼児は自分自身に関してにせよ他者に関してにせよ、鋭い反省的な感覚をもたずにこのことを行うということである。いいかえれば、幼児は生まれながらにして根源的間主観性の一形態への性向をもっているのであって、自我論的間主観性への性向をもっているわけではない。後者は、第二次的で派生的な可能性である。このことは、現代の発達心理学によっても支持されている。新生児が自分の自我についての何らかの感覚を楽しんでいると示唆する証言もあるが（Coyle 1987）、大部分の心理学者はそれを、後になってのみmeについての反省的自己意識と結びつく生きられたＩ、あるいは暗黙のＩだと見ている（Case 1991; Fein 1991）。さらに、大部分の心理学者は、Ｉの初期における間主観的関与がmeの発達にとって不可欠である、と主張している。

メルロ＝ポンティとミードにとって、反省的な自己意識の分化や発達の達成にとって、とりわけ重要な過程は、幼児が言語と社会的シンボルの世界へと入っていくことである。自我の産出のさいの言語の役割は多次元的なものであるが、とくに四つの相が重要である。

まず第一に、メルロ＝ポンティとミードに従えば、言語は第二章で示されたように思考がなされるための手段であり、また同時に思考内容がその思考者に明らかにされる手段である。我々が話すとき、我々はまったく文字通りに自分自身が考えていることを聞くのであり、そしてこのことによって、我々は自分自身との（時間を媒介にした）関係を持ち始めるのである。我々は話すとともに、自分自身の話すことを聞くことができる。この論点に関するミードの議論は、メルロ＝ポンティの議論よりも詳細である。ミードは、この論点を四点に分けている。第一に、発話は明らかにひとつの行為ではあるが、同時に行為の短縮形として、つまりある行為の意図を伝達しながら行為にはまだ完全にならないものとしてみなされうる、とミードは主張する。第二に、以上のことからの帰結であるが、言語的思考はしたがって、我々の環境に対する関係を媒介することができ、我々が環境に対して働きかける以前に、我々に対して行為の可能性を呈示すると彼は主張する。この意味で、主体はその環境から距離を取り、環境内部での自分自身の可能性へと目を向けるのである。主体は、単純に反応するのではない。主体は思考するのである。第三の点は、この思考がその言語的形態のゆえに、主体に対して諸々の可能性を呈示するということである。主体は（おそらくは声に出さないで自らに）語り、自らの言うことを聞き、そして反応する。主体は、自分自身と「内的対話」を行うことができる。最後に、内的対話は、意味が言語共同体全体に浸透している有意味な諸シンボルに依拠しているので、それは自分の思考に対して他者がとる態度を取得する主体を含んでいるという点をミードは主張する。つまり主体は、自分自身が示唆するものに反応するさいに、自分自身との関係において他者の役割を演じるのである。主体は、自分が他の話し手に対してであればこう反応するであろうと思われるのと同じように、自分自身に対して反応するのである。そのようにして、主体は自分自身に対しても う一人の他者（an-other）となる。この意味で発話は、自己に関して構成的である反省的、再帰的な過程に影響を与えるのである。

自我の過程の構成における言語の第二の役割は、言語的な自己言及と、特定の名辞および代名詞の使用であり（Harre and Gillet 1994も参照のこと）、この点に関しては、ミードよりもメルロ＝ポンティの方がより関心を抱いている。言語的な行動は、少なくともいくつかの例においては、それが話し手とその聞き手の両者に遡及し、その両者を明示するという点において、他の形態の行動とは異なっている。さらに、呼称するという他の人に向けた発話の形態は、我々を特定の関係のなかに位置づける。たとえば「ママ」と言うことは、「子供」との関係を意味することになる。このことは普通のことのように思われるが、さまざまな呼称の形態にみられる文化的な多様性やさまざまな命名という実践は、我々のアイデンティティや自己性の形態の文化的多様性に関する重要で興味深い問題を提起してきている（Hirst and Wooley 1082; Mauss 1979）。たとえば、個人固有の名前を用いない人びとの自己経験に関する問題や、英語の人称代名詞「I」と直接には同じ意味ではない人称代名詞をもつ人びとの自己経験に関する問題が提起されてきた。我々は、呼称の様式がない場合に自分たちが行うことを考えてみると、そのやり方で本当に自分自身を経験できるであろうか。さらに、人を同定したり区別したりする特定のやり方（たとえばジェンダー）、およびその人と特定の制度的位置や位階秩序との関係を同定したり、区別したりする特別のやり方をシンボル的に構成すること、このことはその位置を占めるようになる人びとにとってかなり重要な帰結をもつ。人間のアイデンティティに関する我々の（言語的）カテゴリーは、特定の形態の権力や特権と切り離しがたく結びついているのである（Butler 1990）。

このことから帰結するのは、meはしばしば、自叙伝的な語り（narrative）のなかに住まうということである。自分自身についての我々の感覚は、我々が自分自身について語る物語（story）に基づいている。そしてその物語は、自分が自分であると感じるような人物像を例示し、ずっと続く一貫性を構築し、維持するのである。自叙伝は自分自身を同定するわけだが、それは自分自身に対しても他者に対してもなされるのである。自叙過程にとってもまた中心的である。実際、自叙伝は言語ゲームの特定の形態であるとみなすことができよう。それは一定の要求を話し手に課し、またそれらの要求に応じるための修辞上の工夫をも話し手に供給する（Davies 1993, 1995）。

少し異なったレベルであるが、メルロ＝ポンティの場合は、言語の獲得が自我の発達のためには重要だとされる。効力ある話し手となるための一部分は、（暗黙のレベルではあるが）自分自身のパースペクティヴの特殊性を認めることを学び、そしてコミュニケーションを行うときに、その欠けた部分を補うことを学んでいるからである。能力と効力をもった話し手となるために、人は、自分自身の経験と自分の対話者の経験との間の溝を埋める説明を学ばなければならない。この「溝を埋める説明」がなければ、その人の発話は（自己中心的な）ナンセンスなものだと聞き取られるであろう。

だがメルロ＝ポンティやミードにとって、言語のなかに入っていくことは、それを狭く想定した場合でも、自我の構成の話全体ではない。両者は、単純な言語獲得や自叙伝的な言語ゲームへの参加の全体にわたる過程や、それを越える過程が何であるかを考察しており、また両者は、meの意味が言語的客体化以上のものであることを主張している。筆者はまず、こうした過程に関するメルロ＝ポンティの説明を論じてみることにする。

鏡像段階

メルロ＝ポンティの場合、言語の獲得の全体にわたり、またそれを越えるような、自我の発達にとっての鍵となる過程は「鏡像段階」である。これは、その名が示すように、子供が言語の獲得に先んじてその環境のなかで出会う自分自身の反射像を通して、自分の自我を認めるようになる一連の経験を意味している。いいかえれば、子供は、「反射している表面」を媒介として再帰的に自分自身に立ち返り、自分自身と自分が見ているものとを同じものだとするのである。meは、このような鏡像のイメージである。メルロ＝ポンティの擁護者の多くは、この反射像が主として幼児の世話をする人から発せられたものであるとみている（Dillon 1978; Levin 1991: O'Neil 1986）。彼らのいう鏡像段階の「鏡像」とは、ひとつの比喩である。彼らには非常に残念なことだが、しかしメルロ゠ポンティ自身の議論は、幼児と文字通りの鏡像との関係に中心がおかれる傾向にあり、親によるこの関係の（間主観的）媒介は軽く扱われているようにさえみえる。メルロ゠ポンティは、幼児が養育者によって鏡の正面におかれて、その像が自分自身のものであると子供が認識するように養育者が積極的に励まし手助けをするということを十分には考察していない。筆者は、この文字通りの鏡の像を議論することで、鏡像段階についての筆者の議論に着手してみよう。

子供が鏡のなかで自分自身を認識する能力は、鏡を使ってその現れの諸相を知ったり、それを変えたりする子供の能力によって示されるように、多くの児童心理学者によって子供における自我の（あるいはmeの）客観的意味の存在を示す指標として用いられてきた。現代の研究は、この認識を十二カ月から十四カ月の子供の約六十五パーセントは達成できると示している（Amsterdam 1971）。この達成は、三つの段階に分けることができる。アムスターダムによれば、六カ月から十二カ月では、子供は自分の鏡像を「社交上の遊び相手」として扱う傾向がある。次いで十四カ月から二十カ月の間では、子供は自己意識的な行動を示し始める。最後に、二十カ月からは十分な認知を達成し始める。

メルロ゠ポンティからみれば、この過程が意味しているのは、鏡像の「擬似現実」との漸進的な交渉である。鏡像を現実として扱わないのは、鏡のなかの人物が自分自身であることを学習するのとほとんど同じ学習の過程である。だが、何人かのメルロ゠ポンティ研究者によれば、鏡像の「擬似現実」は決して完全には縮小しない。たとえばロマニシン（Romanyshyn 1982）は、鏡のなかのmeは、鏡の前に立っている人の単純な反映ではないと述べる。それはつねに、未来計画の構想と適合し、他者の観点から見られた想像的な性格をもつ。鏡像は決してIではない。それはつねに、空想や希望をもって与えられるmeなのである。

鏡のなかの他者を見る経験によってこそ、はじめて子供は反射する表面として鏡をみることができるようになり、そうしてその鏡のなかの人物の一人が自分自身であると認識することができるようになるということを、メルロ＝ポンティは考察している。子供が自分の前にある鏡像を見ることと、自分の向こうにあるその鏡像に「属している」声を聞くこととの間で経験する裂け目は、かなりの学習経験であると彼は論じる。だがメルロ＝ポンティは、そうした認知を可能にする経験や認知発達の段階に対しては、その帰結に対する関心ほどにはあまり関心をもっていない。鏡を通して、子供は自分が外部から見られるということ、つまりその見えが自分に関してなされていることを学ぶ、と彼は主張する。さらに子供は、人間的自我にとって決定的であるナルシシズム的な疎外をもたらしながら、この鏡像と一体化する。

私はもはや、私自身が無媒介にそうであると感じる何かではない。つまり、私は鏡によって与えられる私自身のイメージである。ラカン博士の言葉を使えば、私は、私の空間的なイメージに「捕捉され、熱中」する。そのうえで私は自分自身を、鏡の像がその最初の概要である理想的、虚構的、想像的なmeに向けてたえず差し向けるために、私の生きられるmeの現実から離れるのである。この意味において、私は自分自身から引き裂かれ、そして鏡のなかの像は、やがてその疎外が他者による疎外となるさらに別のよりシリアスな疎外に備えてmeを準備するのである。(Merleau-Ponty 1968b : 136, 強調は原著)

メルロ＝ポンティによれば、この鏡における想像上の自己疎外は、否定的に経験されるのではない。反対に、鏡の前での子供の経験は、多くの場合楽しさにあふれている。子供は自分自身のイメージを愛し、そしてこのことが、自分自身をイメージによって定義しながら、子供がそのイメージと一体化することができる理由であり方法である。だが、これは疎外である。というのは、子供は自分自身から主体を引っぱり出し、子供が経験する直接性から主体を分離するからである。ミードの言葉を使えば、Iは「me」と直面させられ、そしてその時点から、Iはmeとしてのみ自分自身への言及を行うことになるのである。

メルロ＝ポンティにとっては、この外部化された想像上の「me」は、公的なme、つまり他者によって経験されうるものとして経験されるmeであるという点が重要である。「他者は、meについての外部のイメージのみをもち、それは鏡のなかで見られたものと類比的である」（Merleau-Ponty 1968a : 136）。自分自身を見えるものとして見ることによって、主体は、他者が見る仕方と類似の流儀で自分自身を見、そして主体は、自分自身を他者にとって存在するものとして経験するようになる最初のステップを踏むのである、とメルロ＝ポンティは主張する。さらに、他者が見るように主体が自分自身を見るときにのみ、つまり主体が「他者の態度」を取得するときにのみ、meについての十分な自己意識が達成されるのである。

meを対他的（for-others）な存在として経験することは、メルロ＝ポンティによって再び疎外として示されるが、その再度の疎外とは、否定的な経験を含意すると意図されたわけではない。他者によって経験されることは喜びであり、自己を確証するものでありうる。だがこの疎外は、自分自身が他者の経験に捕捉されたと主体が経験する意味では、脅威ともなりうる。つまり主体は、外部から客体化されるとか、自分自身の行為の意味を決定する能力を失うという偏執狂的な意味を経験する場合には、この疎外が脅威となるのである。そうした状況において主体は極度に自己意識的になり、その結果、前反省的な自発性の能力を失う（Fanon 1986; Sartre 1969; Young 1980）。すべての動きが、不安と偏執症的な強度をもって働きかけられる。これは筆者が第一章で論じた「まなざし」という現象であり（Crossley 1993, 1994も参照）、筆者が第二章で、特定文化内で「他者」として定義される集団との関係で記した見えるものの政治学の議論において、とくに重要である。女性と、いくつかのエスニック集団との両者を含むこうした集団は、自らを開かれたコミュニケーション的関係に関わっていると見いだすことがあまりできず、自らを他者の凝視のなかで客体化されていると見ることの方が多い（Beauvoir 1988; Fanon 1986; Young 1980）。

この説明は、ひとつの重要な哲学的問いを措定する。すなわち幼児は、（鏡像段階の後に）いかにして自己から他者へと進むのか、である。つまり幼児は、自分が自分自身を経験されたものとして経験することができるように、いかにして他者の経験に接近できるのかということである。他者性へのこの接近は、第二章での根源的間主観性との関係で論じられたものとは、まったく異なっている。根源的間主観性の場合には、他者とは他者の行為の基礎のうえでコミュニケーションを行い、反応し合う。それとは反対に、この（自我論的な）場合は、他者は知識や思考の対象となり、他者の行為は他者についての明示的ないくつかの推論を行う基礎として用いられる。さらに、自我論的様相においては、他者はもはや状況のなかで他者自身の位置を占めずに、むしろ自我が自らを他者の位置に置き、他者に代わって思考を行うのである。

　こうした経験が想像上の様態で生じることは、疑いないといえよう。ヴィトゲンシュタインが論じているように（第二章参照）、我々は他者の経験を持つことはできない。しかし、我々はそれを想像することはできる。想像でもって、我々は我々の目に焼き付く他者のまなざしを感じることができる。あるいはまた、我々は他者に話しかけなくても、他者が我々について考えていることを「知る」ことができる。この問題との関係で、本書の最初の三つの節によって示された哲学的な変容を伴ってはいるが、我々は、フッサールの類比による統覚（第一章参照）という考え方を復活させることができる。我々自身の自我論的なパースペクティヴを想像によって他者に移し入れることで、他者は、我々に自我論的で疎外的な様相で立ち現れる。だが、この命題の見解とフッサールの見解との決定的な違いは、自我は自我自身とのそれ以前の接触に基づいて他者に思考を帰属させるのではない、ということでなければならない点にある。第一章で行ったこうした考えへの我々の批判、および第二章で行った特権的通路という考え方への我々の批判、これらに従って、我々は次のように主張しなければならないだろう。すなわちそれは、他者に関する推論は、共有されたシンボルと、特定のタイプの行動と身振りがもつ意義についての共有された理解とに基づいてなされる、という主張である。我々は次の節で、このことがいかにして生じるのかということについて、より明確な考え方を得るであろう。そこでは、他者のパースペクティヴに対する我々の想像上の関係に関するミードの見解が考察される。

プレイ、ゲーム、他者

メルロ＝ポンティの説明と、我々がその説明から引き出してきた含意は、間主観性に関する我々の議論にとって重要である。だがそれとともに、数多くの問題もある。そのなかでもすぐに分かるのは、マーティン・ディロン（Dillon 1978）が記しているように、自己意識は人間においてはほとんどどこにでもある現象だと思われるが、鏡や（文字通り）反射する表面を利用する可能性は必ずしもそうとはいえない。さらにこの点に加えて、生まれながら目が見えない子供たちは、多くの問題に直面するにもかかわらず、しかし鏡を使わずに一貫した自己の感覚に到達する。このことは、さまざまな形で鏡を創案した文化に、鏡は大きな影響を与えなかったということではない。そうではなく、このことが示唆しているのは、meという自己意識は、語の厳密な意味では、鏡とは結びついていないということである。

メルロ＝ポンティの擁護者たちの多くにとっては（Dillon 1978; Levin 1991; O'Neill 1986）、鏡の役割ないし機能は養育者によって担われうるということであった。そうだとすれば、文字通り鏡が必要だということは避けることができ、問題は（外見上は）克服される。ディロンの説明において、この点は（前述の）カストリアディスを思い起こさせる観点で示される。子供が分化の感覚を欠くという点は、「幼児に他者のパースペクティヴを認めるよう強いる」「意味ある他者」によって解消される、とディロンは主張する（Dillon 1978: 91）。ディロンが、このことはいかにしてなされるのかという点に関して与えた例は、処罰と是認の取り消しである。この考え方は、あまりにも論理的すぎる。そしてこの考え方によって、我々は鏡像段階に関して、その鏡像段階が説明するとは思われないひとつの過程を認めることで、さらに進んだ批判を展開することができる。「他の意識的存在」や他者のパースペクティヴを認め、それによって自分自身の特殊性や固有性を認めること（つまり自分自身を自我として認めること）を学んだ幼児にとっては、こうした他者のパースペクティヴがそのパースペクティヴ自身を幼児に押しつけることは必然であるとディロンは示唆している。だが他の諸意識に気づかないある意識が、たとえその意識が相互行為する他の諸意識と類似の身体をもつ、あるいは類似の身体であると見なすとしても、その諸意識がこの事実についての情報を意識に与えないならば、その諸意識が意識であると推定する理由はどこにもない。なぜ、そうなるのであろうか。他の諸意識が意識の世界の諸相であり、それらが意識だとみなされる必要がなくても、諸意識はある意識にとってまったく十分に機能する。要するに、この説明がもつ問題点は、この説明がいかにして子供が自分自身から十分な距離をとって、もうひとつの見解を他者の見解であると認めるのかということを説明するのに、依然として成功していない点である。それは、なぜ子供が養育者の行為を、いかにそれが押しつけがましく厳しいものであっても、他の人のパースペクティヴの指標であると理解しなければいけないのかは説明していない。たとえば親の処罰は、それが子供に（暗黙のうちに）子供自身の限界の感覚を与えるとしても、だたその子供のうちに物理的攻撃性を生み出すだけかもしれない。それは、大人がひとつの観点をもつということに子供が気づくようにする必然性はない。

この問題を克服し、自己性と自我論的間主観性の発達についてのよりよい理解を達成するために、我々は再びミードの仕事に戻る必要がある。ミードは、子供がまず最初に、プレイ、とくに役割交代を含む特定の形態のプレイを通じて、そして次にゲームを行うことを通じて、自分自身から距離を取ることを発達させると主張する。

プレイにおいて子供は他の誰かの振りをする、とミードは論じる。子供は社会的役割を担う。このことが、数多くの点で自己感覚の発達に貢献する。第一にこのことは、幼児としての子供自身のパースペクティヴを特定化しかつ相対化する。子供は世界に対して異なった関係をもつことを学び、そうして子供の通常の状況がもつ特殊性を認めることを学ぶ。第二にこのことは、少なくとも子供がその養育者たちの一人の振りをして装う場合には、子供が自分自身に関して外部の観点を取り、しかも外部から自分自身のことを語ることを可能にする。子供は、自分に話しかける母親を装うことができ、それによって子供に対してその母親がもつ態度を取得することができる。第三に、少なくとも子供が（たとえば順に、看護婦、医師、そして患者といったように）二つないしそれ以上の役割を取る場合、子供は、緩やかな形ではあるが、I／meの関係にとって構成的な、自分自身との会話的関係をもつことができる。いいかえれば、子供のプレイは他者との想像上の同一視を含む。その同一視によって、子供は自分に関して外部のパースペクティヴを取ることが可能となり、そうして子供が自我に関して構成的であるような、自分自身との再帰的（過程的）な関係を発達させることが可能となる。

ここで、次のような異論が生じるかもしれない。以上の過程は、それが説明されるべき出発点を前提化してしまっている、と。他者の役割を取得するためには、子供はつねにすでに他者についての理解をもち、したがって自我についての理解ももっていると、その異論は論じるだろう。だが、このことは必ずしもそうではない。メルロ＝ポンティ（Merleau-Ponty 1979）が示しているように、子供は他者の態度の知覚やパースペクティヴをもたなくても、他者の行為を模倣することができ、そしてそのときにのみ、その行為の内部に他者の態度を発見することができるのである。子供にとってパースペクティヴは、関係する定型的な行動を子供が遂行するがままに展開されるのである。子供は「すること」によって理解を獲得する。この点は、筆者がフッサールの類比による統覚の説明に対して提起した異論（第一章）との関係で、とくに重要である。というのは、この論点によって、類比という疑わしい考え方に依拠することなく、また主体の自分自身に対するアプリオリな透明性を前提にすることなく、いかにして経験の想像的な移し入れが生じ、いかにして一方が他方のパースペクティヴを取ることができるのかということを、我々が見てとることができるようになるからである。ミードにとって、自己の概念と他者の概念は、同一過程によって同一時に形成される。そして自己は、他者の（公的）役割を実際に演じ、この実演を通して役割の「内部」を発見することによって、他者のパースペクティヴに接近できるのである。統覚が基礎にしている対化が可能となるのは、この役割演技によってなのである。

ミードのプレイの理論は、フェイン（Fein 1991）の研究によって経験的に支持されている。だがフェインは、メルロ＝ポンティの覚え書きを確認したり洗練したりする仕方で、「他者の態度」との同一視の増大を含む諸段階を通して、子供のプレイそれ自身が発展すると付け加えている。いいかえれば、プレイの単純な形態は他者の態度を取得する能力をそれほど与えもしないし要求もしないが、その形態によってこそ子供はより複雑な形態と関わり、そうして自己と他者のより分化した感覚へと進むために必要な行動と思考と経験の構造を発達させることができるのである。

だがミードにとって、プレイは、自我の過程の発達における唯一の段階である。それがなしうることは限られている。プレイを通して我々は、特定の他者のパースペクティヴを獲得するが、筆者が先に述べたような、共同体や「一般化された他者」の見方を獲得するわけではない。この態度が発達するためには、幼児はゲームに関わらなければならない。

ゲームが非常に多くの種類や形式をもっていること、ゲームが複雑さの程度や構造において大いに異なっていること、こうしたことはミードには明らかである。だが、ミードがとくに関心をもったのは、チームで行うゲームである。そうしたチームゲームは、プレイヤーの各々が同時にたくさんの仲間のプレイヤーの観点から、そして実際にゲーム全体の抽象的で一般的な目的や規則の構造の観点から、自分自身の行為をみるということを要求する。チームプレイを行うためには、プレイを通じて子供が獲得してきた再帰的な能力が必要とされるであろうし、またチームプレイは、共同体全体の観点やその社会の法や規則の構造に制度的に具体化されたものの観点から、子供が自分自身を見ることができるような地点にまで、そうした能力を変容させるであろうとミードは信じた。このような過程は、個別主義と普遍主義との弁証法を含む。子供は、より大きな集団の特定の一成員として自分自身を見ることを学び、そしてこの集団の普遍的な規準に対して自分自身をその個別性において判断することを学ぶ。子供は、自分自身を分化すると同時に、自分の共同体や伝統と同一化することを学ぶのである。

この点からは、二つの重要な含意が引き出されるべきであろう。第一に、メルロ＝ポンティと対照的に、ミードは、自我（me）についての異なった感覚を形成する分化の過程と、子供が共同体の一成員としてその共同体に導き入れられる同一化の過程とを認めていたということが記されるべきであろう。子供は自分自身を共同体から区別するが、しかしそれはその共同体の一部として区別するのである。子供は、区別する観点として共同体を認め、そして共同体の価値と観点を取得するのである。この意味において、自己性の発達は同時に、（たとえ最初は地域的な市民性であろうとも）シティズンシップへの入門である。実際ミードが信じていたのは、シティズンシップの制度的構造を形成する（還元不可能な一対のまとまりとしての）権利と義務が、「他者の態度を取得」できる人びと、また「他者の態度を取得」している人びとに利用可能になるようにすることができるし、またそうしなければならないということであったのは、非常に明白なことである。

自我とシティズンシップとのこの同一視は、我々の観点からすれば肯定できる。その視点は、私的存在と、間主観的パースペクティヴにとって重要な政治的存在とのつながりを認めることである。さらにそれは、個々の自我やアイデンティティのなかにある「成員であること」の感覚や共同体に属していることの感覚を説明する。この点について、メルロ＝ポンティははっきりと認めてはいるが、彼のパースペクティヴではこの点を説明できない。もちろん、諸主体はつねに共同体の一部分であると感じ、つねにそれに統合されていると感じているということではない。またメルロ＝ポンティは、厳密に専門的な意味で用いたのであるが、自我が疎外されていることもまた否定できない。しかしまず第一に、自我は孤立した（そしてナルシス的な）アイデンティティの結果というよりも、むしろ社会的なアイデンティティの結果であるということが強調されるべきである。

自我の発達についてのミードの理解に関する第二の点は、自我が権力に帰属させる役割である。すなわち、ゲームのなかで起こっていることは、つねに子供の生活においても起こっている。子供はたえず自分の周りの人びとの態度、とりわけ子供をある点でコントロールする人びと、および子供が依存する人びとの役割を取得する。(Mead 1967 : 160)

この点を勘案すれば、我々はミードの見解とディロンの見解との結合点をみることができる。子供に、自分自身や自分の意思(多分に好意的なものであるが)を押しつけてくる人びとの役割や態度を、子供は実際に取得している。このことは、先に述べたようなシティズンシップの見方への変容を暗示している。それは、権力関係のなかで、また権力関係を通して、影響を受ける自我の過程を示唆している。つまりそれは、子供に対する関係が権力関係である人びとの態度を、子供が取得することを示唆している。さらに、Iとmeとの対話は、主体の思考や意図(I)と、権力の執行者の見解(me)との間の議論の形態をとるだろうと我々は推し測ることができる。この意味で、「一般化された他者」とは、共同体の声というよりも、むしろ共同体に代わって語り、共同体の内部で権力をもつ人びとの声なのである。

ここで、自我に関するこうした政治的理解が、対話的で過程的なものであることが強調されなければならない。「me」としての制度的権威は、決定的な命令権をもっているわけではない。そこには、どちらかが勝ち抜いたり、また実際に一方が他方に単純に優越するというような「I」と「me」との対話がたえず存在している。「一般化された他者」による警告は、「I」によって留意される必要はない。さらに「meのもの」や「me」のよりどころが、個人生活の全過程を通して進展し続けるということも強調されるべきであろう。新たな権力者が権力者として立ち現れるとき、その権力者は新たな「meのもの」を構成することができる。たとえば諸個人が新たな制度に加入し、その規則や役割や目標をもったこの制度を構成している「ゲーム」を演じるときがそうである。

アイデンティティ、差異、中傷

ミードにとって、自己価値の感覚と同様に、ある人の自己意識の感覚は、その人が自分を認める価値があると思っている人びとによって承認されることに依存する（つまり、相互承認の構造がある）。ちょうど奴隷がこの承認を求めるようなものである。これは、コジェーヴの考えと非常に似ている。さらに、主人／奴隷の関係についてのコジェーヴの記述と同様、ミードは自由なユートピアを特徴づける欠陥を説明している。自我が承認を求めて闘争するのとまさに同じように、自我は共同体の観点からmeとして制度化されているが、同時に自我は共同体から自分自身を区別し、自分自身を個性化しようとも努めるとミードは主張する。そうした事情のもとで、自我は個人のレベルでも、より集合体的なレベルでも、自分自身を他者よりも優位な関係において定義したり、そう定義することを求めたりする傾向がある。ピエール・ブルデュー（Bourdieu 1984）の言葉を使えば、彼らはディスタンクシオン［卓越化］を求めて闘争するのである。

卓越化を求めるこの闘争は、ミードによれば、通常は有害ではない。少なくとも適切に水路づけられ規制されているときに、実りある競争を動機づけるのはこの闘争であるとミードは論じる。彼が認めている唯一の危険性は、集合体的アイデンティティや国際社会のレベルにおいてである。そこでは、卓越化を求める欲望の具体化としてのナショナリズムが手に負えなくなるのを防ぐために、何らかの形の規制が必要であるとミードは論じる。

以上が、ナショナリズムの包括的な見方であるというつもりはない。もしミードが、自我よりもナショナリズムを論じていたのであれば、特定のナショナリストの闘争のもつ経済と歴史などに関する議論を含めていたであろう。だから、この見解がナショナリズムの見解としてもつ限界については、とくに彼の書にとって問題だというわけではない。だが問題なのは、ミードがこうした卓越化の概念を通して、いかにして一定の卓越化が近現代西洋社会において、したがって近現代的な自我の構造において、制度化されるようになってきたのかについての考察に十分に踏み込んでいないということである。ミードは、我々が社会的カテゴリー（たとえば、男性、若者、中産階級、白人）を通して自分自身を同定していること、またそうしたカテゴリーが他者との差異化を通して機能していること（女性と男性、白人と黒人）、そしてこうした差異化がしばしば評価を含んでいること、こうしたことを十分に考察していない。人種差別とジェンダー関係が、こうした点のもっとも明白な二つの例である。数多くの最近の著者たちは、女性（Beauvoir 1988; Butler 1990; Young 1980）も、黒人、ユダヤ人、オリエント人といった人びと（Fanon 1986; Goldberg 1993; Said 1978; Sartre 1948）も共にみな、西洋文化においては理想的な（白人男性の）自我よりも劣っているものとして位置づけられてきたということを指摘し始めている。つまり、その人たちはみな、理想ないしは正常との関係で、劣っているとか欠けているとか説明される特徴づけに応じて定義されてきた。これらの差異化は、従属的な集団の成員が取り扱われる仕方や、そうした集団自身によるアイデンティティ構築を可能にする仕方にも影響を及ぼしているという理由では、重要である。しかしこれは逆に、そうした差異化を行う主体の能力や精神的健康にも明らかに影響を及ぼしているのである（Fanon 1986）。

以上で描かれた自我の政治学に関する像は、ミードのものよりもずっと寒々しいものである。それは、否定的な自己評価や敵意ある「一般化された他者」を担わされたmeを示唆する。この見方においては、自我は依然として共同体的ではあるが、その共同体は歓待される場所ではなく、間主観性は否定的なものとして経験される。そうした心情を表現した自叙伝や研究は果てしなく存在する。だが、ミードのパースペクティヴから発せられるメッセージは、この否定的なmeやそのmeを引き出してくる共同体が、自我と間主観性との弁証法におけるほんのひとつの極に過ぎないということだ。このmeとの対話に取り組むIや、このmeを批判することができるIが存在する。かくして、誹謗・中傷された自我は、他者が自己に押しつけてくる否定的な評価や、自我が自分自身のうちに内在化してきた否定的評価と闘いながら、他者と自分自身との両者への闘争に関わることができる。これらの声による対話的な闘いはいま始まったばかりであるが、すでにそれははっきりとその形を印しつつある。

間主観的な自己呈示

このような政治的考察によって示唆されているのは、「自我」は、同時に道徳的秩序でもある間主観的秩序に属しているということである。自我は、良いものとも悪いものともみなされうる。自我は道徳的価値を担う。この考え方は、あまり政治的な脈絡ではないが、ゴフマン（Goffman 1959, 1968）によってより突っ込んだ形で展開されてきた。ゴフマンにとって、我々の「自我」のもつ道徳的な規準は、我々と他者との相互行為のすべての場面において危うくなるので、したがって我々はその規準を保持しようと努めなければならない。この点が、あるレベルでは、自分の行為についての起こりうる誤解を訂正するために我々がどんなことでもしかねなかったり、我々の行為が、我々が知らない人びとにとってさえ合理的だとみえるようにあらかじめ手配したりする理由である。たとえば我々が忘れ物か何かをして、人が忙しく行き交う通りで「ぐるりと向きを変える」場合、自分の行為には目的がある（合理的である）と示す手段として、しかも通常はきちんと一方向に歩き、向きを変えたり他の方向に歩いたりはしないということを示す手段として、誰にでもわかる形で自分自身を叱責することがよくある。こうした論点に関するゴフマンのさまざまな議論から、非常に決定的な点が数多く出てくる。第一に、我々の間主観的な状況は相互行為の諸々の規則に支配されており、「自己」感覚を持続させることが、こうした規則と密接に結びついているとゴフマンは強調する。我々は規則を守らなければならない。あるいは「品位」という自己感覚が守られるべきだとすれば、少なくとも我々は自分がそうした規則に気づいているということを示さなければならない（たとえば、自分が従わない理由を弁解したり、あるいは従わないのは適格であると主張することによって）。筆者は、そのような規則については、次章でのシュッツの議論のなかでもっと語るつもりである。この章では、自我との関係が重要な点である。第二に、『日常生活における自己呈示』(Goffman 1959)の議論のなかでゴフマンは、我々が自我の特定の意味や価値を保持するために、他者との相互行為の舞台操作をどのようにしばしば行うのかとか、我々が表の仮面を剥ぐような「裏舞台」をどのように構築するのかといった点を示している。この点は、我々がしばしば間主観性の場の内部に私的な飛び地を見いだし、そこで我々が他者との出会いの準備をすることができるということを示唆している。さらにそれは、我々が反省する私的空間をもつこと、また我々の公的な自己呈示と私的な自己呈示との間には、裂け目が存在する場合があることも示唆する。しかしそれは同時に、そうした私的な反省が公的な世界へと方向づけられている度合いや、我々自身の自己性についての感覚が他者の見方に依存する度合い、あるいは少なくともそれが他者の見方についての我々の見方に依存する度合い、そうした度合いも例示している。我々はここで「承認を求める闘争」のことを思い出すだろう。ゴフマンの主体は、ヘーゲルの場合と同じように、他者の敬意を手に入れ、それを維持するよう駆り立てられている。なぜその主体は、他でもなく外見にこだわるのだろうか。最後に、ゴフマンの仕事の多くには、自己の品位が下げられてしまう仕方に関する強調や、いくつかの集団が、自らの自己感覚を明らかに敵意ある環境のなかで維持しなければならない場合の闘争に関する強調がある。ゴフマンの仕事のなかにあるこの二つのはっきりとした例は、制度全体の屈辱的過程(Goffman 1961)や、社会的スティグマの屈辱的過程(Goffman 1968)に関わるものである。

こうした論点が描いているのは、自我の過程が、我々と他者との相互行為に日常定型的に結びつけられている度合いである。ミードを通して我々は、自我の過程が我々と他者との関係の内在化によって構成されることを学んできたが、いまやゴフマンを通して我々は、自分たちと他者たちとの外的関係が依然としてこの自我の過程と結びついている点を学んだ。こうした論点によって、我々は両刃の剣のような結論に至る。第一に我々は、自己性が不可避的に間主観的であることを認めることができる。自我は、他者との関係においてのみ達成されるとみられる。第二に我々は、第二章で論じられたことほどには無媒介に他者と関係していると認めることはできない。つまり、他者との関係はまさしく、我々の予期、我々の「他者の役割取得」、そして舞台操作によって媒介された関係なのである。この両刃の剣は、間主観性の自我論的様相の真髄である。

想像力について

間主観性の自我論的様相や、その様相にとって構成的な自己と他者という考え方を論じるさいに、筆者は繰り返し人間の想像力という考え方に依拠してきた。この様相において、他者との関係は、自分の思考や感情を他者に想像上で移し入れることに基づくと筆者は論じてきた。さらにこの様相において、自我は、主体が自分自身を反省的に振り返ることを通して把握されるが、それと同時に自我は(たとえば、自分自身を他者の位置におくとか、他者の態度を取得するといったように)想像力によって与えられ、想像力を通して影響を受けるのである。このことは、次のような重要な問いを提起する。すなわちそれは、「想像力」という考え方が、これまで示されてきたような間主観的過程に関して我々が述べてきたことと、どのように適合するのかという問いである。この問いの趣旨は、想像力の多くの特徴づけが、これまで間主観性に関して我々が述べてきたことの多くと矛盾するという事実から生じている。たとえば第二章で我々は(知覚に基づく)間主観性を、他者性へと開かれたものだと定義してきたし、また経験と思考を共有されたもの、ないしは共有された文脈から立ち現れるものだと定義してきた。しかし想像力は、共通に理解されたものとして私的イメージや私的表象を示唆するように思われる。たとえば我々は、経験や思考は「まさに彼の想像力のなかに」あるとか、夢の場合により明確にそうなのであるが、ある人が「自分自身の世界のなかに」いるとか述べる。このことが意味しているのは、想像力は、間主観的な場を打ち壊しながら、最終的に我々を個性化する主観性の構成要素であるということではないのだろうか。それは、根源的間主観性と自我論的間主観性との違いが、後者の自我論的間主観性が想像力に依拠する、という点に要約されることを意味するのではないだろうか。そしてその含意から、根源的間主観性は、まだ想像力のない存在のあり方だということを意味するのではないだろうか。

こうした問いへの答えは、我々が「想像力」に与えた定義や、我々がその想像力と知覚／言語との間を見分ける関係のなかに存在する。我々は想像力をどのように特徴づけることができ、またどのように特徴づけるべきなのであろうか。

リチャード・キーニィ（Kearney 1991）は、想像力の哲学的概念化の歴史のなかで、想像力の概念化が視覚から離れて言説の方向へと、あるいは少なくとも言説に対するより強い集中の方向へと推移していることを見いだした。リクール（Ricouer 1991）のような、想像力についての現代の理論家たちは、言語化された語りや物語により一層の関心をもっているが、フッサール（Husserl 1991）やサルトル（Sartre 1972）のような彼らの先行者は、視覚的イメージに関心をもっていたとキーニィは論じている。我々のパースペクティヴからすれば、想像力はそのいずれかか、あるいはその両者をも含む（この点はキーニィ自身の立場により近い）と述べることが、おそらくは一番良いであろう。つまり、想像力は視覚的イメージか言説を、あるいはその両者を含むということである。

しかしながら、このことによって我々は、想像力の特徴づけにぐっと近づくわけではない。では、想像的現象として構成されている視覚イメージと言説イメージのなかには、何があるのだろうか。最初の特定作業として、我々はサルトル（Sartre 1972）に依拠することができる。サルトルは想像経験を、「それは実在ではなく、私がそれを想像した」という意味で、我々が「非在」として意識することを含むものであると定義する。このことは、想像するということは、それが経験されているときに想像的であるとははっきりとは認められないということを意味している。それが示唆しているのは、想像するということが結局は想像としてそれ自身を示すということである。サルトルにとって、このことの理由のひとつは、想像経験が知覚経験ほどの深みをもっていないということにある。つまり、知覚の世界は我々の現在の経験を超えて無限に探究可能であるが、想像することは現在の経験をもって終わる。我々はこの点に、メルロ＝ポンティ（Merleau-Ponty 1962）とヴィトゲンシュタイン（Budd 1989）の両者が提唱した点、つまり想像力はそれが世界からの抵抗に出会わず、（たとえ人が自分の意思をいつもコントロールできるわけではないとしても）全体としてその人の意思のなすままであるという点で知覚とは異なるということを付け加えることができるであろう。このことは、主として知覚を考えるために意図されたものである。両著者は、知覚は（有形の存在としての）知覚を超えたものや、知覚に影響を与えたり知覚に抵抗したりするものに出会うことを示唆したかったのだ（第二章参照）。他方、想像力はそうではないし、その形を急速に変えることができる。しかしながら、言説に関しても、もし我々がそれを第二章で概要が示された「言語ゲーム」モデルのうえで考察するならば、同じことがいえよう。たとえば、我々が想像上の話を語ることと呼ぶことができるある種の言語ゲームでは、豚が空を飛ぶと言うことは受け入れられるであろう（そして、これに異論を唱える人は的を外している）。しかし、「事実的説明を与えること」と呼ぶ言語ゲームの類では、この話は、豚が空を飛ぶという右の説明とほとんど同一の文体表現に依拠しても、立証可能なものと必ず結びついていなければならない。

想像力のこの無視しがたい相や、その相と「非在」との結びつきは、間主観性の考え方を受け入れないようにみえる。なぜなら、このことは、間主観性を支持するものとして役立つ共通の準拠点すべてを取り払っているようにみえるからである。だが、すでに仄めかしてきたように、そうとはいえない。少なくとも（原初的な）言説的イメージを遂行する場合には、そうではない。もし想像力が物語のようなもので構成されているとしたら、そしてもし物語が言語から構築され、特定の言語ゲームとして構造化もなされているならば（実際にそうであるが）、想像力が間主観的な現象ではないという理由は何もない。なぜなら、物語はつねに共有されるからである。実際優れた物語作者は、（優れた物語をもって）まさに読者の心を掴み、読者と共有の世界を織りなすのである。

アルフレッド・シュッツの論文「多元的現実について」（Schutz 1973）は、そうした想像の飛び地がしっかりと社会的／間主観的な場の内部に埋め込まれている様子について、明確な観念を我々に与えてくれる。想像的活動はしばしば集合的活動であり、それは結局のところ想像内容の共通の認識に依拠する、とシュッツは論じる。たとえば、我々が劇を一緒に見るとき、我々は「現実の世界」で共有しているのと同じだけの確かさをもって、その想像の世界への没入を共有する。さらに我々は、映画の世界やメロドロマの世界も共有する。そして、こうした事例のすべてにおいて、我々はそれぞれの「意味領域」に適合的なものは何か、どこでそれぞれの意味領域が始まり、そして終わるのか、といったことについての決定を共有する。

なおここで、筆者はまだ想像力の視覚的な相を論じていないという批判があるかもしれない。筆者は、すでにそれを論じたともいえるし、まだ論じていないともいえる！　すでに論じたというのは、映画もメロドラマもともに我々の想像の世界の一部でありうるし、したがって（想像力の諸相としての）視覚的イメージは「頭の中」にある必要はないし、いずれにせよ私的である必要はないという点である。サルトル（Sartre 1972）はかなり論争的な強引さで、この点を裏付けている。想像力は、特定の視覚的な素材と同義ではなく、むしろ我々がそうした視覚的な素材へ向けて取る態度と同義なのである（たとえば、我々がそれを利用したり、それに反応する仕方である）、と彼は信じる。それは、我々の共有された世界から切り離された世界ではなく、その世界での行為の仕方なのである。そしてそのようなものとして、それは個人的な企てであるか、共同的で間主観的な企てでありうるのである。この意味で、絵画やスケッチや芝居、あるいは他の数多くの共同で利用できる素材は、我々の想像力のなかで機能するであろう。指が、ピストルや積み木や自動車などになったりするような子供のいろいろなゲームは、すべて間主観的次元でこのことを例証するであろう。それらはすべて、間主観的で想像的な共謀に依存し、共有された素材をもって、共有された空間内で生じるのである。

だがこのことは、想像力は間主観的世界からの脱出として用いることができないということを意味するわけではない。人びとは想像力を使って、自らを自分の間主観的文脈の外部へともたらすことができる。たとえ直接的な文脈（仕事場から家庭へ）であれ、より広い文脈（想像の世界へ）であれ、このことは可能である。しかしながら、これまでの我々の分析は、そうした退出が私的である必要はないということを示唆してきた。たしかにそれは原理上、私的ではない。それはおそらく、子供のプレイのなかでより開かれ、より外部へ向けた形で現れてくる共有された空想が、私事化され、内在化されたものではないのだろうか。

だが、この立場について批判者は、一方で想像することの大部分は間主観的空間に開かれているが、にもかかわらず想像することには私的な（「内的な」）イメージが付着するはずで、夢はそのもっとも明白な例である、と論じることによって批判し続けるであろう。この点では筆者も、そこにはたしかに私的で心的な領域がありそうだと認めよう。だが筆者は、少なくとも現象学的にというわけではないが、この領域が「頭の中」にあるものとして真に記述できるとは考えていない。というのは、我々は自分の夢を運動感覚的に経験することができるし（たとえば我々が陥る感情状態）、ときにはそれを全身体で反応する（たとえば、大声で叫ぶ、手足を広げる、急に起き上がる）からである。「頭の中」というよりもむしろ、我々の私的なイメージは、それが我々の共有されたイメージの仕方のなかにあるがままに我々の周りに映し出されているように思われる。実際このあり方と我々の共有された（目覚めているときの）想像の仕方との唯一の違いは、このあり方の場合は作用を及ぼすことのできる「実在」の知覚素材が明らかに欠如していることである（この考えをもっと洗練させているSartre 1972 を参照のこと）。さらに、我々が夢の世界にいるときも、我々は依然として間主観的世界や知覚経験から切断されてはいない。このことは、我々が「目覚めている世界」の出来事や人びとによって、眠りの状態から目覚めされられうるという事実によって証明される。我々は、間主観的世界によって影響を受け、また実際にそれに影響を与えることができるような（たとえば眠りながら叫ぶ場合のような）、そうした間主観的世界に十分まだ存在しているのである。夢の世界は、我々の目覚めている間主観的世界と分断され、不連続であるわけでは必ずしもなく、したがってその境界線上にある空間とみなすことができる。

根源的間主観性と自我論的間主観性

本章で筆者は、間主観性のより自我論的な相、つまり我々の自己感覚や我々の反省的で再帰的な能力を伴う相を考察してきた。ここでの鍵となる議論は、我々の経験の諸特徴は我々と他者との関係を通してのみ可能となるということ、そしてそうした諸特徴が、せいぜいのところ我々と他者との関係の個人化された機能にすぎないこと、こうしたことであった。さらに、人間は（原初的には）他者へと文字通りに開かれなければならない想像的なモナドであると示唆する見解とは反対に、筆者は、幼児が生まれながら他者と同調することも、また想像力がその大部分は共有されうることも、ともに強調してきた。

ブーバーが論じているように、人間の主観性と間主観性は、間主観性のこの自我論的様相と、第二章で概要が述べられたより根源的様相との間を揺れ動くということが、筆者の論点であった。ときに、我々は他者に深く没入し、そしてあまりにも熱中して、自分自身や他者に気づかないこともある。またあるときには、急に我々が自分自身のことも他者のこともはっきりと覚識するようになり、それらを経験の反省的で再帰的な諸相として構成することもある。そのさい、すべての自生的な相互行為が、反省的な障害物によって台無しにされる場合がある。後になってようやく、自己と他者の反省的障壁を崩壊させる純粋で自生的なコミュニケーションが現れて、それが削り取られるということもあろう。Ｉがmeを押しのけて、結合するようになるのである。

ここで、次のことが付け加えられるべきである。すなわちそれは、自我論的態度は、基層にある基盤としてつねに必ず根源的態度を伴うということである。我々が他者に反省的に気づくときにはいつでも、我々は非反省的なレベルで、他者の動きに依然としてつねに必ず反応しているのである。我々は、他者の行うことや言うこと、そして他者の動きや身振りにつねに影響を受けている。自我論的間主観性とは、相対的に反省的な距離をとることにすぎない。それは決して絶対的なものではない。

間主観性のこうした諸相の両者を論じてきたなかで、筆者は手短に間主観的関係の社会構造化という考え方に言及してきた。とくに筆者はミードの場合、主体の「他者の役割取得」を行う能力は、社会生活を送るためや社会的成員であるための必要な前提条件であると論じてきた。さらに筆者は、ゴフマンの場合、いかに自己についての我々の感覚がつねに社会的相互行為の規則拘束的な文脈と結びつけられているかを示してきた。次の章の課題は、この社会構造化についてより実質的なことを語り、それが、いままで筆者が概要を示してきた説明とどのように一致するのかを考察することである。

第四章　具体的な間主観性と生活世界——アルフレッド・シュッツについて

本章で筆者は、第一に、日常生活の具体的文脈における間主観的関係の実践的構築に関する考察に焦点を拡大し、第二に、社会文化的世界の間主観的基礎（以後は「生活世界」と記す）に関する考察に焦点を拡大したい。章のサブタイトルが明確にしているように、本章で主に考察される思想家は、アルフレッド・シュッツである。だが本章は、ミードとメルロ＝ポンティ両者それぞれの社会的世界の分析から始まる。シュッツが有益であり重要であるのは、シュッツのアプローチによって、その両者それぞれのアプローチのなかにあるいくつかの問題を我々が一定程度克服できるようになるという点にあると、筆者は論じるであろう。

ミードとメルロ＝ポンティを超えて

メルロ＝ポンティは、その社会学的で政治学的な著作群（Merleau-Ponty 1964a, 1969, 1973）のなかで、自分の間主観性理解を、社会制度の絡み合った構造としても、歴史的な過程としても理解されるマクロな世界に投影している。つまり、社会的世界として理解されるマクロな世界に投影している（Crossley 1994）。この投影は、三つの効果をもつ。まず第一に、それは間主観性に関するメルロ＝ポンティの理解を変形する。間主観性は、いまやその具体化の様相で理解される。つまりそれは、間主観性が含む特定の役割や関係（たとえば、資本家―労働者、父親―娘といった関係）、こうした関係の儀式的および制度的な媒介（たとえば法を通した媒介）、およびこうした関係の物質的対象と資源の位置ならびにそれらの媒介（たとえば対象は、さまざまに定義され、評価され、所有され、交換される）といった観点から理解される。さらに以上のことによってこの投影は、社会生活のシンボル的再生産の説明のなかにその物質的構成と再生産の説明を統合する。メルロ＝ポンティの間主観性理論は、シンボルとその意味が、それらを具体化している物質的形態（たとえば、話された語、儀式、書物）からは分離できないとつねに主張している。しかし、メルロ＝ポンティがこうした物質的形態の循環と再生産を考察しているのは、彼の社会システムの理論（主として人間の身体の再生産と、それに役立つよう求められる素材）においてだけである。第二に、このことからさらに進んで、メルロ＝ポンティは自分の注目を相互行為の仮説的な諸例から実際の具体的な社会（とくに戦後のフランス）へと転じる。メルロ＝ポンティの社会学は、彼自身の世界を、とくにその特殊性において理解しようとする企てである。第三に、このような投影は、主観主義と客観主義との二元論――この二元論は社会理論に対する伝統的アプローチの主要な分断線と認められてきたし、また多くの批判も受けてきた（Bourdieu 1977, 1992; Crossley 1994; Giddens 1984）――を超越する社会的なものについての哲学をうち立てることに役立つ。この超越は、存在論的レベルでも認識論的レベルでも作用する。筆者はまず、存在論的な次元で議論したい。

客観主義者たちにとっても主観主義者たちにとっても、社会はひとつの客体である。主観主義者たちは、社会は人間主体の意識、思考、あるいは言説のなかの客体であると主張する。客観主義者たちは反対に、人間もまた客体であり、箱のなかの物体のように社会のなかに位置しており、そしてそこで社会は、外側から人間の行為をさまざまに規定することができると主張する。こうしたアプローチのいずれも十分ではない。主観主義においては客体としての社会が個人の思考に還元され、その結果、社会がまさに社会現象にとって決定的な貫個人的(trans-individual)な性格を失う。反対に客観主義は社会的なものの超個人的(supra-individual)な考え方をとるが、これもまた問題あるものであり、いずれにせよ誤った推論の所産である。客観主義者たちは経験的に得られる諸実践の混乱状態からひとつの構造を抽象する(たとえば、発話から言語を、交換の過程から経済を抽象する)が、そのとき客観主義者たちは、カテゴリーミスを犯して、その構造がこうした実践とは別のものであり、かつ実践を規定するものであると想定している(Merleau-Ponty 1964b)。いいかえれば、客観主義者たちは社会的現実に関する自分たちの抽象モデルを実体化し、また同時に社会がそうした現実の規定因だと想定している。さらに客観主義者たちは、自分たちが社会的世界のなかに見いだすことを要求する諸規則に対して、自分たちは例外であることを前提とし、それによって、そうした諸規則の存在それ自体への疑いを放擲している。客観主義者たちは、自分たちもまたその世界に属しているということ、またその世界が自分たちの状況に応じた知的実践によってのみ研究対象となるということ、この両者について十分に考察していない。こうしたことは、無視しえない誤りである(Sandywell et al. 1975)。

メルロ=ポンティに従えば、これらの問題群を抱える両者にとって鍵となっているのは、社会は客体であるという間違った想定である。社会は客体ではない、とメルロ=ポンティは主張する。それは、間《あいだ》からなる世界(between world)、つまり間《かん》世界(interworld)であり、第二章で論じた意味で、ひとつの合間(interval)である。社会は決して「内部」の主体でもなければ、「外部」の主体でもない。それは、諸主体を結びつけ、諸主体が所属する場(fabric)なのである。社会は、間主観的実践、行為と相互行為、そしてこうした過程のなかに動員される制度化され共有化された実践的資源と物質的資源、これらからなる極相なのである。それは、意味の産出のなかで、また出会いを設定し関係を維持する「共在」の様相のなかで活性化される共有された諸規則と諸資源である。それは思考されるものではなく、少なくとも第一には、参与されるものである。さらに、思考と反省は、社会の外部に立つことはできない。思考と反省は、社会におけるその具体化された形態（たとえば言語）を用いながら、また社会の持続や変動に寄与しながら、社会の内部で生起する。以上の見解に従えば、社会はそのもっとも基底的なレベルでは相互行為に基づき、したがって「生活形式」の一致に基づくものである（第二章参照）。それは、人間間の間主観的空間のなかで、時間を通して展開されるひとつの過程なのである。

客観主義と主観主義の論争の第二の相は、我々がいかにして社会を認識することができるかという認識論的な問いと関わる。客観主義者たちには、「科学的」方法への傾斜がある。このアプローチに伴う諸問題は十分に示されてきた。どう少なく見積もっても、メルロ＝ポンティやシュッツ、ヴィトゲンシュタイン派の哲学者ピーター・ウィンチ（Winch 1958）が主張するように、この方法は、社会的世界がそのなかに生きる人びとにとって意味をもつという事実を無視しており、そしてその方法は、それ自身の明らかに恣意的な意味を社会的世界に押しつけている。ウィンチが、このことについての適切な例を挙げている。彼は、雷を伴った嵐のなかに分子が巻き込まれているのとは違って、戦争に巻き込まれている兵士たちは、自分たちが巻き込まれている過程について概念をもっており、自分たちの活動の組織化のさいには、その概念を用いるのであると記している。このことが戦争を嵐とは非常に異なったものにし、そのために両者を異なった形で研究することが求められると彼は論じる。さらにまた、考察されなければならないのは、研究される対象の集団がもつ意味や理解であって、それらを研究している集団がもつ意味や理解ではないということが重要である。これは、解釈学的哲学や、それに影響を受けた人間科学的研究が大いに関心をもってきた事柄であった（Gadamer 1989; Merleau-Ponty 1973, 1964b）。

主観主義者は、客観主義者とは反対に、社会的行為主体自身がもつ自分たちの環境に関する表象に関心をもっているが、しかし問題がひとつある。主観主義は、もっぱら表象や理解の内容に焦点をあて、それらを主体の世界の現実を指し示すものだと考えている。そのことによって主観主義は、表象を状況のなかに位置づけたり、その表象の役割をより一般的な行為の構造のなかで考察することに失敗する。表象は、社会的なものの描写として、社会的なものの外部にあるのではない。それは社会的なものの内部にある。表象は、社会的なものの構成のなかで結びつく数多くの行動的、実践的な諸力のひとつである。さらに主体は、社会的なものを自分自身に対して「表象する」だけではない。主体は、社会的なもののなかで行為し、そのなかに参加するのである。

間主観主義者の立場は、このことを精確に把握している。間主観主義者が関心をもっているのは、主体が参加しコミュニケーションする行為である。間主観主義者は、社会的世界の成員にとって意味がある現象として、その成員の相互行為を通して社会的世界が生み出される仕方を検討する——ただし、このことを行うためには、その間主観的基盤を客観化することを強いられるけれども、間主観主義者はその検討を行うのである。さらに付け加えれば、相互行為は、ここではそれ以上還元できないものとして理解されているのである。

主観主義、客観主義、間主観主義に関する最後の指摘は、研究者と研究されるものとの関係に関わる。主観主義者も客観主義者も、自分たちと自分たちが研究している人びととの間の密接な関係を認識していない。客観主義者は、自らを客体の前にいる主体として構成する。主観主義者は反対に、自分自身の立場を他者の立場に従属させる。主観主義者は、他者の世界観を捉えようと欲するのである。間主観主義の立場は、メルロ＝ポンティ(Merleau-Ponty 1964b, 1973) が示したように、異なったスタンスをとる。第一にメルロ＝ポンティは、間主観主義論者が他者の世界を理解するためには、自分自身の社会的所属関係を用いなければならないと記す。間主観主義論者は、「どこにもないところからの観点」を取ることはできず、自分と他者のパースペクティヴが融合することを通して自分にとっての他者を理解するよう企てなければならない(Gadamer 1989 も参照されたい)。ひとつの意味の創造として、間主観主義論者は、自分と他者の意味構造に入り込まなければならないのである。第二に、間主観主義論者は、社会的世界を意味と行為からなる間主観的な場として理解するが、そうした場を研究する場合は、ある程度それを客観化しなければならないと認識している。その場は、間主観主義論者の考察の客体にならなければならない。さらに間主観主義論者は、他者たちがこの過程で、その人たちの個性や主観性を失うことも認識している。他者たちは、一般性と非人格的な過程に吸収されている。だが最後に、以上の分析が完了するときメルロ＝ポンティは、他者に接近したスタンスをとることに立ち返る。彼は自分の解釈を他者に呈示するが、その解釈に他者が反応し、おそらくはそれに影響を及ぼすことを彼は望む。そして、もし自分が正しいやり方をとったならば、他者はそれに同意するよう説得されなければならないとメルロ＝ポンティは主張する。この時点で彼は、他者を表象したり解釈したりするのをやめ、他者との対話に従事しはじめ、他者に要求し、他者を批判し、また他者からの言い返しをも勧めるのである（Habermas 1988b, 1989, 1991a）。

筆者は、他のところでこの立場のもつ価値を論じたことがあるし、また数あるなかでもマルクス、ヴェーバー、レヴィ＝ストロースに依拠しながら、メルロ＝ポンティがその立場と関連づけている社会形成に特有な記述に関する問題を確認してきた（Crossley 1994）。メルロ＝ポンティの間主観主義は社会理論を始めるための適切な哲学的立場であるが、だがそれを展開して社会理論や社会研究や社会批判のための効果的な図式へと進むための十分な概念用具は与えてはいない、と筆者は論じた。

この批判に加えて、いまや筆者は、メルロ＝ポンティが「間主観性」を社会的なマクロ世界へ投影しようとする企ては、あまりにも性急すぎて不十分な説明であったと付け加えたい。メルロ＝ポンティは、対面的な出会いに関する抽象的な議論から、歴史的な社会システムの具体的な説明にまで、これらの両極端を繋いでいる社会的相互行為の場や、文化の世界についてあまり考察することなく、つまり共有された社会的な生活世界や、それのもつ意義についてあまり考察することなく、直接的につき進んでいる。こうした領域を等閑視することで、少なくとも具体的なレベルでは、メルロ＝ポンティは、さまざまな社会関係が関わる形態と密度の多様性（たとえば、友人とよそ者と恋人の間の関係を考えてみよ）の考察が十分でなく、また彼は、間主観性に関する我々の理解に対して提起されるさらに複雑な事態への要求を伴った、社会的世界の再生産と変革のために求められるミクロ社会的な諸々の専門事項と条件とを十分に考察していない。彼は、社会生活と社会的相互行為が問題なく達成されると想定してしまい、それらが伴う問題点と解決法について語ることを十分に行っていないのである。実際、我々は彼が社会統合のもつ全体的問題を見落としていると論じることができるであろう。

このような批判はミードにも同じく適用できる。筆者が示してきたように、ミードの間主観性の見解は、メルロ＝ポンティの見解に対してかなり補足的な関係にある（Rosenthal and Bourgeois 1991 も参照されたい）。ミードは事柄をメルロ＝ポンティと非常に類似の仕方でみており、ミードの研究は、メルロ＝ポンティが示した間主観主義者の事例を修正し、強化するために用いることができる。さらに、「一般化された他者」の態度取得についてのミードの説明は、社会統合がいかにして達成されるのかという点について一定の指示を与えるものである（第三章参照）。だが、この説明はあまりにも抽象的すぎて、完全には十分なものではない。それは、社会的相互行為において交渉取引し合わなければならない具体的な参与者のことを語ることに成功していない。メルロ＝ポンティ同様、ミードは、異なった相互行為の文脈が相互行為に及ぼす影響について十分に気づいていない。さらに、ミードの有意味シンボルの見解は、意味が相互行為的に達成される一段と厄介な過程をかなりこじつけで言い紛らわせている。彼は、発話が、話し手と聞き手の両者にとって同一のことをつねに意味していると想定する傾向にあるが、この場合、このことは明確にそうだとはいえない。シュッツの仕事のなかで解決されなければならないのは、これらの諸問題である。

シュッツとフッサール

シュッツは、フッサール研究者であった（第一章参照）。そして、フッサールの仕事が与えたシュッツへの影響にはかなりのものがある。とりわけシュッツは、現象学的分析にコミットすることを主張していたし、そうした分析が、自我を構成する超越論的なものの領域への還元に依拠していると主張していた。だが重要なことは、シュッツの場合、この立場は間主観性への問いとの関係で後退していくということだ。初期の主要著作『社会的世界の現象学』（Schutz 1972）［独文原著は『社会的世界の意味構成』―訳者注］の文脈では、この後退は便宜上の方策として規定されていた。間主観性を説明するフッサールの主要な企てである『デカルト的省察』（Husserl 1991）は、シュッツがそれを考察できるようになるには出版があまりにも遅かった、とシュッツは説明する。かくして、シュッツの間主観性と社会関係に関する説明は、先の彼の著作では現象学的還元の外部から行われたが、そのさいには他者の超越論的構成の問題は解答されるべくまだ残されており、おそらくそれは『デカルト的省察』において答えられるだろうという注意書きを伴っていた。だがシュッツ（Schutz 1970）は、後の彼の研究においては『デカルト的省察』への強烈な批判を書いた。つまり彼は、『デカルト的省察』は間主観性の超越論的理論を与えなかったと論じ、またそういった理論は、実のところ不可能ではないかと示唆しているのである。この結論は、間主観性に関する他のいくつかの現象学についての彼の論文のなかでも繰り返される（Schutz 1973 : 150–203）。だが現象学は「世界内的《ムンダーン》な間主観性」に関する興味深い説明を生み出してきたのだ、とシュッツは論じる。すなわちそれは、具体的な心身をもった自我の間での諸々の関係と相互行為に関する説明である。それは、しかし決して間主観性と超越論的自我の説明とを和解させるものではない。

　シュッツの考察の含意は、間主観性についての一貫した考え方を維持しようと望む哲学は、超越論的自我への関与を断念しなければならないというものである。そして、実際に彼はそれを実行した。間主観的関係に関するシュッツの議論と分析のすべては、実際に超越論的考察を括弧に入れる。それに代えて、彼の説明と分析は、世界内的な行為者とその生活世界に焦点が当てられる。つまりシュッツは、間主観性の検討において、人間主体を身体をもった存在者として概念化する。すなわちシュッツは、身体をもった存在者の行為が、共有された社会的資源や実際的知識あるいは「常識的知識」の集積に依拠していること、また身体をもち状況のなかにいる他の諸々の存在者の間でつねにすでに状況づけられていること、そのような存在者として人間主体を概念化しているのである。ここで示されている「常識的知識の集積」は、一部は偶然の経験に由来するが、しかしそれはまた、(とりわけ)家族という単位や教育の制度によって生活世界の内部で制度的に蓄積され伝達されるものでもある。

こうした立場は、本書でこれまで紹介した他の立場とはっきりと類似し、同一性ももっている。そして筆者は、この立場に関する議論において、それをこのような類似性と同一性をもったものとして取り扱うつもりである。シュッツの仕事のなかには、もっと精神的で超越論的な読みの余地もある。しかしこれは筆者が採用する読みではない。筆者はシュッツを、これまで筆者が論じてきた人間の主観性と行動とのより根本的な理解をさらに展開するために用いていくつもりである。

行為、相互行為、関係性

シュッツの理論は、多くの理念的な概念上の区別を含んでいる。筆者はまず、それらのいくつかを紹介することから始め、間主観性について我々の理解にとってもつその一般的意義を論じることにする。

考察すべき最初の区別は、行為《アクション》と行動《ビヘービア》の区別である。行為は前もっての投企や計画を含むが、行動は自生的であるとシュッツは主張する。さらに両者は、「完了行為」(act)とは区別される。行為と行動の二つは、それらを遂行するときに行為者が必ずしも覚識をもってはいない進行中の、展開中の過程であるが、他方「完了行為」はそうした行為や行動が遂行される以前か以後のときに、あるいはその行為を遂行している間に(立ち止まって)、それまでに完了した地点から行為者によって捉えられた、行為の反省的な客観化である。このことは、ミードの「I」と「me」の概念になぞらえることができる。行為と行動は「I」とともに展開し、次いで「完了行為」の形態においては「me」として表象される。行為者は、実際に行為している過程では、自分の行為を反省したり、自分自身に対して表象したりはしないし、またそうできないとシュッツは論じる。なぜなら、反省や表象もそれ自身の権利において行為であり、人は同時にひとつのことしか行うことができないからだ。さらに、行為者の注意は、行為によって作り出されている急迫した事態に向けられているのであって、行為それ自身に向けられているのではない。行為への反省や表象は、行為を中断するか、行為の始めないしは終わりを示すように句読点を打つことしかできない。

シュッツにとって、行為の意味は行為者の企図によって決定される。つまり、行為者の意識的計画、完了行為、そしてこうした計画のなかで現れる「目的動機」によって決定される。目的動機は、行為者が達成しようともくろんでいること、およびそれを達成するためにしなければならないことについて、行為者によって（先行的に）推論的に規定されたもののなかに存在する。目的動機は未来指向的であり、推論的に定式化された動機である。そして、そのようなものとして目的動機は、「理由動機」とシュッツが呼ぶものとは対照的である。理由動機は出来事の後でのみ帰属され定式化される。行為者は、行為者が認定した結果に先行して、その理由動機について推論的に覚識することはない。理由動機はある行為の反応的な要素を含み（たとえば、「あなたが蹴ったので私は苦痛の声を上げた」）、そして過去の経験や条件付け（たとえば伝統や慣習）に還元することができる諸相である。目的動機との対比において、理由動機は行為者の計画のなかでは主役を演じない。

すでに我々は、間主観性の問題にとって重要な概念の出現をここに見始めている。ある行為の意味は行為者の計画と同じだとされるが、それは他者には利用不可能なものであろう。あるいはむしろ、完了行為は、行為者にとってと他者にとってとでは、それぞれ異なった意味をもつ場合があるといえる。なぜなら、行為者だけが自分の行為の背後にある計画に接近できるからである。シュッツから引き出せる、このことの単純な例は、観察者にとっては「薪を切っている」と思われることが、行為者にとっては「製材業者として生活費を稼いでいる」とか、

「議論の後の興奮を冷ましている」と思われている場合がある、といったものである。両方の人が、異なった仕方で枠づけているので、行為者の行動についてまったく異なった概念化を行っている場合がある。それらの人たちは、意味を共有していない。その人たちの間世界は、食い違いによって構造化されている。もちろん、そうした誤解が誤解として認められ、対話によって解決される場合もある。にもかかわらず、我々が後にみるように、対話もまた共有されない背景に依拠している。

行動と行為を定義した後で、次にシュッツは社会的行為と社会的行動を定義する。「社会的」という形容詞は、行為ないしは行動が「他者指向的」であるときに付加される。つまり、行為者が他者を、意識をもった知的な存在者として意識的に志向する（第一章で論じられた現象学的意味で）ときに用いられる。社会的行為と社会的行動も、行為と行動と同様に区別される。社会的行為は、計画ないしは企図のなかで考えられている場合である。

次にシュッツは、他者指向と他者影響を区別する。シュッツは、他者に影響を与えることなく他者を指向することができると主張する。たとえば、私が自動車のウインカーをつけるとき、私は次の動きを予測しながら、意識をもった存在者としての他の運転手に指向しているが、必ずしも他の運転手に影響を与えたいと願っているわけではない。だがこのことにもかかわらず、指向された行為は他者に影響を与えるよう動機づけられている場合があり、そこでシュッツはこのことを説明するために「他者影響」というカテゴリーを考案する。これは、他者から反応を誘い出して、その人の未来の行為に何らかの点で影響を与えるために、他者の行為ないしはその人となりに影響を与えるということを伴う。一方の人の目的動機が他方の人の理由動機への影響を意図し、それによって動機の編み合わせが起こる。さらにシュッツにとって、他者影響は社会的行為によってのみ達成されうる。なぜならそれは、他者に影響を与えるために、その意図を具現化しなければならないからである。

シュッツの場合、他者影響の主要な例は、メルロ＝ポンティやミードの場合と同様に会話である。会話において我々は、我々の文化のコミュニケーション資源、つまり我々の文化の至る所で共有されている資源を取り上げ、そして他者が返答をするであろうという期待をもって他者に話しかけるとシュッツは主張する。シュッツにとって、発話はつねに誰かに話しかけ、つねに返答を期待している。我々はここで、オースティン（Austin 1971）の発話行為論に依拠して、期待される返答の種類は遂行される行為に依存すると付け加えることができよう。たとえば、問いは答えを期待し、命令は服従を期待する、などである。

こうしたカテゴリーをさらに分類して、シュッツは、他者から反応を誘い出して、自己に再び戻ってくるように指向させる狙いをもった他者影響の様相（たとえば、質問をするということは通常、自分自身に再び戻ってくるよう仕向けられた答えを要請する）――それは適切なコミュニケーション的行為である――と、応答し合う他者指向的な行為とに言及する。他者指向がやりとりされるとき、つまり両当事者が互いに指向し合うとき、シュッツはこれを「社会関係」という。各々の行為が他者指向的な対応行為を誘い出すときは、彼はそれを「社会的相互行為」という。だが他者影響は、他者から他者指向的な反応を誘い出そうと意図されたときでさえも、相互的にやりとりされる必要はないとシュッツは一貫して主張する。

シュッツの概念枠組みの第一段目の概要が示されたので、多少のコメントや批判が必要であろう。第一に、こうした諸概念が間主観性にさらなる光を当てている点を認めることは重要である。シュッツは、他者として認識された他者に対して行為が指向する仕方に注意を向けた。また彼はたとえば、やりとりされる行為、影響を与えることを狙いとする行為、相互的な指向を誘い出すことを狙いとする行為といったような、行為のカテゴリー内部に重要な区別を設けた。このことで我々は、ミードやメルロ＝ポンティによって与えられたものよりもずっと複雑で分化した間主観性の構造化の布置関係を、さらに検討し展開することができるようになる。要するに、ミードやメルロ＝ポンティの理論が認識してきた他者指向を分析的に分類し、それによってそのような（諸）指向をより繊細に記述することができるようになる。

しかしながら、シュッツの区別のいくつかには問題もある。筆者の主要な異論は、シュッツが、他者影響（およびそれによって引き出されたもの）は必ずひとつの社会的行為であり、それゆえ必ず先行する投企や計画に依存すると主張した点に向けられる。これは誤りである。たとえば、質問をするという行為を考えてみよう。明らかにこれは、答えを前提とし期待している。したがってこの行為は、社会的相互行為と社会関係が開始されるよう、一方が他方を指向するようになる仕方で他者に影響を与えることを意図している。しかしそれは、先行する計画ないしは予めの思考を含む必要はない。我々はそうした行為を計画したり、思考したりすることなく、質問を実際に行う場合がある。このような事例の場合、「意図」「期待」「前提」は、質問するという言語ゲームのなかで形を与えられているのであって、個人の計画のなかでではない。それらは、個人のものというよりは、むしろ制度化された間主観的な期待である。行為者は、質問するという言語ゲームを自分が学んだときには、自分の行動の構造に入り込んでいるという意味で、それらを「知っている」のであり、自分の問いが適切に返答されない場合には、行為者がそのことに（暗に）言及する場合がある（「私はあなたに質問したんですよ！」）としても、事前の計画が求められているのではない。

以上の結論は、社会的行為と同様に、社会的行動もまた他者影響が可能であり、社会的相互行為や社会関係などを開始することができるということであろう。だが筆者はさらにもう一段批判を進めて、行為と行動の間の固くて動きが取れないような区別を除去するよう提案したい。原理上この区別は、現状では計画や企図の存在に基づいており、問題ないように見える。経験は、実際に、なされることが計画される場合もあれば、計画されずになされる場合もあることを教えてくれる。しかしながらこの区別は、二つの理由によって支持するのが難しい。第一に、計画は行為というよりも（シュッツのいう意味での）完了行為と関係する。それは手段よりもむしろ目的と関わり、手段は完全には計画されえない。手段は、実行の諸条件や予見されえない緊急事態に対する反応として、自生的に生み出される。計画はいくつかの目標物の配置を決めるが、しかし目標物に至る行路は自生的な変化に任せざるをえない（Suchman 1987）。人がどんな行為を計画しようとも、その計画はつねに、計画されない諸々の行動から成り立っている。たとえば私がドライブに行く計画を立てるとき、私は、ギアを入れることやギアを変えることなどは計画しないし、たとえギアを変えることを計画したとしても、手をギアにもっていき、足でクラッチを踏むなどとは計画しない。さらに、私がそうしたことを計画するとしても、またそうした計画が旅行がうまくいくために必要だとしても、私は前の車が急ブレーキをかけたから私も急ブレーキをかけるということは計画しない。ここでのポイントは、計画は行為と行動を区別するための基準を我々に与えたりはしないということである。なぜなら計画は、完了行為がいかにして実現されるのかとか、その実現に不可欠なものとして何が勘定に入れられ、何が入れられないのかまで明記してはいないからである。したがって、計画が行動と行為の区別のためにシュッツが規定している唯一の基準だが、我々はこのようにそれらを区別することができない。かくして、この区別は崩壊する。

この問題は、ある程度はシュッツ自身も仄めかしていた。それゆえシュッツは、我々の行為のアドホックな取り扱いの多くが、結果として間主観的な調整に至るという重要な論点を付け加えていた。つまり我々は、所与の状況において他者の諸々の行為を予言することはできないので、自生性に頼らざるをえないのであると付け加えている。だがシュッツは、行為と行動の間の区別がもつ含意をそれ以上、熟慮しなかった。

第二の問題は、第一の問題をさらに強めたものであり、それもシュッツによって次のように予想されていた。

経験に付与される意味は、反省のさいの全体的態度に応じて変化する。行為が完了されるとき、企図のなかに与えられていたものとしての行為のもともとの意味は、実際に実行されたものの明るみのもとで変容されるであろう。そしてそのとき行為は、過去時制で意味を経験に付与することができる無限の数の反省に向けて開かれているのである。(Schutz 1964 : 11)

もし我々が、とくにこのことによって、計画はそれが実行されている最中に変わるとか、計画は行為のなかに現れる方向の帰結として行為からも生まれるということを（ミードもメルロ＝ポンティも、ともにそう主張していたように）認めるならば、そしてまた行動に行為の地位を与えるその「計画性」が回顧的に与えられうるということを認めるならば、そのとき行為と行動の区別は最終的に失われる。いま行動であるものが後には行為になるかもしれないし、逆にいま行為であるものが後には行動になるかもしれない。さらに、主体が同一の行為に二つの異なった説明を与えるのであれば、そのときにはこの時間的区別さえ失われる。一方の記述のもとで行為であったものが、同時に他方の記述のもとでは行動となる。これは明らかに、シュッツが設けた（相互に排他的な）境界を侵蝕する。

ここで、次のことを付け加えることは重要である。すわなち、シュッツ自身が認めていたように、計画は必ずしも個人の特性ではない。諸々の計画は、少なくとも第二章でメルロ＝ポンティやガダマーとの関係で論じたような根源的に間主観的な会話の類いにおいては、一組の還元不可能な特性として諸個人の間でも形成されうる。こうした状況においては、何をするのかを決めるのは私でもなければあなたでもない。決めるのは我々である。このようなことが起こる可能性があるので、行動／行為の区別を伴う問題点はさらに拡大される。というのは、そうした事態が生じることによって複雑な相互行為的状況が構成されるし、しかもその状況をどちら側の人もそのような状況として計画することはできず、むしろその状況のなかで計画が定式化されるからである。

以上の批判は、人間の計画や説明戦略を無視すべきだと言っているわけでない。まったく反対である。それらは非常に重要である。だが筆者が示したいのは、我々は（先に述べた理由で）行為と行動との区別を拒否したうえで、行動の二形態の間に区別を設けるということである。すなわち、行為を計画したり説明したりする行動と、計画を実行しつつ釈明される行動、あるいはただうまく対処しつつ、どうにかこうにかやっていくような行動との間の区別である。我々がなすべきなのは、こうした行動の間で取る多数の形態を検討することである。たとえば、計画はいかにして行為から生まれるのかとか、逆に、行為はいかにして計画から生まれるのか、といったことである。さらにこの点でシュッツが、ある計画とその下位の計画との連動という階層秩序に言及したことが留意されなければならない。そうした諸々の計画間の組織化は、計画行動の研究にとって重要な焦点となるであろう。

社会の領域――対面性

シュッツの概念図式で次にみるべきは、時空要因に応じてなされた、社会関係のさらなる下位区分である。シュッツは、起こりうる関係を四つの類型に整理した。あるいはむしろ、こう言った方が良いかもしれない。つまり彼は、（原初的な）第一の類型との関係の連続線上にあるといえる残り三つの可能な類型からなる、四つの類型を整理した、と。

第一の類型は、我々が他者に直接的に近接する対面的関係である。シュッツはこの文脈で、この場合の他者を「共在者」と名づけた。第二は、（我々が個人的に知っている人びとも知らない人びとも含む）「同時代者」の世界である。その人たちは、我々と同じ時間に存在するが――たとえその人たちのことを考えているとしても――我々とは空間的に離れている他者である。第三と第四の可能性は、それぞれ過去と未来の時間的距離を含んでいる。すなわち、我々が生まれる前から（たとえ個人的に私より前であろうとあなたより前であろうと）生きている「先行者」と、我々が死んだ後も生きている「後続者」である。こうした他者類型の各々と我々との関係は、シュッツによれば、いくつかの類似性をもちながらもまったく異なっている。間主観性は、分化した現象なのである。

ここに重要な点がある。というのは、以上は、対面的なものからマクロな世界にまで至る間主観性の考え方のすっきりした形の推移を問題にするからである。ちなみに、この問題とは、本章のはじめの方でメルロ＝ポンティの仕事との関係で同定したものである。本章の後の方で、筆者はこの推移に関するシュッツ自身の、より洗練された考えを議論するであろう。だがまず最初にここでは、シュッツの分析が対面性についての我々の理解を洗練されたものにしてくれるかどうかを検討しなければならない。

シュッツは対面性のなかに、本書で根源的間主観性と呼んだものの可能性を認めている。つまりその状況は、空間と時間（生きられる時間を含む）が共有され、そこでは各々が自分自身のことを語り、また一方の意図や思考や感情が他方の前で展開され、他方からの反応を呼び起こすといった状況である。それは、人びとがその独自な個性において互いに対して存在でき、その人たちが直接本人同士で見たり見られたりでき、自分自身のことについて生じた間違った考え方を訂正することができる状況である、とシュッツは主張する。実際そうした状況においては、私が自分自身に対するよりも、他者が私に対する方がより明確であるとシュッツは主張する。なぜなら、相手は直接無媒介な仕方で私の前に立っているからである。しかもそれは、他者が（私に対して）このような仕方で存在する唯一の状況である。

これは、第二章で記述された状況に類似している。だがシュッツは、我々の理解に付け加えて、第二章で仄めかされただけの論点を考察している。すなわちそれは、相互理解や相互合意が達成される仕方に関してである。この問題に関するシュッツの説明を考察することによって、我々は根源的間主観性という我々の考え方のいくつかの相を改訂するよう強いられる。とくに我々は、相互理解が有意味なシンボルによって保証されるのではなく、対話者の活動を通じて達成されなければならないということをみるだろう。これは、会話に関する多くの研究のなかで検証されてきた事実である（Heritage 1984）。こうした研究は、いかにして意味が、会話の参加者たちの「巧みな実践」（Garfinkel 1967）によって、その会話のなかで行為を通して維持され、失われ、また再獲得されるのか、ということを示している。

対面し合うなかでは、意味が共通の時空的な地平において展開されるとシュッツは見ている。行為の十全な意味は——その行為は発話行為かもしれないが、それである必要は必ずしもない——行為の最終時まで達成されない。しかし、指向される人は始めから現前している。この状況の積極面は、第二章で論じられた時間地平の融合がなされながら、聞き手がその同時性において意味を把握することである。聞き手は意味の誕生時から現前しており、直接その意味に反応できる。だが否定面もある。それは、コミュニケーションの最終時が誤って知覚される場合には誤解が生じるということである（行為や発語の時間的区切りの唯一の確かな糸口が行為の意味であるが、意味を知るためにはその区切りを知る必要があるので、この誤解が生じうる）。シュッツは、いかにしてこの問題が解決されるのかということに関しては、何も説明していない。だが、会話分析者の研究がいくつかの洞察を与えてきた。我々は異なった状況で、我々の発語がどこで開始され、どこで終了するのか、またそれはどのように区切られるのかを他者に明らかにするために、会話の、あるいはたとえば身振りによる発語（Heritage 1984）の、その開始と終了をどのように「実践している」のかということを、会話分析者は示してきたのである。

だが、生きられる時間地平の分節は、対面状況での唯一の意味の規定因ではない。筆者は第二章で、ヴィトゲンシュタインに言及しながら次のように記した。すなわち、言語的意味は共通の生活形式に基づく言語の使用に依拠するのであるが、それはそういうものとしては話された言葉では説明されない、と。聞き手は、文脈について理解することから語が用いられている仕方を見つけだそうとする。だがシュッツが記しているように、そうした文脈は、聞き手にとって水晶のように透明なものでは決してないし、聞き手による文脈の理解それ自身が、説明できない生活形式に基づいている。実際、文脈は話し手の想像上の生活、話し手の文化の相（それは聞き手のそれとは異なるであろう）、あるいは話し手個人の生活史——以上のいずれも聞き手には必ずしも利用できないものである——を含む場合がある。シュッツはこの点を、よそ者がある共同体のなかで出会う言語理解の問題を考察することによって論及している。そのようなよそ者は、到り着いた共同体の言語を技術的には完全に理解する場合があるとしても、依然としてまだ真の理解はできないとシュッツはみている。アクセントや地域の方言の把握が難しいだけではなく、（さまざまな家族や仲間集団から社会に至るまでの）共同体がもつ特定のものの言い方もまた把握が難しい。そうした特定のものの言い方には、集団の諸活動やとくに文学、伝統、信念体系をめぐって形をなし、それらから意味を獲得する隠語や専門用語が含まれる。言語を十分に理解するためには、人は言語が生じてくる生活を生きなければならないだろう。このことは、すべての言語において現れる「感情的価値や非合理的含意からなる暈輪《フリンジ》」と関わる場合には、より一層当てはまることだとシュッツは主張する。以上は、生活形式に関して文字通りに翻訳不可能な諸相であり、その生活形式を生きる人によってのみ知られるものである。たとえば、「Britain」［大英帝国のニュアンスがある―訳者注］について愛国主義者がもつ感情や、「ホロコースト」についてユダヤ人がもつ感情を、いったい誰がうまく説明できるのであろうか。

シュッツによれば、こうした一般的な文化的要因に加えて、理解や相互理解は「関連性の構造《レリヴァンス》」によって構造化されている。どんな状況や文脈も数多くの仕方で解釈されうるし、解釈は行為者にとって関連性があるものに依存する、とシュッツは主張する。そうした関連性は、順にいえば、行為者の動機ないしは行為者がしようとしていることによって（「動機的関連性」）、行為者が行為しようとするなかで生起する問題や論点によって（「主題的関連性」）、そして行為者がそうした問題を克服するのに役立つよう常識的資源を行為者が選択することによって（「解釈的関連性」）、形づくられている。行為者たちの諸地平は、これらのレベルの各々で融合する可能性があるが、しかし各々のレベルで、対話者による状況の異なった解釈の可能性や、それゆえ対話者間での誤解や無理解の可能性もまた構成される。

会話分析の研究は、このような誤解の可能性が［当事者たちによって―訳者注］いかにして説明され、いかにしてコミュニケーション実践のなかで対処されるのかということを示す点で有益である（Heritage 1984）。考えるまでもなく、こうした研究が例証しているのは、コミュニケーションの行為主体は、積極的に誤解を防いだり訂正したりしているということだ。そうした会話は、自己と他者の間で生じうる文化や関連性の大きな溝を埋めるように組織化される。もちろん、この埋め合わせがいつもうまくいくとは限らないが。

ここで、関連性の重なり合いがいつも調和的な過程だとは限らないということを付け加えておくべきだろう。シュッツによれば、我々は自分自身の一群の関連性を完全には規定できない。たとえ我々自身の枠組みが与えられているとしても、そのいくつかは我々に賦課されているものであり、しかもそのなかには他者の関連性もある。

ピーターがポールの行為の対象であるかぎり、またピーターが自分は共有していないポールの特定の目標を考慮に入れるかぎり、ポールの固有内在的な関連性は、ピーターにとっては賦課された関連性であり、その逆の関係もまた成り立つ。(Schutz 1964 : 128)

このような場合、どちらの関心やどちらの関連性が勝るのかを決める闘いが、おそらくは起こるであろう。

意味を尋問する過程は、潜在的には無限であるとシュッツはみる。どんな意味も点検することができるし、どんな文脈的条件も詳細に説明できるが、その完全な解明の過程はありえない。なぜなら、解明や説明のための発語がすべて無限に、それ自身の解明の必要性があるからだ。意味はつねに、詳細には説明されない条件ないしは前提に依拠する。だがそこには、ヴィトゲンシュタイン(Wittgenstein 1953)がみたように、我々は「まさにそれを実際に行っている」といったように後退を避けて通る「意味のプラグマティックな規定」がある。つまり、言葉はその話し手が求める反応を誘い出し、そこでは問題点は少しも経験されない。このプラグマティックな規定が可能なのは、共有された前提を伴ったり、共通な企図への対話者の相互参加とそこから生じる関連性構造とを伴った、生活形式や伝統の共有がなされているからである。

こうしたレベルのプラグマティックな規定は、ガーフィンケル(Garfinkel 1967)の期待破棄実験によって認められている。そこでは実験者が、たえず「会話相手にその発話が「どういう意味か」と問い続けるなどして―訳者注」論点の明確化を求めることによって、意味のプラグマティックな規定という規則を打ち壊そうとした。この状況は、参与者にかなりの問題と不安を引き起こした。だが、状況は壊れなかった。ガーフィンケルは、この奇妙なことに対して、状況のプラグマティックな意味を回復し維持するために行為主体が利用可能な多数の技法を示すために実験を用いたのである。我々は、解釈の潜在的な無限性と曖昧性とを閉め出す明確な方法をもっていることを、ガーフィンケルは示したのである。

集合的な意味形成過程がうまくいくためには、コミュニケーションの行為主体は、自分自身とその対話者の間にあるパースペクティヴないしは背景的知識の不一致に気づかなければならず、またそうした行為主体は、その不一致によって形成される溝を埋めるよう行為しなければならない、とシュッツは主張する。たとえば「ダイアナの夫のマークが言っている」というようにしてある人に言及するとき、この例はその名指された人が誰なのかがすぐに分かるように説明している。だがこのように機能するためには、参与者間の「パースペクティヴの相補性」に関する二つの想定がなされなければならないとシュッツは主張する。彼はそれらを、「立場の交換可能性の理念化」と「関連性体系の一致の理念化」と呼ぶ。

「立場の交換可能性の理念化」は、次のことを意味している。すなわち、自分の「ここ」が相手にとっては「そこ」であり、逆に相手の「ここ」が自分にとっては「そこ」であるということを、各々の行為主体が認知していること（および、各々の相手もまたそう認知していると想定していること）、そしてもし各々が立場を変えたら、各々は同じ仕方で同じ物事を見るであろうし、他者が現在いるのと同じ物事からの距離に自分がいるであろう、と各々が想定していること（および、各々の相手もまたそう想定しているであろうと想定すること）、以上のことを意味している。換言すれば、それぞれの行為主体にとって、このことは世界のなかでの位置が違うだけで、それが自分たちを異なった経験に導くにすぎないという前提を含んでいる。さらにそれは、世界は他者が経験するように経験されるという前提をも伴っている。こうした前提は、我々が相手に振り向いて何かを見るように指示するときの相互行為を考えてみれば明確である。この場合、相手も潜在的に経験可能なものとして我々はこのことを経験している。シュッツによれば、我々が自分の行為を行うさいに用いる「知識」の大部分は、直接経験や新たに採り入れたものに由来するのではなく、他者が獲得したものをそのまま信じる点に由来する。そうしたものであるかぎり、立場の交換可能性の理念化は重要なことである。この重要な、いわば教育的な基本構造が維持されるためには、我々は立場の交換可能性を前提にしなければならない。

以上のことに、さらに「関連性体系の一致の理念化」が付け加わる。それは、各々の行為主体の異なった社会的状況や生活史から生じるパースペクティヴの相違は、それらの人の間では当面の目的のためには関連性をもたず、各々がいる状況を各々が理解するやり方には影響を及ぼさない、と行為主体が想定していること（および、その相手もそう想定していると想定していること）である。換言すれば、各々の行為主体は、自分たちの関連性体系が重なり合い、「実践的な目的のためには」その人たちは状況を同じ仕方で理解しているということを想定していることである。さらにこのことは、言葉や言い回しが、自分にとってと同様に他者にとっても同じ意味をもつという想定を含んでいる。この理念化も「立場の交換可能性の理念化」もともに、シュッツにとっては変更可能な前提であるが、それらの理念化は諸々の状況内にある我々の最初の前提である。我々は、間主観的に利用可能な安定した所与の世界を想定している。

以上の文脈でシュッツが言及した「想定」は、個人心理学の観点から理解する必要はないし、またそうすべきではない。我々が相互行為するごとに、またそのときにはいつも、自分たちの脳裏に思い浮かぶ想定という精神過程があるわけではない。むしろ、我々の行動の形態において、こうした想定は「自明視」されている。実際、それはまさに我々がいちいち考えない事柄である。にもかかわらず、ポルナー（Pollner 1974, 1975）やクルター（Coulter 1975）の研究が示しているように、そうした想定は、間主観的に有意味な社会的世界を我々が集合的に構築するためには重要である。それは、すでに述べたいわば教育上の理由からのみではない。

これらの研究者が論じているのは、とくに法や精神医学の文脈では、事態について食い違ったり相争ったりする説明が異なった対話者たちによって与えられるのは普通のことだということ、あるいは一人の個人にとって、先行する知識や「常識」がその個人に知らせる内容が正しいとは限らないと経験するのは普通のことだ、ということである。そこには、所与の事態が解釈され説明される仕方をめぐる不一致（クルターが「解釈の非対称性」と呼ぶもの）が存在するか、そうした所与の事態それ自身をめぐる不一致（クルターとポルナーがともに「現実分離」と呼ぶもの）が存在する。そのような例では、対話者たちはその食い違いに対して、なかなか難しいが解決されるべき問題だとして反応する、と両者はみている。ポルナーの場合は、このことは（シュッツ的な）前提の第一の主要な効果である。食い違う説明が解決を求めるものとして経験されるというのは、こうした前提の明るみのもとでだけである。さらに、その前提は難問解決のなかでも保持され保護されるとポルナーはみる。前提を問うよりもむしろ、対話者たちは「物事はみな平等である」という条項――つまり物事はみな平等なので、世界は間主観的に利用可能であるという条項――を問題解決のなかに導入し、次いで、この条項を侵犯する外的な偶発事が何なのかを求めることによって食い違いを説明しようとする。たとえば、対話者たちが扱える範囲内では技術的な欠点が指摘されたり、あるいは当該の諸個人が出来事を異なった時間に見た「はずに違いない」といった判断が下されたりする。

クルターの場合、そうした食い違いの解決は道徳的に構造化されている。ポルナーの場合は、その解決は政治的に構造化されている。そして両者にとって、こうした食い違いは、特定の「類型」の人びとが行う一定の文化的理解をめぐって構造化されている。状況の構造化は、対話者たちがその相互行為において互いに他者の誠実さを保つために示す選択をめぐって展開される。対話者たちは通常、他者の欠陥を補う代替資源が見いだせるところでは、その欠陥を見いだして非難したりはしない。そのような欠陥は、通常は集団にあるとされている。ただし、もしその他者が集団に所属していないならば話は別である。たとえば我々は、ある幻覚を精神病患者に簡単に帰属させることがあるが、そのような仕方であらかじめ規定されていない人に対しては、簡単にはそうできないだろう。さらに、いくつかの集団が専門的知識に対する権利を主張することができる場合、それらの集団は、一定の問題との関係で特別の権利を要求することがある。二つの別の「類型」の人びとが実際に相互行為していた場合と比べて、精神病の患者と医者の場合、たとえば、精神病患者がある声を聞いたが、精神科医は聞いていないというようなとき、その精神科医は耳が遠いとか、注意力が散漫だという観点から説明されることは少なくて、ほとんどの場合は、患者の幻覚によると説明されるであろう。こうしたケースにおいて浮かび上がってくる闘争や戦略は、どちらの側によっても、他者に対して、ポルナーが政治的次元として同定するものを構成する。さらに、この「経験の政治学」というポルナーの議論においては、状況の現実に関する自分自身の見解を確証するために、他の人びとの経験を好んで皮肉ろうとするさまざまな社会集団（とくに社会科学のある分野に関わる社会集団）の多様なやり方を、ポルナーは観察しているのである。

類型

以上の議論において導入された「類型」という（シュッツの）考え方は、根源的間主観性という我々の概念に挑戦する。「類型」という考え方が示唆しているのは、少なくとも一定の状況のなかで他者は、その個性や他者性において外部に開かれているのではなく、むしろ主体の関連性構造に応じて類型化されているということである。シュッツの場合、そうした類型化はつねに必要だというわけではない。彼は、本書で我々が記述してきたような根源的な開示性や共有の関係をもつことは可能であると主張している。だが彼はまた、多くの状況において、たとえば対面的状況においてさえ相互行為を行っている他者についての類型化に我々が依拠しているということも論じている。シュッツにとって、社会生活は日常定型的な生活である。我々は、各々の状況に日々新たにアプローチしているわけではない。そしてこのことは、我々と他者との相互行為にも適用される。たとえば、我々が食料品を買おうとするとき我々は店の店員とやりとりするのであって、店の店員である特定の個人とやりとりするわけではない。我々は、より一般的には、店の人との相互行為や店の中での行為は多少とも日常定型的な仕方をとる。さらにまた類型は、類型化のひとつのシステムないしは家族的集団に属することもあれば、相補的な結びつきについての期待を含むこともある（ここでもまた、期待とは能動的な精神過程ではなく、我々の行動の特徴であると繰り返しておく）。たとえば我々は、店員に対して、店員以上でも以下でもなくあって欲しいと期待しており、また店員も我々にお客以上のことを期待しないようにと期待している。このことが、状況内にある我々の行為と、意味のプラグマティックな規定との両者に影響を与えている。我々は、店の人が我々に対して客として指向していると想定しながら、店の人に対しては店の人として行為している。そして、そうした状況に対して適切であるという観点から、我々は店の人の行為や意見の意義を解釈するのである。だからたとえば質問も、一日のその時いっときのあり方として聞かれるのであって、親密さの告白として聞かれるのではない。

以上のことは、このような状況は柔軟ではないと述べることではない。ガーフィンケル（Garfinkel 1967）の期待破棄実験は、［会話相手の言葉の意味を質問し続けるといった──訳者注］社会実験を行う者の非妥協的な姿という脅威に直面したとき、買い物という通常の状況がそれでも持続可能でかつ柔軟性に富んだものであることを例証している。だがここにおいてさえも、類型化や慣習は、行為者が秩序を回復しようと努めるさいの手段であった。それと知らずに実験に関与させられた人は、実験者のもつその人と共通な基準や慣習の意味に訴え、それを頼りとするのである。

シュッツによって記述された状況は、マックス・ヴェーバーやフランクフルト学派（Habermas 1991a）が記述し批判する合理化された世界、つまり相互行為の美的要素や倫理的要素が放逐されてきて、狭い道具的な核だけが残っている没人格的で標準化された世界のようにみえるかもしれない。シュッツはこのことを認識している

(Schutz 1964 : 65-88, 129)。彼は、自分が記述している世界が近現代の合理化されたヴェーバー的世界であると認めている。だがシュッツは、どんな社会もすべて相互行為や類型化という習慣的で日常定型的なものに依拠しなければならないということも適切に主張している。そして同時にシュッツは、こうした事態それ自身を批判する傾向を適切にも拒否するのである。メルロ゠ポンティ（Merleau-Ponty 1962）やミード（Mead 1967）とともにシュッツが主張したのは、習慣や類型化は、諸個人の自由や知性のためにも、また社会組織の有効性のレベルの保持のためにも、実践的な必要物であるということである（Crossley 1994, 参照）。

シュッツの観点からいえば、類型化がほとんど必要ないところは親密な関係の空間である。シュッツによれば、そうした関係は、列車のなかで向かい合って座る人たちから、性的関係に没入していたり詳細な議論に熱中している人に至るまで多くの形態をとる。それらは、親和的な関係と混同されてはならない。親和性が相互理解とともに生活史的――文化的な枠組みや関連性構造を共有するならば、その親和性によって、一層深い相互理解が増すのである。しかしよそ者は、どんな類型も彼または彼女に適合するように思えないときにはとくに、根源的に間主観的な仕方で外に対して開かれうる。さらにまた親和性は、それが個人的なものであっても類型化を生み出すことができる。我々に近しい人たちは、我々にとってしばしばかなりの程度予測可能であり、そして我々はその人たちを自明視するのである。

類型化はまた、シンボルの形態で親密な開かれた関係にも入ってくる。シュッツによれば（Schutz 1973 : 278-356）、シンボルは日常経験の世界を超越する現象を表示し、そしてこの超越はあらゆる状況の特徴である。対面状況を例にとれば、各々の対話者は、たとえば相手の背後にあるもののようなその相手が見ることができないものを見ることができるので、その各々の対話者の経験は、彼または彼女の相手の経験を超越している。この事例において超越は、先に述べられた二つの理念化という前提をとりながら、日常的な記号によって説明されうる。各々は、他者とのギャップを埋める。だがこのことにもかかわらず、誰も全体の状況を見ない。「我々」の状況にある場合には、その人たちがまさに「我々」のなかにあり、その一部であるのだから、「我々」についての全体経験を誰ももつことはない。この意味で、「我々」という語はひとつのシンボルである。それは、間主観的な関係や経験の内部で、間主観的経験を超越しているものを表示する。シュッツは、そうしたシンボルがさまざまな類型や規模の間主観的関係において演じる重要な機能を強調している。たとえば「炉辺（home and hearth）」というシンボルは、家族を構成する間主観的関係のネットワークを組織化するさいに重要な役割を演じるとシュッツは記している。同様に、旗、賛美歌、「社会」は、より広い社会のなかで社会的諸関係を結合させる機能をもっている。この点で重要なのは、シュッツが我々の諸社会集団の各々を（それが大きいか小さいかにかかわらず）、各々自身の自己解釈的な「中心神話」（Schutz 1964 : 245）をもつものとみなしていることである。シンボルは超越的集団を表示するものとして核を構成し、その核の周りにこのような神話が分節されうるのである。そうしたシンボルが、我々という神話のなかにある「我々」なのである。

社会の領域――同時代者、先行者、後続者

対面的レベルでの類型化された関係は、一、二、三章で述べられてきた根源的間主観性と自我論的間主観性というカテゴリーにまたがるものである。他者は、思考されるというよりも、むしろこの状況のなかに引き込まれている。他者は、思考や空想や反省の対象ではなく、むしろ対話者なのである。我々は他者に影響を与え、また他者によって影響を与えられる。我々の行為は連動するのである。しかし［この類型化された関係では］厳密には、他者はその他者性において引き込まれているわけではない。他者は、その他者が占める役割ないしは類型に応じて引き込まれているのである。かくして、引き込み状況のなかには客体化という暗黙の要素が存在し、そして根源的様相と自我論的様相との間には均衡が存在するのである。

我々が対面関係から離れて他のありうる社会関係に移動するにつれて、この均衡は自我論的な極に移行し始める。他者についての肉質の表現は距離によって隠され、他者は一次元的な類型の経験へとさらに後退する。関係には直接性が少なくなり、影響を与えたり与えられたりする可能性は変化する。他者は少なくとも、ときには対話や出会いの主体というよりも反省的思考の対象である。そこでは、行為主体が互いに引き込まれることはなく、またその行為が連動することもない。シュッツは、この領域を三つの世界に分けている。つまり、同時代者の世界、先行者の世界、後続者の世界、である。

我々の同時代者の世界は、同じ時間に我々として存在でき、それゆえ我々がその人たちに関わることもできるが、一定の所与のときに対面的レベルで我々が出会うことはない諸々の個人、集団、およびより抽象的な社会的存在（たとえば法や「社会」）から構成されている。その世界に含まれるのは、我々がいま知っている人びと、我々がいま知らない人びと、我々がいままでは知っていた人、そして我々がいずれは知ることができるかもしれないが、いまは知らない人びとである。このケースに当てはまる関係の類型には、明らかに多くのバリエーションがある。たとえば遠くに離れている友人と私との関係は、「税務署員」と私との関係とは異なっている。さらにシュッツにとって非常に明らかなことは、どこで対面状況が終わり、どこでこの世界が始まるかを明確に分割する線は引けないということである。友人が接触しあう位置にあることがなくなり、匿名的な同時代者の一部となる前に、友人はどこまで道を下っていかなければならないのだろうか、とシュッツは誇張して問うている。こうしたことにもかかわらず、この世界は特定可能な特色ある諸特徴をもっているのである。

自己と他者の相互が依然として互いに影響を与えることができるということ、このことが同時代者の世界の特徴である。両者は、ひとつの関係のなかで活動する行為主体である。だがこの世界がとる形態は、対面状況におけるよりも直接性が少なく、他者の類型化がより支配的となる。さらに、相互行為はずっと定型的となり合理化されるであろう。実際それは法において制度化され、また／あるいは法の形で成文化される。たとえば我々と税務署のような大きな官僚制との関係は、相互に影響を与え合う。そこには、他者指向が存在する。だが多くの場合、この指向や影響は多少とも自動的である。税務署はお金を徴収する。私はお金を払う。税務署が関わるかぎりにおいて、私はひとつの支払い番号、つまりひとりの類型的な納税者である。私が自分と税務署との相互行為を覚識しているかぎり、この指向は、私の税徴収票の「税金控除」という言葉、あるいはカフカ的な想像上の「税務署」のイメージ、そのいずれかを通してのみ関係がある。にもかかわらず、私はこうした関係をたくさんもっており、しかもそれらの関係は、私の生命およびより広い範囲では社会の生命にとって重要である。経済、政治、および文化的な再生産に関する我々のさまざまなシステムはまさに、多様なそうした諸関係に依拠しているのである。

同時代者の類型化というこうした考え方は、ミードの「me」の構成と機能についての理解と密接に結びつく。類型化された同時代者は事実上、「一般化された他者」の変種である。さらにシュッツはミードと同様、我々が同時代者と相互行為するとき我々は自分自身をその同時代者の同時代者としてみるということ、たとえば我々が同時代者を税監視人とみるとき我々は自分自身を納税者とみるということを論じている。シュッツがミードの説明に付け加えたものは、他者、とくに一般化された他者を把握する類型化に関して、それゆえ「me」が具体的な状況において構成される仕方に関して、より明確に理解した点である。だが、ミードもまた「I」と「me」との間の対話という彼の考え方によって、シュッツの概念化に付け加えを行っている。我々は、以上のことによって類型化が機能する構造の動的な性格をみることができるようになり、かくして類型化および／あるいは特定の類型に対して、反省的で自己批判的な態度が存在する可能性をもみることができるようになるのである。

シュッツは、同時代者の世界の存在に関して考慮すべき二つの条件、つまりメディア技術とシンボルについて、その概要を示している。同時代者の関係に対してメディア技術が重要なのは、その関係がコミュニケーション的相互行為の関係であるとすれば明らかである。もしその関係が無媒介でありえないならば、媒介されたものであり、またもしそれが媒介されたものであるならば、我々は何らかの記述の媒体を必要とする。シュッツの場合は、この媒介は単純であったし、理論的にもそれ自体にはあまり関心をもっていなかった。だが後続の理論家たちは、話される言葉から、書かれる言葉や映像情報を経て、インターネットに至るような、特定の媒介形態が生み出してきた社会関係の変容を指摘してきた（Giddens 1979, 1981; Poster 1990; Stevenson 1995）。こうした変容は、シュッツの類型学によっては予見されず、したがってその類型学においては事実と合うように説明づけることができない状況を生み出しているという点からも重要である。たとえば、映像情報は遠くにいても親密であることを可能にすることによって、対面状況と同時代者の世界との境界を曖昧にさせる。同様に、ハーバーマス（1987a : 390）が記しているのだが、マスメディアの導入は我々の社会において双方向的で効力ある「公共圏」を作り出してきている。そしてそこでは政治的な問題が開かれた形で議論され、決定されるのである。最後に、最近の技術革新はいろいろな機器を用いて相互行為するまったく新たな世界を切り開いているが、このことはシュッツの図式のどこにもピッタリとする場はない（Suchman 1987）。

先に定義されたシンボルは、同時代者の世界の構築に寄与する。というのは、シンボルよって我々は、自分たちと、「社会」や「法」といったような超越的現象との関係を調和させることができるからである。シンボルは、一般化された他者についてもっとも抽象的で一般化されたものを表示する。これは重要な考え方であり、一般化された他者（そのもっとも抽象的なものは「社会」や「法」によって代表される）の諸関係に関するミードの見解を補完する。シンボルは、我々がそうした超越的な他者と関係する手段である。だがこの論点に関しては、次のようなひとつの問題点がある。すなわち、シュッツはヴェーバーに従って、人間主体以外の「行為主体」はすべて、それが効力をもつかぎり個人に還元可能な抽象物であると想定しているという問題点である。つまり、この「行為主体」はシンボルなのである。この「行為主体」は、主体としての諸特性をもっていない。ヒンデス（Hindess 1988）が論じているように、だがこのことは必ずしもそうとは言えない。ヒンデスにとって、行為主体の働きは、意思決定したり、意思に影響を与えたりする手段のなかに存在する。そして、多くの組織（たとえば労働組合や議会）は、その組織に関わる人間たちに厳密には還元不可能な仕方で意思決定を行っている、とヒンデスは主張する。さらにそうした組織は、法において行為主体［法人］として認定され構成されている。このことは、すべての超越的現象が実際に行為主体を構成しているということではない。大部分はそうではない。さらに、人間の行為主体の働きと、人間以外の行為主体の働きとが異なっていることは明らかである。にもかかわらずシュッツは、あらゆる行為主体の働きを、人間という行為主体の働きに還元することで誤りを犯している。

同時代者の世界に加えて、シュッツは先行者の世界を論じる。この世界もまた、同時代の世界や対面的状況と連続している。だが、この世界で生じる諸関係は先の二つの世界での諸関係とは異なる。先行者は我々に間接的に影響を与えている、とシュッツは記す。つまり、先行者は我々の同時代者の世界を作り上げることに寄与し、また我々がその世界を再創造したり変革したりするための道具を与えるのである。だが先行者は、直接的には我々に影響を与えない。というのは、先行者の存在が時間的に我々自身の存在と一致しないからだ。さらに我々は逆に、先行者に影響を与えることはできない。先行者はもはや存在しないので、純粋な社会関係はありえない。それゆえそこには、相互的な指向や相互的な影響関係はありえない。先行者の行為は私自身の行為と同一の開かれた未来のなかでは展開されないので、私自身の行為が変化や影響を与えることは決してありえず、私自身の行為と連動もしえない。

先行者の行為は完了しており、もはや時間的に開かれた未来に向けては展開されないので、それは同時代者の行為がもつ予測不可能性を欠いている。先行者の行為の意味は、実際には同時代者の生きられる時間において規定されていないわけではない。だが、先行者を理解したり解釈したりするのは難しいとシュッツは主張する。なぜなら、先行者の行為がなされた時とそれを解釈する時との間には、文化的な変化があるからである。ガダマー（Gadamer 1989）と同様に、シュッツは、伝統が異なることや時間経過の間に関連性体系が異なることによって、先行者との全般的な地平融合は不可能になるとみている。諸々の語や言い回し、その他の記号すべてが、先行者の基盤である生活形式とともに意味変化する。かくして、ある仕方で我々が先行者に指向できるとしても、その指向は（相互性の欠如とともに）つねに不完全である。

この説明で見失われているのは、過去への接近を可能にするコミュニケーション技術や、そうした技術のもつ効果に関する考察である。たとえばギデンズ（Giddens 1979）は、読み書き能力がない時代から、ほとんどの人が読み書きできる時代への社会全体の変化は、行為主体とその先行者との関係にかなりの影響を与えると記している。彼がいうには、読み書き能力を欠く時代には過去への見方は限られており議論されなかった。行為主体は過去についての見方に関して語り部に依拠し、語り部が直面したこととは別の独立した証言をもっていなかった。だが記録が残る文字社会では、過去について解釈や議論がずっと可能となる。先行者の行為は、現在に事実の足跡を残す。この状況が、ビデオやテレビの技術で再び変容していることは明らかであろう。

シュッツが考察した最後の間主観的世界は、我々の後続者の世界である。だがこの種の世界に関しては、シュッツはあまり語っていない。後続者はまだ存在しないので、我々に影響を与えないとシュッツはいう。そして、後続者が対処しなければならない世界や、後続者が用いる道具のいくつかを作るという意味では、我々は後続者に影響を与えるけれども、後続者がどういう人たちなのかを知らないので、我々はその人たちに対して指向することはできない。我々は、自分たちの同時代者に関して知っているのと同じようには後続者に関しては知りえない。彼らは未来に属しており、その未来はつねに未規定である。そして、我々の時間地平とのこの不連続によって、行為の連動もまた不可能となる。

この点において、シュッツはほとんど正しいと思われるし、筆者も未来が捉えどころがないし未規定であることに同意する。しかし彼の立場は、エコロジカルな議論や企てといった文脈での我々の後続者との関係や、子孫という我々の後続者との関係において、我々がもつ道徳的な関係を十分に説明していないと筆者は示唆しておきたい。そのような場合に我々は、後続者が自分たちと類似であり、そうした後続者についての我々の表象によって自我論的様相で我々は影響を受けるということ、およびその人たちに対して我々が感じる責任という感覚、こうしたことを我々は当然のことだと思っている。実際、我々の行為がつねに未来志向的であるかぎり、その行為はつねに我々の後続者にも向けられているのである。

共同体について

同時代者、先行者、後続者の説明のなかで出現し始めているのは、異なった文化と集団生活についての意味である。間主観性の概念が、共同体の概念に、もっと正確にいえば複数の共同体の概念に溶け込む。シュッツ(Schutz 1964)は、この問題を数多くの論文のなかで探究している。それらの論文のなかで言及される集団や共同体には、全体社会、町や村、家族、そしてクラブが含まれている。これらに対する外部者の立場を主に考察することによってシュッツが例証しているのは、それらの内側に現れる異なった意味世界、アイデンティティの感覚、および成員たちがそれらに対して持ったり感じたりする所属感や指向の感覚である。

シュッツにとって、家族であれ社会であれ、集団ないし共同体は異なった文化形態を示す。彼はこの点に、ひとつの共通な知の集積として言及する。このなかには命題的な知も含まれるが、他方シュッツは、ノウハウ、経験から得た方法、親密性のさまざまな形態や習慣を重視する傾向がある。シュッツの「知」は、我々が他のところでハビトゥスとして言及してきたもののもつ実践的能力と同意義である。こうした実践的能力は、部分的には個人の既得の知や経験のなかでなされる試行錯誤によって獲得されるとシュッツは主張する。だがその大部分は、公式および非公式両面の教育のなかで獲得される。我々は共同体のなかで成長し、そこで生活する。そして、そうした共同体が我々の学習経験の構造化も行えば、我々に対して生活や生き方についての教授も行う。このことによって諸々の想定が共有され、生活世界の象徴的な絆が時空の両方を通して再生産されることが保証される。このように述べたからといって、常識的想定は静態的であるわけではない。そうした想定は、共同生活の構造が変化するのと同様に変化する。さらに、それらの想定は共同体間で異なっている。このことが、我々が異なった文化を訪ねるさいに時折経験する混乱や不安の理由である。つまり、我々が自明視していることが他者には自明でなかったり、他者が自明視していることが我々には自明でなかったりするのである。

こうした能力の習慣的形態に関しては、シュッツによってそのさまざまな記述のなかで伝えられている。シュッツはこのような習慣的形態を「以下同様」の想定であるとか、「私はそれを繰り返すことができる」という想定であるとか、さらには「当然の」想定といった形で論及することで、その非反省的な性格を示している。あるいはまたそれらを、彼は「いつも通りの思考」とも呼んでいる。さらに、すべてが通常のもの（いつもの問題や、いつもの危機をも含む）としてあるかぎり、それらは異議が唱えられたりもせず、気づかれもしないままであると彼は示す。それらの諸形態は、我々が考えたことや理解したことではなく、むしろ我々が想定していることであり、我々の前理解や前判断であり、我々が考えたり理解したりすることのまさにその基盤なのである。それらはわれわれの思考や表現を可能にするのに必要な先入見であるが、まさにその理由のゆえに大部分は思考されないままである。さらにまた、それらの諸形態はそれら自身においては基礎づけられえない基礎である。ヴィトゲンシュタインやガダマーはまさにこれと類似の見解を、それぞれが『確実性について』(Wittgenstein 1969) や『真理と方法』(Gadamer 1989) における暗黙の知として表現しているが、彼らと同様に、シュッツはそうした想定や知に対して正当な根拠となりうる基礎はないと主張している。それらは我々の文化的伝統の一部なのであり、我々の行為や相互行為の一部なのである。

生活世界に関するこのような「常識的」諸特徴には、先に言及した自己解釈の「中心神話」が含まれる。またこうした諸特徴には、外部集団や外部世界の類型化も含まれる。だがシュッツによれば、そうした知は集団内部でのみ機能し、また集団のためにのみ機能する。それは、外部集団のなかで機能するにはあまりにもかけ離れたものであり、硬直したものである。このことが、よそ者が新たな共同体に適応するさいの困難さの理由であるとシュッツは主張する。新たな共同体に関するよそ者の知は、詳細に検討すれば働かなくなってしまう。時間の展開、諸個人や出来事の広がりと多様性、これらがよそ者の静態的で狭隘な類型化をバリバリと突き破って進む。少なくとも、それらの類型化をもって親しい接触がなされる場合には、こうしたことが起こる。諸文化間の差異や諸文化間の理解の欠如は、出会う者と闘うことや、他者についての永続的な否定的見解を動機づけるのに十分なほどに強い嫌悪感と敵愾心を生むことがある、とシュッツは主張する。この場合は、類型化は強力な否定的評価を担い、そしてそうした類型化が社会活動を調整する機能を依然として果たすとしても、外部集団に対して敵対的であるか有害である仕方でなされるのである。さらに、先に論じられたような個人と集団の間での関連性の賦課が、制度化された公然の政治的形態をとる場合がある。シュッツ（Schutz 1964 : 260）は、たとえば一方の集団が他方の集団を「構築し」、次いでその集団にアイデンティティを定めて強制したり、その集団に関してひとつに区切られた他とは異なる取り扱いを定めて強制したりする仕方に言及している。このことに関するシュッツの例は人種差別のイデオロギーに関するものだが、こうした例は、サイード（Said 1978）がオリエントの捏造に関して行った説明、サルトル（Sartre 1948）が反ユダヤ主義者によるユダヤ・アイデンティティやユダヤの人びとへの関連性の賦課に関する説明、そしてさまざまな私的外観や制度的外観をとってなされた人種的な嫌悪、対立、差別に関する他の多くの説明のなかで確証されている（たとえば、Gilroy 1992; Goldberg 1993）。

こうした人種的嫌悪のイデオロギーの他の側面は、共同体の成員がそのコミュニティとの関係で、とくにそのコミュニティから離れているときに経験する所属感に関するものである。シュッツによれば、これは一連の要因から生じる。まず第一に、本章で論じられてきた集団の中心神話とシンボルが、その集団成員の個人的な語りのなかに織り込まれる傾向があるということ（第三章をみよ）。というのも、成員たちの個人史は集団の歴史と一致しているからである。かくして集団成員のもつ自己の感覚は、集団の感覚と結びつく。第二に、集団成員の「いつも通りの思考」は受容されて価値をもっている思考様式であり、そしてその集団内で作用している思考様式であるということ。なぜなら、この思考が（主として）引き出されるのはまさにこうした集団からだからである。集団成員はそれゆえ、自分たちが他の集団よりもずっと容易に当該集団に「適合」していると感じる。第三に、集団成員はその集団内で認められた場所、つまりひとつの地位を占めているということ。要するに、集団成員は承認されているのである。

シュッツの場合には、外部の者に対して共同体の不透明さを与えるさらなる要因も挙げられる。それは、共同体の知の集積が社会的に配分され、共同体の特定の役割と結びついているという要因である。そうした知の集積は、外部の者にとって接近可能な一般的形態をとっていないので、いずれにせよ外部の者に対しては機能しえないものである。ここに数多くの問題点がある。

第一に、シュッツは、共同体のさまざまな成員たちは比較的複雑な分業や社会的分化を引き受けながら、さまざまな実践的な知をもっていると主張する。そうした成員たちの知は、共同体内の自分たち自身の特定の位置や役割に関係している。それは、その成員たちが自分たち自身の家や自分たちの生活においてさまざまな目印となるもの（仕事場など）の周辺に基礎をおく地理学上の方向づけをもっているという意味で空間的なものであるが、しかしそれはまた社会的なものでもあるだろう。成員たちは、自分たち固有の専門的な知の領域をもち、自分たちが自分自身では供給できない物財やサービスを得るためには、誰に、何を、どこで渡りをつけるかを知っているであろう。さらにシュッツは、この見方のなかで階層秩序と地位の役割を強調する。社会的秩序におけるさまざまなランクによって、さまざまな形態の知が可能になる。方向づけられ階層秩序化されたこうした知は、外部の者たちには適用されえない。なぜなら、外部の者たちは共同体の一部ではないし、共同体の内部で方向づけがなされる場をもっていないからである。たとえ外部の者たちが共同体についての社会的「地図」をもっていても、その人たちはその地図のうえに場所をもたないし、それゆえそれを使うことができない。さらに、共同体の文化は、対外的な観察や知を規定している。というのは、それは外部から見られたり理解されるものというよりも、内部から見たり理解したりするやり方だからであり、しかも見られるものは、それを見る人の位置に応じて変化するからである。シュッツにとって、文化は同質的、斉一的、普遍的に配分された現象ではなく、複数の技能や信念が連動したものである。その構造は成層化や不平等を含み、その価値は文化内のその人自身の位置と関係してのみ実現される。この点と関連した最後の指摘は、共同体の知は実践的な知であるということだ。それによって知は、特定の共同体の成員がもつ課題と関心という特定の関連性と結びつけられる。しかし外部の者は定義上、共同体のなかで関与する課題をもたない。それゆえ、知は外部の者には作動しない。外部の者は、地図上に自分自身を見いださないだけでなく、行くべき場所もないのである。

共同体の成員はもちろん、自分たちの生活のさまざまな領域との関係で数多くのさまざまな役割を占めるであろう。したがってそうした成員は、さまざまな関連性構造や、それに伴うさまざまな知の形態を有している。実際シュッツは、共同体の成員たちは自分たちの役割のそれぞれにおいて異なった両立不可能な見解をもつだろうと主張している。

父親として、市民として、従業員として、さらに自分の教会のメンバーとして、彼は道徳的、政治的、あるいは経済的な事柄について、非常に多様で、ほとんどまとまりのない諸々の意見をもつであろう。(Schutz 1964 : 94)

これらの役割が衝突せず、自分たちが占有しているそれぞれの集団が、別々なものとして保たれているならば、以上のことは問題を引き起こさない。諸々の意見や概念は、つねに特定の領域と相関的であるとシュッツは主張している。この端的な例が、先の章で言及された「多元的現実」の構造である。さらにシュッツはこれに加えて、特定の領域との関係で展開される学識ある専門的な意見は、適切な文脈で働かなければならないという。市民として我々は、自分たちがとくによく知っている事柄や、とくに関与している事柄においては、一般的な意見に抗してでも立ち上がる義務をもつとシュッツは論じる。

集団生活に関するシュッツの最終論点は、その制度化に焦点がある。どのような集団の内部でも、諸々の関係は規則的、反復的に取り結ばれたり、中断されたりするような構造化された仕方で、時間を通して断続的に展開されるとシュッツは主張する。ゴフマン（Goffman 1981）は、何年も一緒にいる親族の間で規則的で反復的な間隔でなされたり中断されたりする会話の形態をとりあげて、こうした次元のひとつを論じている。だがむしろ、仕事場、学校、家族における相互行為がより一般的な例であろう。こうした「第一次集団」は多かれ少なかれ、各々の成員との関係で展開されてきた特定の役割を実行に移すために規則的に集まる。日々その成員たちは、前日に中断したところからその日のことを始めるのである。

具体的な間主観性

シュッツの仕事は、対面的レベルと、より広い社会形成との間でみられる諸関係という論点に関して、メルロ＝ポンティの仕事よりも前進を示した。シュッツによる、同時代者、先行者、後続者の世界に関する議論、および共同体に関する議論は、メルロ＝ポンティが示唆したものよりも一層分化した現象としての間主観性を示し、メルロ＝ポンティが対面状況から社会的なマクロ世界へと一気に飛躍してしまったことで生じた溝を埋めている。このようにすることでさらにシュッツの議論は、ミードによる市民的自我、一般化された他者、共同体成員に関する理解をかなり洗練させることになる。シュッツは、ある集団の一部であることや、そう感じることが何を意味し、そしてひとつの共同体であることがその集団ないし共同体にとって何を意味するのかということに関して、はるかに明確な観念を与えている。我々はシュッツの仕事のなかに、共同体が空間における人びとの単なる結集以上のものであることをはっきりと見てとることができる。つまり共同体は、役割体系や自明視されている諸々の想定が連動し合うことによって構成され、相互行為的な諸実践のなかで、またそうした諸実践を通して形成されている、ということを見てとることができるのである。

だがシュッツの立場にも、数多くの問題がある。第一に、メルロ＝ポンティの「具体的間主観性」と比較してみると、シュッツは現実の具体的で経験的な共同体を十分に考察していない。シュッツは、依然として抽象度の高いレベルで研究している。第二に、シュッツが提示しているのは非常に「小さな」世界であり、社会統合（つまり共有された理解図式によって達成されるもの）に関する彼の見解は、産業国家や脱工業国家という「大きな」世界に対するよりも、そうした「小さな」世界により適合的である。デュルケムのような最初期の社会学者たちは、大きな社会がそのような共通の合意によっては統合されえないこと、したがって統合に関するさらに進んだメカニズムの解明が求められるということを認めていた。さらに、それに続く多くの社会学的研究が示唆しているのは、大規模な西洋世界が長期にわたって「合理化」の時期を経験していたということである。そこには、グローバル化し、標準化されたもっとも文化的な形態は言うまでもなく、シュッツによって観察された教区規模の親密性がもはや適用できない地点に至るまで、実際には日常定型化され、道具化された多くの社会領域がある（五章参照）。このような見方に従えば、社会的世界は、特定の文化的な規範や価値の意義を運用上否定するような、非人格的で大規模な官僚制によって規制されているのである。

このこととさらに関係する点は、シュッツが、共同体とある特定の地理上の場とを同等視する傾向を明らかにもっているということである。彼はこのことを実際には述べていないが、彼が与える印象はそうである。彼が記述する共同体は、小さな町のような印象を与える。それは社会科学がいうところの、共同的な結びつきのアソシエーションではあるが、いかにも時代遅れのものである。過去において、共同体は特定の場所と必然的に結びついていた。だがこの必然性は、いまでは二方向の過程によって取り除かれている。諸社会は、同様な考えをもった人たちの地理上の近接を確保しなくても、新たなコミュニケーション技術や輸送技術（およびそれらに対する接近可能性の増大）が遠くにいる人とアソシエーション関係をもつことを促進することで、より多様化より多元化してきている。このことの究極の現代的表現がインターネット技術であり、それが生み出すサイバースペースである。人びとがサイバースペースに加わって、著しく特定化された関心を満たしている大量の共同体がすでにある。インターネットの利用者は、隣人が誰かは分からない匿名性のままに、当然、世界中の人びととコミュニケーションを行っている。もうひとつの例は、スポーツにおける共同体や学問における共同体の例である。両方の共同体の場合、熱心なその成員は選び取られた共同体と関わることに非常に多くの時間を費やしているので（たとえば、その共同体に関係する雑誌を読んだり、別の場所でのさまざまなイベントに参加したり、テレビ番組を見たり、その他いろいろな活動に関わる）、そうした人たちは、近くの周りにいる人びととの共同体を形成する時間がないのである。このことは必ずしも悪いことではないが、空間的なコミュニティという不可避の結びつきのアソシエーションは締め出されることになる。

シュッツの説明に関する第三の問題点は、さまざまな種類の集団の内部で機能し、その集団を結びつけているもっとも基本的な相互依存性をシュッツの説明がほとんど等閑視していることである。シュッツは、たとえば情動的な依存性、心理的な依存性、さらに財政上の依存性を十分に考察していない。これらのすべては、エリアス(Elias 1978b)のような著者によって、社会生活の連帯と活力の構築にとって中心的なことであると示されてきたものである。エリアスが論じるには、そうした相互依存性によってこそ、人が集団内で行為して他者すべてに影響を与えるということが保証されるのである。

シュッツの仕事における第四の欠落は、権力、支配、法、国家の問題に関わる。シュッツの場合、社会編成は、立法や支配や強制の関係というよりも、もっぱら意味や合意の関係を通して構成されるようにみえてしまう。たとえば、社会秩序の構築における戦争や暴力革命の役割についての認識や説明はないし、さらにいえば、刑罰システムのような制度がもつ正当化された暴力についての認識や説明もない。人種差別に関する彼の議論でさえ、主として文化的無理解や類型化に関する議論であり、だからそれは、多くの人種差別がそこから生じてくる植民地関係といったより広い論点は十分に考察されていない。このことは、メルロ＝ポンティの具体的間主観性の説明と対比してみると、後戻りである。メルロ＝ポンティの説明においては、社会的世界の統合が記述されるときには理解も暴力もともに言及されているのである。

第五に、「階層秩序」に関して時々短い言及を行うという例外を除いて、シュッツは社会関係における不平等や交換の位置を十分に考察していない。このことは、シュッツが価値と価値の間主観的基礎とを十分に議論しなかったことの帰結である、と筆者は示唆したい。そしてそれは、シュッツのマクロ的社会の間主観性に関する理解が、本章の始めにメルロ＝ポンティとの関係で述べられた具体化の諸段階にはほとんどまったく達していないという帰結をもつ。メルロ＝ポンティの「具体的間主観性」は、物との関係によって、しかも主にひとつの集団(ブルジョワ階級)が物質的生産の手段を所有しコントロールすることによって、人びとの諸関係が媒介されている資本主義経済であった。そこでは、何も所有せず、自分たち自身の労働力を実質賃金と見返りにブルジョワ階級に売らなければならない人びととの関係で、ブルジョワ階級は有利な立場を利用することができるのである(Crossley 1994)。こうした説明からは、関係する多くの論点や批判を引き出すことができる。

第一の点は、物理的環境のなかで、またその物理的環境によって間主観的関係が処理されるという点である。シュッツは、公平にみて、この点をたしかに認識していた。人間は自らの物理環境を道具や物質文化の形で変容させ、またそうした環境的素材が今度は人間の能力と可能性との両者を拡張させて、その創造者の意味や人間性を発揮する、とシュッツは主張する。いいかえれば彼は、人間の間主観性の身体化が、人間身体の発現を越えて、その変容した物理環境にまで拡張すること、また我々が家のなかに足を踏み入れるときも、コップで飲み物を飲むときも、我々は自分たちの同時代者や先行者の意味と関わっているということ、こうしたことを認識していた。だがこの点で（メルロ＝ポンティの具体的間主観性の理解には存在していたが）シュッツにおいて見失われているものは、社会編成のこうした物質的な相の再生産の必要性、および――さらに重要なことである――人間自身のこうした物質的な相の再生産の必要性についての認識である。社会生活は、どのように記述しようとも、こうした物質的再生産を促進させるに違いないのである。

この論点は、人間の欲求に関する問いと、社会組織の文脈のなかで諸々の欲求が出会ったり出会わなかったりする仕方に関する問いを提起する。シュッツは、彼が記述する生活世界の文脈のなかで我々が必ず諸々の欲求に出会うこと、そうでなければシステムがシステム自身を保持しなくなること、こうしたことの考察を軽視している。さらに欲求を超えて価値や欲望の問題、および価値づけされ欲望されるものをめぐってなされる闘争や社会関係に関する問題もある。これは、第一章で示されたコジェーヴの論点である。人間は、自分が欲求として必要なものだけを探し求めるわけではない、とコジェーヴは論じる。つまり、人間はお互いからの承認をも求めるのである。人間は欲望されていることを欲望し、この欲望はしばしば諸事物によって媒介される。そして今度はその諸事物が、価値あるものないしは貴重なものになるのである。客体は、それが他者の欲望を表しているので欲望される。人間生活における欲求、価値、欲望に関する問いの導入によって、社会関係の性格に関しては、シュッツが概要を示したこととは全体的に異なった光が当てられる。それが示すのは、人間関係とは、相互理解に関することだけではなく、交換に関する問題でもありうることであり、また実際にしばしばその問題であるということだ。さらにこのことは、そのような交換が行われる「市場条件」の社会的組織化に関する問いと、そうした条件が交換の結果としてもつ構造化効果に関する問いを要請する。こうした問いは、メルロ＝ポンティが具体的間主観性に関する理解において触れた論点である。しかしメルロ＝ポンティの説明は、シュッツの説明よりも優れているとしても、まだこの問いを――少なくとも現代の社会的世界の文脈において――説明することまではできていない（Crossley 1994）。筆者はこの点を、次の章でより詳細に論じつもりである。

最後に、具体的間主観性という考え方には含まれているが、シュッツが十分に説明しなかったのは、社会システムという考え方である。シュッツは、一個人が他の諸個人や諸集団に対してとる関係性といったものに固執する傾向があった。そのさいには、個人が形成するシステム――たとえば、経済、法、および国内的、国際的な社会システムがより一般的なものである――という超個人的な立場から見られた諸々の関係性、実践、過程に関する考察が犠牲にされている。さらに、シュッツが共同体に言及する場合、彼は共同体における個人の位置に関心を集中させ、共同体固有の、超個人的な社会的単位としての社会組織の様相には、関心を集中させていない。シュッツは、たとえば共同体のなかの「よそ者」や「帰郷者」によって、またそれらの者のために提示される統合問題は記述するが、しかし共同体自身が、時空を通して自らを存続させながら、ひとつのシステムとして機能しているあり方に関してはほとんど説明を与えていない。

筆者がここで最後に言及してきた型の社会システムは、人間の行為や相互行為を通して生産および再生産されるのもである。我々は、社会システムが、行為主体を含んだり行為主体に作用したりして行為主体を支配する構造であるとか、行為主体の上にある構造であると見なすような、先に記した客観主義者の間違いを犯さないようにしなければならない。そのように理論化することは、カテゴリーミスを犯すことである。だがこのことにもかかわらず、社会システムは社会組織の諸レベルとして諸々の特性をもっており、それに関わる諸個人には厳密には還元できない諸々の効果を生み出す。なおそのうえ、我々が（国内経済や国際経済といった）よりマクロな構造を考察するとき、我々は個人に対する言及や、おそらくはまた社会的役割に対する言及をもやめるような記述の仕方を採用しているのに気づくであろう。むしろ我々は、ひとつのシステム内の諸々の単位および下位システムに言及しているといった方が適切であろう。こうした記述は、我々が個人や集団や社会関係に関して述べてきたことを否定することではない。そうした記述は、我々が新しい記述レベルに推移していることを示している。この点が、次の章でユルゲン・ハーバーマスの研究との関係で筆者が取り扱う論点である。

第五章　システム、生活世界、コミュニケーション的行為

前章の終わりで筆者は以下の点を指摘して、社会的生活世界としての社会に関するシュッツの理解を批判した。すなわち現代社会における交換関係の考察、相互依存性や権力や不平等の問題の取り扱い、社会的世界のシステム的な諸相の考察、固有の歴史的文脈において（我々自身がもつような）社会システムの特定の具体的諸特徴への取り組み、これらがシュッツの理解においては不十分であった。こうした特徴点のそれぞれは、筆者が自分の議論のなかで記したように、メルロ＝ポンティの「具体的間主観性」という考え方の特徴である。だが筆者が別のところで論じたように、メルロ＝ポンティの（具体的－間主観的な）社会的世界に関する理解は、理論的にも不備があり、経験的にも時代遅れである（Crossley 1994）。さらにいえば、こうした点は、本書でこれまで論じられた他の間主観主義論者が考察してきた論点でもない。ミードは自由主義的な民主制の性格について論じたが、その彼もヴィトゲンシュタインも、現代の社会システムを理解するための道具を我々に与えてくれたわけではない。しかしながら、間主観主義論者のパラダイムは、ここで力を使い果たしたわけではない。ギアを入れ替える

時である。我々は、自らの仕事が間主観主義論者的な立場にあって、しかも具体的な諸特性にも、社会構造としての間主観的な場のシステム的諸特徴にも、より関心をもっている著者たちの仕事を考察しなければならない。これが本章での目的である。

この章での（唯一ではないが）主要な焦点は、ユルゲン・ハーバーマスの仕事にある。間主観性と生活世界は、ハーバーマスにとって基本的なものである。それらは社会理論にとって根本的な出発点であり、そして実際、社会生活それ自身にとっても根本的な出発点である。ハーバーマスは、最初期のもっとも原初的な社会はもっぱら生活世界の形態で構成されていたと論じる。だが彼によれば、社会の進化はシステム状（systemic）の諸特徴の出現をみ、そして生活世界はシステム内のひとつの下位システムの地位に格下げされてきた。現代の社会科学者および社会理論家はこのシステムレベルを語らなければならない、とハーバーマスは論じる。そうした人たちは、社会システムをシステムとして、それが自らを存続させ目標を実現するがままに、内部からもその外部の環境（それは他の社会システムと自然的世界から構成されている）からも、その社会システムに課せられる緊急重大事態と関係づけて研究しなければならない。だがこのことによって、ハーバーマスが生活世界という考え方を捨てたり、それを軽視したりすることにはならない。逆である。ハーバーマスは、システムはつねに必ず生活世界に繋留されなければならないと主張する。すなわち、生活世界は原初的な社会構成の要素であり、それゆえ生活世界の解釈学的解明は社会科学者や哲学者にとって中心的な課題であるという形で、システムは生活世界に繋留されなければならない。たとえ社会科学者や哲学者が主としてシステム分析に関心がある場合でも、そうである（たとえば自然システムと対称的に、ある社会システムの目標は、このシステムに属する生活世界のなかでの優勢な定義や願望から独立には同定しえないし、それゆえ生活世界分析によってシステムの目標を規定しないようなシステム分析は、適切ではありえないとハーバーマスは主張する）。さらに彼は、システムと生活世界の間の相互関係に焦点化された批判的研究プログラム、とくにシステムの要請による生活世界の侵害に焦点化された批判的研究プログラムの概要を示す。ハーバーマスにとって、現代社会は、生活世界とシステムという視座と、この両者の関係を研究する視座とからなる二つの視座から必ず研究されなければならない。これらの考えは、本書における筆者の議論の中心となる。なぜなら、後に示されるように、こうした考え方は社会システムの分析と批判に対して間主観主義論者のパラダイムを一貫して与え続けるからである。

システムと生活世界の関係についての言説に加えて、ハーバーマスは我々の議論にとってさらに重要な二つの要素を付け加える。彼は、コミュニケーション的行為とその進化の理論を構築する。それは、間主観性理論における重要な政治的介入のためにも、また生活世界に関する我々の考え方の少なからぬ展開のためにも、基盤となるものを形成する。生活世界という考え方に対するこうした修正は、本章における筆者の出発点である。

コミュニケーション的行為と生活世界

ハーバーマスは三つの哲学的源泉から、生活世界に関する自分の理解を引き出してくる。それらのすべてが本研究にとって中心的なものであるが、それらは現象学（とくに後期フッサールやシュッツであって、メルロ＝ポンティではない）、ミードのプラグマティズム、そしてヴィトゲンシュタインとオースティンの言語哲学である。これらのうちで、ハーバーマスにとってはミードがもっとも重要である。ミードはハーバーマスに、コミュニケーションを行う者やコミュニケーションに関わる者としての社会的行為者のモデルを与え、さらにハーバーマスが自分自身の理論の基礎として取り上げるコミュニケーション的行為の理論の概要を与える。すでに本書ではすべて論じているが、とくにミード理論のうちでは次の三つの諸相がここでは重要である。第一に、言語のもつシンボル的秩序に入り込むということが、人間有機体の自分自身に対する関係とその環境に対する関係との両面における関係を媒介して、それらの関係を意味の関係として構成することで、人間有機体を根本的に変化させたという考え方をハーバーマスはとる。ハーバーマスに従えば、人間行動に関する社会理論は、このシンボル的レベルに自らを基づかせなければならない。第二に、人間は互いにコミュニケーション的（したがって非道具的、非客体化的）な関係に立つことができるという考え方をハーバーマスはとる。第三に、より一般化して述べれば、対話および（言語的）コミュニケーション過程は還元不可能であるという考え方をハーバーマスはとる。このような考え方は、行為と合理性（その両者ともに社会理論の中心的な考え方である）の位置を、個人の意識からコミュニケーション的な間世界へと移動させ始めることで社会理論を革新するものである、とハーバーマスは論じる。これらの考え方の内部で明らかにされるコミュニケーション的間世界と行為と合理性こそが、ハーバーマス理論の中心的焦点をなすのである。

ヴィトゲンシュタインとオースティンの言語理論は、ミードの仕事と一致点をもちながらも、それを凌ぐ言語と意味の哲学を与えることによって、こうしたコミュニケーションのパラダイムを洗練化することに役立つ。ヴィトゲンシュタインの意味の使用理論は、個人意識というよりも、むしろ言語共同体という観念に依拠する言語的意味の理論をハーバーマスに与える。そうしてさらに、このことによってハーバーマスは、個人意識に対してコミュニケーションが優先すべきものであると考えることができるようになる。またオースティンの発話行為とその適切性条件によって、ハーバーマスは社会的行為という考え方を再考し、そうした行為の効果に対する制度的条件を同定することができるようになる。このような点が再び、意識に対する間世界の優位性を与えることになる。さらに、（言語的意味が依拠する）「生活形式」の理解は、生活世界概念のひとつの有益な定式化として、またその概念への有益な寄与として理解されるのである。

以上の理論においては、現象学の立場が曖昧となっている。ハーバーマスは、まさに生活世界という概念それ自身を含む多くの概念や考えを、フッサールやシュッツの研究から借りてきて使用している。自明視された想定、共有された意味地平、関連性の問題、その問題と計画との関係などの役割をハーバーマスは論じ、そして前解釈されている世界という考え方の概要を彼は示している。だがこうした点にもかかわらず、ハーバーマスは現象学を意識哲学であると認定し、第一章で筆者が行ったフッサール批判と直接的に対応する理由で現象学を手厳しく批判する。かくしてハーバーマスは、現象学を包含するというよりも、自分の仕事を現象学へのコミュニケーション的批判として提示するのである。さらにまた彼は、生活世界の現象学的解明を越えていく必要性を認める。我々は生活世界を、再生産と作動に関するそれ自身の諸条件をもったひとつの文化的システムとして理解しなければならない、と彼は主張する。そしてこのことは、我々が自分たちのより現象学的な感性のいくつかを脇に置いてでも、生活世界を客観化するということを伴っている。このようにハーバーマスはその生活世界概念において現象学の概念を借りてきてはいるが、現象学それ自身は取り除かれているのである。この点で、ハーバーマスの立場は、筆者がこれまで本研究で展開してきた立場に非常に類似している。

以上のような三つの源泉の結合にハーバーマスがさらに付け加えているのは、我々のコミュニケーション的相互行為に不可欠な妥当性要求についての理解である。行為主体たちがコミュニケーション的に相互行為を行うとき、その人たちは同時に次のような三つのことに関して要求を行う、と彼は論じる。すなわち、まず話し手としての行為主体自身の主観性（たとえば、その誠実性）、次に、語られることに関係する、あるいは語られることに含まれる特定の事態の客観性ないしは立証可能性、そして最後にそうした行為主体の社会的世界がもつ規範的な役割―規則（role-and-rule）の構造（たとえば、語ってきたことが何であれ、語ることが社会的および道徳的に正当だといえるのかどうか）、という三つの妥当性要求である。こうした要求の諸類型は各々、純粋にコミュニケーション的な相互行為がすべて潜在的には討議可能であるという重要な結論をもってすれば、間主観的に達成できる。我々は、偽りの要求や不誠実な要求に異議を唱えることができるし、また他者が行う想定や要求に対抗するために、間主観的に経験される世界における諸事実を指摘することができる。だが、我々が他者の要求に異議を唱えて討議するときでさえも、自分たちの相互行為がコミュニケーション的行為に基づいているかぎり、我々は依然として他者を話し手として認めている。実際、他者に同意しないときでも我々はまさに他者を真剣な対話者として認めている。ハーバーマスにとって、成功裏になされるコミュニケーション的行為とは、議論の力によってそうした不同意も解消され、最善の議論がなされて合意が達成されるものなのである。ハーバーマスはこのことを、「理想的発話状況」と呼んでいる。

すべての行為および相互行為が、コミュニケーション的行為であるというわけではない。コミュニケーション的行為に対して、相互行為の道具的様相と戦略的様相があるというのがハーバーマスの社会理論の中核である。戦略的行為と道具的行為の両者とも、コミュニケーションを含む場合があるが、それらは行為をうまく行うために行為者間での合意に依拠するわけではないし、その方向を指向するわけでもない。道具的行為は、単独の行為主体のためになされる手段—目的的な行為で、指向される「目的」実現の成功に基づいてのみ判断される。通常、ハーバーマスがこの行為で理解しているのは、物質的自然を変革し、食物やその他の物への我々の物質的欲求に応えるために求められる肉体労働のようなものである。それは「生産」であり、ハーバーマスはそれを労働の領域として認める傾向がある。反対に、戦略的行為は他者との相互行為である。それは、行為として効力をもつためには、合意よりも、所与の制度的—間主観的な規範ないしは資源（貨幣あるいは権力）に依拠する。たとえば教師が子供を部屋から締め出すためには、子供の合意を必要としない。教師の制度的な権威があれば、それで十分であろう。戦略的行為の場合、経済的ないしは政治的な干渉によって議論の過程が避けて通られる。

ハーバーマスの批判的評論と解釈によってなされたこうした主張のいくつかは、もっともホットなものとして論争の対象となった。いままでとくに四つの批判がなされてきた。第一は、コミュニケーション的行為と道具的行為の区別はやや恣意的であると論じられた。その理由は、この二つの行為の様相が具体的な状況においてはともに結びつく傾向にあるからだ（Giddens 1982; Joas 1988）。この論点は、労働のような社会生活の特定領域が道具的行為のような特定の行為様相に依拠するという主張を、とくに批判の対象にしている。第二に、冗談や遊びのような多くの形態が人間の相互行為にはあるが、そうした相互行為は、ハーバーマスが記述しているような妥当性要求を提起してはいないということが論じられた（Joas 1988; Thompson 1983）。第三に、「理想的発話状況」は、それが可能となる条件をハーバーマスは十分に特定していないので不十分な理論的観念であると論じられてきた（Thompson 1983）。最後に四番目として、言語によって合意に達する可能性は、現代社会において複数の言語ゲームが異質なものとして存在することと、言語的文脈のなかで誤った推論へ陥る可能性が明らかに存在することとの両者によって、土台が掘り崩されていると論じられてきた。すなわち科学という言語ゲームにおいてさえ、合意は、それがつねに異議が唱えられたり覆されたりする過程のなかのひとつの段階にすぎない、と論じられてきたのである（Lyotard 1984）。

こうした批判の二番目のものは、もっとも最近のものである。（冗談のような）いくつかの言語ゲームはハーバーマスが示した妥当性要求を含まないということは確かにその通りであって、ハーバーマスはこの点を認めないということで批判されてよい。だがこの批判は全体として、ハーバーマスの理論を打ち砕くような帰結には至らない。対話者たちが、要求が提起される場面を、しかも提起される要求の型を区別することができるならば、そして対話者たちが能力をもった言語使用者としてそれを行うことができるならば、問題はまったくない。同様の反駁が、四番目の異論の後半部にも通用する。合意は最終的でなければならないというハーバーマスの議論は、合意の崩壊や再強化がきちんとした過程となっているかぎりでは何ら主要な問題ではない。リオタールが認めるような科学研究の場合においても同様である。

第一の異論はもう少し複雑である。この異論が有効であるとしても、ハーバーマスの理論にとってはさほど重大な結果をもたない。上述の反駁の延長線に沿っていえば、コミュニケーション的であり、それゆえ返答を必要とする行為（ないしは行為の諸相）を話し手が認めることができるかぎり、ハーバーマスの理論化は問題のないものであると我々は論じることができる。そしてまた筆者は、能力をもった言語使用者はそうすることができるはずだということを示唆しておきたい。しかしながら我々が後にみるように、この異論は異なった文脈で再び生じてくるのであり、しかもその文脈においては、この異論を退けるのは、それほど容易ではない。

第三の批判は議論のあるところである。一方でハーバーマスは、批判に対抗してコミュニケーション的行為を戦略的行為から区別するかぎりで、理想的発話状況に対して条件を示唆していることになる。理想的発話状況は、参与者の妥当性要求の各々が出会い、議論の過程が経済的および政治的な干渉によって回避されることなく展開されうる状況である。他方で、そうした状況が重要な経済的および政治的決定がなされるレベルで作り出される仕方に関しては、かなりの疑問がある。これはたしかに問題ではあるが、しかしハーバーマスの問題ではない。それは、彼によって我々が認めることができるようになった問題であり、政治的実践によって解決されなければならない問題なのである。

第四の（リオタールによる）異論の前半部はおかしな提示で、あきらかにヴィトゲンシュタインによる言語ゲーム概念の誤解に基づくものである。言語ゲームという考えの美点は、複数のそうした言語ゲームが異質的で変化するものであるにもかかわらず、我々は依然として互いを理解でき、ある種の合意に至ることができるという点にある。これ以外のことを示すことは、言語ゲームという考えを、この考えが反対しようと努めた一層硬直した決定論的な言語の考え方に置き換えることである。

生活世界の合理化

生活世界におけるコミュニケーション的行為は、ハーバーマスがそう定義したように、三つの方向を指向している。それらは、相互理解、行為調整、社会化の三方向である。さらに、コミュニケーション的行為は相互に指向し合い、相互に折衝し合う。そうしたものとして、コミュニケーション的行為は文化的知識を伝達して新たなものにしたり、社会統合を達成して維持したり、人格的アイデンティティを形成して維持したりするのに役立つのであるとハーバーマスは論じる。こうした三つの機能のそれぞれは、生活世界の別個の構造、つまり文化、社会、人間を指し示す。この図式に従えば、文化とはある社会が所有し伝達する知識の集積である。社会とは、「参与者たちが社会集団内でその成員であるかないかを規制し、それによって社会的連帯を確実なものにする正統性の秩序」(Habermas 1987a : 138) である。それは、社会成員が遵守したり関連づけたりして、自分たちの行動を規制する規範的枠組みの構造である。人間つまり人格とは、「主体が話したり行為したりすることを可能にして、その主体を、理解達成の過程に加わらせ、それによって自分自身のアイデンティティを主張する位置に置く能力」(ibid.) である。そのとき実際に、生活世界は相互指向、相互折衝を行うコミュニケーション的行為によって (シンボル的に) 再生産されると言われており、そしてそれは三つの部分に分かれた構造のなかに存在すると同定される。ハーバーマスは、コミュニケーション的行為がシンボル的秩序としての生活世界を再生産する唯一の手段であるということを確信している。だが、シンボル的再生産の説明は物質的再生産の説明と統合されなければならないと彼は付け加える。シンボルを用いる対話者の、(談話やシンボルを形成する) 身体を含む生活世界の物質的土台は、維持され再生産される必要がある。さらに、この再生産を達成するのは、主として前述したような道具的労働なのである。この物質的/道具的な次元は、後に論じるように、生活世界/システムの区別にとって中心的である。

これまでの社会理論家たちは、ハーバーマスが指摘したこれら三つのシンボル的構造のひとつにのみ焦点を当てる傾向があったと彼はみる。シュッツの跡を継ぐ現象学者たちは社会的知識への狭い関心をもってきたし、デュルケム学派は社会統合への狭い関心を、ミードの跡を継ぐシンボリック相互作用論者は社会化への問いや役割と自己形成の問いという狭い関心をもってきた。それに対して、ハーバーマスの社会理論はこれら三つのすべての構造を扱うのである。

要するに、このことは三つの構造の相互依存性を例証することになる。この例証は、次のような問題ないしは病理を、すなわち一個人のレベルで引き起こされうるが、三つの各レベルにも影響を及ぼしうる問題ないしは病理を考察することである。社会化における障害は、人格レベルでは精神病理に、全体社会レベルでは動機づけの減少（および恒常的な社会的不統合）に、文化レベルでは伝統の断絶に至ることになろう。あるいは、社会統合レベルでの障害は、社会レベルでのアノミーや人格レベルでの疎外を生み出しながら、文化レベルでは集団アイデンティティを乱すような効果をもつ。こうした相互依存性は、かなり明白なことであるに違いない。実際、我々がこれまで論じてきたことからみれば、生活世界の構造の分離は、実践における実際の分離を伴わずに理論的抽象の所産としてのみ現れてきた。それぞれの構造は、コミュニケーション的行為の再生産のサイクルの一契機である。しかしながら、ハーバーマスが生活世界の合理化という題目で論じている実践における分離がある。

合理化という考えは、ハーバーマスが著名なさまざまな著者たちとの関係で論じている社会理論の永続的な主題である。これらの著者たちのすべてが、伝統社会と近代社会との間の区別を説明し、その一方から他方への推移によって生み出されるさまざまな関連事態や制約を概述するために、合理化という考え方の使用を試みてきている。この文脈で、「合理化」は（生活世界の）進化過程の多様性の指標となっている。たとえば、啓蒙期における宗教から科学への転換や、美的判断と倫理的判断の相互分離、および世界についての知識欲求からのそれらの分離（つまり価値からの事実の分離）といったことから、絶対王政から議会制民主主義体制への転換に至るような過程である。『コミュニケーション的行為の理論』（Habermas 1987a, 1991a）におけるハーバーマスの狙いは、合理化への伝統的アプローチが（原子論的な）意識哲学に基づいているがゆえに失敗してきた事実および理由を示し、コミュニケーション的で間主観的な様相における合理化理論を再構成しようとすることにあった。この再構成は、数多くの鍵となる要請を含んでいる。

第一にハーバーマスは、生活世界の構造的な分化がこれまでなされてきており、そこでは文化、社会、人格が互いに相対的な分化と自律性を展開してきたということを主張する。ひとつのレベルにおいてみれば、社会の制度的な構造は、機能的な制度的単位の分化、形式的な官僚制の興隆、そして特定の知識形態の出現（たとえば、教育や健康に関する分化した専門化や制度化）によって、共通の文化領域に属する観念、知識、世界観からは徐々に切り離されようになる。公式組織や専門職は、非人格的な規則／役割や手続きによって機能し、それらは職員を配置する人びとの信念や主導権、またより広い文化的領域のもつ信念や主導権から相対的に切り離されて無関係なものになる、とハーバーマスは主張する。同様に、人格的関係やアイデンティティの発達の範囲はより偶然的となり、帰属する文化的パターンや社会制度に具現化されることは少なくなる。そして「伝統の革新が、批判的な姿勢の諸個人やその人たちの革新能力にますます依存する」（Habermas 1987a : 146）といったように、文化と人格の間の関係はつながりが弱くなって変化していく。いいかえれば、諸個人は自分たちの文化によって考えることができるのと同様に、自分たちの文化について考えることができる。ハーバーマスにとって、このことに内在する中心的で重要な論点は、社会秩序と相互行為が、生活世界の伝統に盲目的に固執することによって規定されることが少なくなり、開かれたコミュニケーション的な合意によって規定されることが多くなるということである。諸構造への分化とは、コミュニケーションを行う行為主体の間での議論と合意の可能性を与えるような距離化のことである。そのそれぞれの構造は、そこから他の構造を見たり、論じたり、考慮したりすることができる観点を与えるのである。

第二にハーバーマスは、三つの構造のそれぞれにおける形式と内容の分化を認定する。たとえば文化レベルでは、信念の実質的な内容が「コミュニケーションの前提、議論の手続き、抽象的な基本価値」といった形式的なコミュニケーションの装置から切り離される。このことは、信念について議論する我々の能力において証拠立てられる。すなわち、我々は異なった信念をもつが、しかしその諸々の信念について論じる仕方については（生活形式において）我々は合意し、かくして我々は有意味に信念をもつことができるのである。全体社会レベルでは、分化はより抽象的な法的および道徳的な法典の作成のなかに現れているのであって、具体的な生活形式の文脈上での諸特性に結びつけられているわけではない。とくに、法が道徳性から分離されてきたことをハーバーマスは論じている。法は、それ固有の強制のメカニズムを伴う官僚制化され成文化されたシステム（たとえば、警察や司法の制度）となり、他方、道徳性は、人格の領域のなかに私事化され再配置される。ハーバーマスはこのことに加えて、道徳性それ自体は、この過程でより形式化されより抽象的になってきており、そしてこのことによって道徳原理に関する議論や論争が行える可能性がより大きくなってきた、と述べる。最後に人格レベルでは、社会化によって獲得された認知構造は、特定の文化的な知識や場所と結びつくことが少なくなる。行為主体は、文脈上の諸特性からかなり自由な仕方で論理的に思考することができる。行為主体は、世界についてさまざまなパースペクティヴをとり、それらを比較することができる。これらの過程は、ハーバーマスが現代のコミュニケーション的行為のなかに認める三つの妥当性要求の設定と分離にとって不可欠なものである。我々は、これらの要求のそれぞれについて議論を戦わせることができる。というのも、それらは合理化の過程によって分離され、分化されてきているからである。

最後にハーバーマスは、社会的再生産の機能的な専門化に言及する。文化的な構造においては、この専門化は別々に組織化された領域としての芸術、法、科学の制度化を含んでいる。全体社会的な構造においては、巨大な形式化された官僚制や組織の出現とその制度化、政治選択の民主主義的メカニズムとその民主主義を機能させるのに適切な文化的形式との出現と制度化が含まれる。人格的な構造においては、それは子供の適切な養育のための専門の教育的な制度や実践の出現を含んでいる。ハーバーマスにとって、これらの変化の各々に関して重要なことは、社会が再生産の機能を専門化してきたというだけでなく、その各々の場合に、再生産のメカニズムが目に見えるようにされ、かくして議論に開かれたものにされているということである。たとえば、我々は子供をただ単に育てるのではなく、育てる義務をもった制度を有しており、我々はそうした制度の適正な目標や機能をあれこれ論じるのである。さらに専門の制度は、専門の社会的機能に対して責任をもつことが重要である。このことは、とくに家族という単位がもっとも社会的で人格的なニーズを満たす行為主体であった伝統的社会における状況とは、鋭く対立する機能的な専門化を伴っている。

こうした点のそれぞれにおいて、合理化過程によって切り拓かれる討論とオープンな議論の可能性（そしてそれゆえ民主主義の可能性）が強調される。合理化は、我々を伝統の絆から解放し、我々の生活様式に関する対話的交渉の可能性を発展させるものとして捉えられている。繰り返せば、合理化は、（現代の）コミュニケーション的行為のもつ三つの妥当性要求を検討するための言説を開拓してきたのである。この点はハーバーマスによって、西洋のコミュニケーション的理性と、いわゆる「未開」社会の理性との比較を通して、はっきりと例証されている。そのような未開社会では、コミュニケーション的行為の三つの妥当性要求（話し手の主観性、環境的情況の真理性、社会的世界の役割／規範の構造）は分化されておらず、結果として妥当性要求は、現代と同様の仕方で議論を戦わせたり討論したりすることができない、とハーバーマスは論じる。事実、そのような社会は解釈と解釈された世界とを区別することすら行わないと彼は論じる。このことは、現代の生活世界がその成員に対して完全に透明であるとか、透明であることができるということではない。それはありえない。ハーバーマスにとって、意味とか決定は、つねに前判断、前理解という説明できない背景構造に依拠するからである。にもかかわらず合理化は、はるかに大規模な再帰性と生活様式に関する民主主義的論争の可能性を同時に伴っているのである。

たしかに、合理化だけが民主主義の可能性を創造する。しかし、それが実現される保証はない。合理化はひとつの文脈のうちで展開されるものであって、それがまったく反対の方向に向けられることもありうるし、ハーバーマスによれば、いままではそうした方向に向けられてきていたのである。すなわち合理化は、（自然と人びとに対する）合理的な支配として、つまり管理と官僚制の「鉄の檻」として展開されうるし、実際にそのように展開されてきたのである。合理化に関するこのようなよりペシミスティックな見方は、社会理論において決して新しいものではない。ハーバーマス自身はこの見方が、ヴェーバーやフランスのポスト構造主義者たち、およびハーバーマス自身が属するドイツ批判理論の伝統のなかにいる初期の著者たちと同一だと認めている。だが、ハーバーマスがこれらの先行する著者たちと異なるところは、支配へのこの可能性が合理性それ自体に内在するものではなく、合理化の諸情況の結果なのであるとみなす彼の主張にある。合理化は、それが特定の経済的、政治的なシステムの文脈で実現されるときにのみ、合理的支配となるのである。さらに、そのようなものとして合理化は両刃の剣である。それは支配の可能性もつが、同時にコミュニケーションによる批判と変革の可能性ももつのである。この点をさらに追究するために我々は、生活世界と社会システムとの関係と、後者の社会システムに関してハーバーマスが与えた定義とを考察しなければならない。

生活世界とシステム

ハーバーマスは、生活世界とシステムとの分化や相互関係を二つの異なるレベルで、すなわち方法論的レベルと社会進化的レベルで考察する。方法論的レベルでは、生活世界の過程とメカニズムに対する彼の区分の基準は、それらの基準が行為者の知識や目標や指向から、そしてより重要なことだが、行為者間でのコミュニケーションによる交渉から推し測ることができるということである。生活世界はひとつの社会次元であって、社会組織、社会統合、社会的再生産に対するそのメカニズムは、コミュニケーション的な相互行為からなり、また互いに対して向けられたり、共有された慣習に対して向けられる行為者たちの相互指向からなる。生活世界は、コミュニケーションによってうち立てられる秩序である。反対に、システムレベルは、行為者の直接的覚識のレベルを超えて機能し、行為の諸々の意図せざる結果を統合したり調整したりしながら、諸行為を媒介し調整する非人格的な相互連関の構造からなる。それは、行為を遂行する者の個人的な目標を超越するコミュニケーション的行為と道具的行為との両方の目的に関わり、またそうした目的を結合するメカニズムに関わるものである。それは主として、ある制度や官僚制や公式組織における行為状況を通して構造化され、かつそうした状況によってその大部分が（起こりうる帰結において）形づくられて、定型化され安定化される行為パターンとなるような諸行為に関係するのである。さらにそれは主として、ハーバーマスがこのレベルに認める生活世界の（シンボル的なものと正反対に位置するものとしての）物質的な再生産と関わる事柄である。シンボル的再生産は、コミュニケーション的行為のレベルで効果的に制御されるが、このシステムレベルは物質的再生産の（そして主として経済の）メカニズムであるので、効果的には制御されないと彼は主張する。物質的な再生産と維持の諸々のメカニズムは、「探究可能な次元」ではない。それらのメカニズムは、個人の相互行為や意思のレベルでは予見もされえないし、制御もされえないのである。

生活世界とシステムの両者の分析は「内部者の知識」の理解に依拠している、とハーバーマスはみる。前者の生活世界はこの領域に留まる。だが他方、後者のシステムには、まず第一に外部者のパースペクティヴをとることが含まれる。すなわち、生活世界のパースペクティヴはある共同体の成員たちの実際的知識に終始するが、システムのパースペクティヴは、そうした実際的知識においては押し測れないメカニズムへの論及を含んでいるのである（システムのパースペクティヴは、ひとつのシステムで一般に受け入れられている区別をもうひとつ別のシステムに持ち込むことではなく、解釈学的には健全であるに違いない）。システム分析には生活世界の客観化が含まれ、そしてその客観化によって生活世界もひとつのシステムとして分析可能になる。このことは、ハーバーマスがそう言っているとヨアス（Joas 1988）が理解したような、次のことを述べているわけではない。すなわち、システム理論家は自らを自分の生活世界的状況から文字通り切断するという要求を行うことではない。ヨアスが記しているように、ハーバーマスの考えの解釈学的基盤を考慮に入れるならば、この点はまったく受け入れられない方法であろう。そうではなく、このことが示唆しているのは、理論家は自分の社会的状況に対してひとつの異なった、より客観化的な態度をとるということなのである。

我々はコミュニケーション的行為という生活世界のパースペクティヴを超越するので、全体社会の統合に関する新たな方法と手段の認定が促されるとハーバーマスは論じる。コミュニケーション的行為の組織特性によって達成される「社会統合」（とハーバーマスは今日では呼んでいるが）は、「システム統合」によって補完される。そのシステム統合のメカニズムとは、生活世界、経済、政治を調整するものであり、またそのメカニズムの制御のもとに完全には入らない環境（「超複合的な」環境）のなかでの存続を可能にするメカニズムである。このことが達成されるのは、（すぐ後でみるように）システムの安定化と組織化に対して「フィードバック・ループ」を与えるよう機能する社会関係の「媒介化《メディア》」によるのである。

ハーバーマスの進化論的な議論は、この方法論的な議論を有効に基礎づけ、その実質的内容を満たし、システムのパースペクティヴと生活世界のパースペクティヴとの間の移動が正当であることを示している。その議論が意味することは、部族社会から伝統社会への推移において展開された連続性に従う形での、伝統社会から近代社会への推移が、生活世界の構造の合理化と分化を伴いながら生活世界とシステムとの分化を含んでいるということである。すなわち、

……ほとんど分化していない［部族社会の］社会システムと同様な広がりを最初はもっている生活世界が、いろいろあるなかでひとつの下位システムに段々と分割されていく。その過程において、社会統合を生じさせる社会構造からシステムのメカニズムはさらに一段と離脱するのである。（Habermas 1987a : 154）

さらにハーバーマスにとって明らかなことは、政治的な構造やメカニズムと並んで、とくに経済的な構造やメカニズムがこのような形で分化してきたことである。経済と政治の意義は、それらの両者にはコミュニケーション

による交渉を無視することができる相互行為の「媒介化《メディア》」が含まれる。経済は貨幣によって相互行為を組織化し、管理行政は権力によって相互行為を組織化する。経済的交換や政治的交換も何らかの対話を含むけれども、貨幣と権力は言語的な合意や交渉に対する要求を無視する。貨幣と権力は、コミュニケーション的な妥当性要求に応じる義務から相互行為を解き放ちながら、諸状況を道具化し合理化する。それらは、道具的で戦略的な行為を認容し、それを包含するのである。

ハーバーマスが示そうとしている本質的な点は、社会はそれが発展するにつれて、相互行為の直接的な調整によって達成されうるものからなる堆積物を押し破っていくということである。この文脈で、自己規制的なメカニズムが現れ、その内部で「規範適合的態度やアイデンティティ形成的な社会成員であること」(Habermas 1987a : 154) から自由な道具的行動が促進され、その行動が期待されるようになるのである。行動や相互行為の諸パターンが、官僚制や公式組織の文脈のなかで安定化され規制される。それらのパターンは、いま関わっている私的な態度にとっても、また特定の世界観にとってでさえも無関係であるように合理化されて、形式化された秩序や役割や日常定型的なことのもとに包摂される。そうした合理化された組織の関係や規制は、コミュニケーション的行為によってというよりも、貨幣の流れおよび/あるいは権力によって媒介される。

これら貨幣と権力の構造は、生活世界に依拠しなければならない。それらは、持続的に存続するためには、貨幣体系や民主的過程といった経済制度や政治制度の間主観的な維持と認知に依存する。しかしそれにもかかわらず、それらが生活世界の規範的な拘束から自由で、そうしたものとして社会構成のシステムレベルの基本枠組みを構成するかぎり、それらと生活世界との「連結解除」がなされるのである。

もし我々が、システムと生活世界とのこの連結解除を適切な社会進化的文脈において考察するならば、それをより明確に理解するであろう。そしてこの点において我々は、生活世界の合理化に関するハーバーマスの理解に立ち戻ることができる。

部族社会においては、生活世界とシステムは分離せずに結びついているとハーバーマスはみる。多くの社会学や人類学が示唆してきたように、部族社会もより複雑で分化しているが、にもかかわらずそうした社会は、共有された神話と規範的枠組みによって強く結びつけられており、あらゆる状況を構造化する宗教システムと親族システムのなかで固定化されている。共有された信念によるこのような結びつきは通常、デュルケムの言葉でいえば「機械的連帯」として言及される。さらにデュルケムと同様、ハーバーマスを含む多くの社会理論家たちは、機械的連帯が比較的小規模の社会においてのみ維持されており、そこでは高いレベルで中心的信念との一致が維持される可能性が高く、そこでの行為主体のコミュニケーションによる主導権は、諸活動を調整するのに十分であると主張している。

ハーバーマスの場合、部族社会における（経済的な）交換と権力は、経済的価値と非経済的価値との区別や、権威と家族的権威との区別を行うことがほとんどできないような地点まで生活世界の規範や慣習に織り込まれている、ということがとくに重要である。あらゆる「経済的」な行為は、宗教的ないしは親族関係的な意義をもち、そしてより重要なことだが、そうした行為は、宗教的で親族関係的なシステムの規範的枠組みによって規制されている。このことが示唆しているのは、交換と権力が生活世界から依然として非分離のままであること、「システム状のメカニズムは、社会統合にとって有効な制度からまだ分離するようにはなっていない」（Habermas 1987a : 13）ということである。

部族社会における生活世界とシステムの統合から離れる第一歩は、部族社会の階層秩序化から生じ、新たな政治構造つまり国家の形成に至る。この状態の社会は「政治優位」であり、そのことはとくに、伝統が行為の正統性の基礎としてはある程度土台を失い、政治的権威に取って代わられるということを意味する。そこには、相互合意をめぐり、また相互合意を越えて、法や国家権力に基づく新たな行為の規制がある。さらに、社会的成層が家族役割のシステムから分離され、政治的装置のうえに再配置される。いまや社会的位置が、親族システムにおける位置によるよりも、むしろ政治的装置との関係によって規定される。この段階で初めて、社会は公式の成員性、つまり市民性《シティズンシップ》を伴う組織となる。社会の全成員はいまや、国家との関係によって公民となる。このことが意義あるのは、市民性《シティズンシップ》は家族の成員性よりも一層柔軟な地位であるからだ。市民性《シティズンシップ》は譲渡や専有が可能で、しかも協定可能なものとなる。

　こうした社会において、経済は国家に包摂される。政治権力が社会を導き、経済的機能を管理する。だが、次の段階は（少なくとも資本主義的社会の場合）貨幣と市場の誕生である。このことはとりわけ、国家による社会組織の集中化がさらに細かくなり、配置転換もなされるということを意味する。社会はいまや、貨幣交換と市場メカニズムによって組織化される。官僚制化、つまり巨大な公式組織の興隆もまた重要である。なぜなら、それが経済社会にとって必要な行為指向を制度化させるからである。さらにまた社会的地位は、政治装置（国家）との関係で結びつくことが少なくなり、貨幣やその他の資産と結びつくことが多くなる。伝統とその規範的枠組みは、もはや社会を動かすことはない。国家権力も同じである。むしろ、比較的強制力のない金融上の交換過程が、社会変動のエンジンとなる。この過程が、経済階級に応じて生活世界を分割する。異なった経験や生活状態をもつ異なった諸階級が、世界の意味了解の異なったやり方を形成する。それは、ピエール・ブルデュー（Bourdieu 1984）の階級的ハビトゥスの議論によって見事な形で示された点である。

　この場合は、経済システムが自己充足的で固く閉じられた単位を形成するのではないということが重要なことである。経済が「舵取り機構」として機能することができるには、つまりそれが他の下位システムとの関係で機能したり、そうした下位システムを駆動し組織化したりすることができるには、下位システムもまた貨幣を含まなければならない。経済だけが、間接的にではあるとしても、貨幣システムによって織り込まれる生活の諸相に影響を与えるであろう。

　そのような構造的で進化論的な変動が、生活世界における諸々の変化（たとえば、その合理化）を促すことによって予示されるにちがいないとハーバーマスはみる。新たなメカニズムが、このメカニズムを規制し促進させる制度化と官僚制化の過程によって、生活世界のなかに巣を作る。一方での貨幣と市場メカニズムの制度化、他方での財政上や管理上の官僚制の制度化が、ここでは非常に重要である。法や道徳における先に述べたような変化もまた、こうした変化を支持し、（道徳的に）拘束のない市場や主権を有する（消費する）個人の出現を促すという両方の点で重要である（Abercrombie et al. 1986, も参照されたい）。多様化する個人の嗜好と選択が集合体の道徳的非難に取って代わり、かくして市場は開放されるのである。

以上の点の重要な含意は、社会のシステム状の相が生活世界の合理化から作り出されるということである。手短に筆者は、ハーバーマスの場合、この過程がどのようにして方向を変えて作動し、システムの要請と過程がどのようにして生活世界に影響を及ぼすのかという点を考察するつもりである。だがこのことを考察する前に、ハーバーマスが近代西洋社会に認めるシステムに関して、より詳細に考察しておくことが有益だろう。

システム（1）——マルクスの資本主義

ハーバーマスは、現代のシステムを福祉資本主義と理解する。それは、ハーバーマスがマルクスから引き出したモデルである。したがって、マルクスから始めよう。

マルクスの場合、資本主義とは「生産様式」であって、それは（物質的な）生産諸手段ないし生産諸力と、そうした生産諸手段に対する（社会的）諸関係との両者からなる。マルクスが自分の理論を定式化したときの初期資本主義において、支配的な生産諸手段は工業技術（工場、すなわち自然資源の原初的な取得システム）であり、そして社会は二つの集団に原理上分けられていた。つまりその二つの集団は、自らの（客観的な）アイデンティティが自らと生産諸手段との関係で規定されていた二つの集団である。要するに、生産諸手段を所有し管理する

（たとえば工場や鉱山を所有する）少数の資本家階級つまりブルジョワ階級と、（生産過程の観点からは）何も所有しないが、（それ自身が生産諸力の一部を構成する）自分自身の労働力は所有する大多数の労働者集団つまりプロレタリア階級が存在した。ブルジョワジーとプロレタリアートの関係は、生産諸力を通して媒介される。ブルジョワジーは、自分たちの工場で働いて物質財を生産するプロレタリアートの労働力を必要とする。他方、プロレタリアートは生きていくために賃金を得るべく、自らの労働力を資本家に売らなければならない。その賃金でプロレタリアートは自らの物質的再生産にとって必要なもの（食料や衣服）を、ブルジョワジーないしは商店主である「プチブル」から購入し、プチブルである商店主もまた、ブルジョワジーからそうしたものを購入しなければならない。

このように記してみると、資本主義はかなり機能的にみえる。だがマルクスは、資本主義を搾取の体制と定義し、それに関して政治批判を行う。さらに彼は、資本主義はときに自らを没落に至らしめるような危機的傾向を示す、と論じている。

搾取の命題は、「剰余価値」に関するマルクスの理解に、そして最終的には価値に関する彼の理解に基づいている。マルクスにとって、価値は二つの要素をもつ。諸事物は、我々がそれらを何らかの目的のために使用することができるかぎりで価値をもち（「使用価値」）、また我々がそれらを交換することができるかぎりで価値をもつ（「交換価値」）。この説明において、交換価値をもつものはすべて使用価値をもつ。役立たないものを誰も購入したいとは思わないからだ。しかし、使用価値をもつものすべてが必ずしも交換価値をもつとは限らない。さらに使用価値と対照的に、交換価値は特定の社会的諸条件に依存する。交換価値は、人それぞれが異なったものを所有し、交換のための必要性と目的をもつような社会的分業を必要とする。そして交換価値は、対象の相対的価値が規定されて、交換が促されうる等価システムを必要とする。貨幣はそうした等価システムの顕著な例だが、唯一のものだというのではなく、他と比較してみた場合に著しく合理化された形態であるに過ぎない。こうした諸条件に合う社会では、生産者は、自分自身が直接には生産しないものを購入することができるようにするために、とくに交換のために生産しなければならない。交換という目的のために生産されるこうした諸事物ないし諸対象は、「商品」と名づけられる。資本主義社会は、商品の生産と交換のシステムの主要な例である。

マルクスにとって諸対象の価値は、人間の能動的な操作、すなわち労働によって決定される。労働こそが、環境の諸部分を使用できるようにその環境を専有し変形する（たとえば動物を「食物」に変え、木を「武器」や「道具」にする）。さらに労働こそ、諸対象の交換価値がその諸対象を生産するのに必要な労働時間の総計に比例するかぎりで、交換価値を構成するのである。より多くの労働を必要とするものは、より多くの交換価値をもつ。ただし、労働の価値は個人の労働時間によって決定されるのではないということは付け加えておくべきだろう。個人の労働時間によって決定されるということになれば、作業の遅い労働者の生産物がより価値があるということになってしまう。労働の価値は、ある社会が必要とする平均的な時間／労力（「社会的必要労働」）によって決定される。さらにまたそれは、この等式のなかで示されているような、まさに直接的な生産時間でもない。技術のレベル、およびより特定化して述べれば、そうした技術レベルを獲得するのに必要な訓練時間もまた、交換価値のなかに含まれるのである。

先に記したように、資本主義において、プロレタリアートは賃金と引き替えにブルジョワジーに自分の労働力を売るのである。労働力は、資本主義システムにおいては一個の商品である。それは労働市場で交換される。マルクスによれば、ここが搾取の立ち現れる場である。というのは、プロレタリアートが受け取る賃金は彼らが産み出した価値よりかなり少ない価値であり、その差異つまり「剰余価値」はブルジョワジーによって確保され蓄積されるからであるとマルクスは論じる。たとえばマルクスの分析した初期資本主義においては、労働者たちは自分たち自身と自分たちの家族を再生産し、そうして労働力を維持するのに必要な賃金（実質的賃金）しか受け取らないが、他方、労働者の労働によって産み出された価値は、賃金をかなり上回るものであった。

こうした搾取は、資本主義のまさに心臓部において利害の対立を構成する。プロレタリアートにとって利益のあること（たとえば賃金の増大）は、ブルジョワジーにとっては好ましくない傾向がある（なぜなら、それでは自分たちの利益マージンが差し引かれてしまうからである）。そして我々が示してきたように、搾取されるのがプロレタリアートであるかぎり、資本主義で利益を得るのはブルジョワジーなのである。マルクスによれば、この対立がシステムを不安定にし、（革命的）変化の潜在的担い手としてのプロレタリアートを構成する。自分たちの賃金が生活にとって基本のものしか与えない不十分なものであるとき、プロレタリアートは、システムの変革を企てることによって獲得すべきすべてを持ち、「鉄鎖」以外に失うものは何もない。だが、こうした利害の対立は、資本主義社会の唯一の構造的問題というわけではない。マルクスは、さらに二つの構造的問題を同定する。すなわち、利潤率の逓減への傾向と、生産過剰の危機への傾向とである。

この二つの傾向を理解するためには、ブルジョワジーは一定の関心を共通にもつと言われているとしても、にもかかわらずブルジョワジーは競争状態にあるということが理解されなければならない。資本主義は、市場における財の販売競争に基づけられる。この競争こそがシステムを活かしつづけ、資本主義の歴史に伴う巨大な技術的変革のいくつかを動機づけてきたのである。だがマルクスにとって、システムをその内部から破壊するのもまた、この競争なのである。

資本家的な競争は、剰余価値を最大限に引き出すために、利潤の形で剰余価値を実現しようとする企てに基づいている。資本家は、どんな商品が市場において価値があるか（しかもより一層の価値があるか）を発見しようとする。もしある一企業が社会的必要労働と等価な率で生産しているとすれば、通常はこれが実現されるであろう。だが、商品は競争状態で生産されて、競争状態の価格で売ることもできる。しかしながら資本家にとって、この競争の調和は、技術革新によって社会的必要労働率内で達成される変革につねに脅かされている。資本家は新たな技術の生産競争を行う（まず工業技術、つぎにオートメーション化された技術、そして今日では情報技術）。こうした新たな技術は労働力を高め、生産に要する時間と労力を削減し、そうすることによって生産物をもっと安価なものにし、価格を切り下げ、市場を独占しようとする。こうしたことが、かつては生産するのに高価であったものが、いまやもっぱら安価でありふれたものになっている理由である。だが、そのような技術革新は非常に高価なもので、しかもそれは価値の産出にほとんど寄与しない（なぜなら労働が価値を生むからである）。さらに、個々の資本家各々が競争に遅れずについていこうとするならば、技術革新は恒常的であることが求められる。その結果として、利潤が低下する傾向が存在することになる。

マルクスはこの傾向を、次のような等式で表現する。利潤＝S／C＋V：ここでSは剰余価値、Cは技術や原材料の費用（「不変資本」）、そしてVは労働力の費用（「可変資本」）である。この等式を用いれば、上記の傾向をはっきりと例証することができる。すなわち、C＝3、V＝5、S＝10とすれば、利潤率は10／3＋5＝1.25となる。そして、他の価値が変わらずに、不変資本（C）が5に増大すれば、10／5＋5＝1.00となる。ここに、1.25から1.00への下落が見て取れる。

この傾向は、剰余価値が増大すれば避けることができる。そのことはつまり、労働にかかるコストを削減することを意味する。だが、賃金は削減できる範囲に限度があり、技術の拡大には必ずしも限度というものがない。さらに資本主義には、プロレタリアートに単なる生産以上のものを要求するという意味で、さらなる矛盾がある。資本主義は、プロレタリアートに消費者であることを求め、かくしてプロレタリアートが消費者として十分な購買力をもつことを求める。

この傾向の帰結のひとつは、資本の集中と独占への傾向である。損失に耐えて勝ち抜く会社もあれば、損失に耐えられずに敗北する会社もある。そして、勝ち抜いた会社は、敗者の会社を安い価格で買い取り、それによって新たに生じる小さな会社との競争をしないで済むような立場に自分の会社を置くことで、ますます大きくなっていく。ここにパラドクスがある。それは、資本主義が資本主義自らを構成する市場競争状況を実際には破壊していくというパラドクスである。資本主義は、成長して自らを脱するようになる。かなりのマルクス主義者は、この成長が、社会問題はいうまでもなく、重要な経済問題となって現れると論じている（Harman 1989）。

資本主義の危機には、さらに別の可能性もある。それは、徐々に小さい会社を一掃し、大きな会社に統合することによって、ここでもまた競争が排除されるというものである。数多くの要因の結びつきから、こうした危機が周期的に生じてくる。第一に、剰余価値の実現が販売に依存し、それゆえ需要と供給の結びつきに依拠するという要因。第二に、資本主義は生き残るためにつねにより多くの需要を探し求め、そうして自らの市場を拡大するという要因。第三に、供給者の役割として競争の義務があるという要因。最後に、市場における需要と供給の結びつきが、計画された過程であるよりも無政府的なものであるという要因。これらの諸要因の帰結、とくに最後の点は、供給が周期的に需要を上回ることであり、そこで生産過剰が生じるということである。その場合、資本家は自分の商品を売ることができず、それゆえ剰余価値を実現できない。したがって、資本家はお金を失い、「事業に失敗する」場合もある。この過程では、生産過剰の危機の結果（あるいは現実の利潤率の低下の結果）、労働者を一時解雇し、そのことが商品への需要を減少させ、それによってさらに生産過剰危機が引き起こされるか、少なくともさらに多数の会社において労働需要の減少が引き起こされ、さらにそこで一時解雇が行われるなどといった意味で、景気後退の螺旋的な進行がエスカレートする場合がある。

要するに、マルクスにとって、資本主義はそれ自らの崩壊の種をうちに含んでいる。資本主義は利害が構造的に対立する諸階級からなり、それは利潤率の低下傾向と生産過剰危機の傾向をもちやすい。ここでさらに、次のことを付け加えることが重要である。ブルジョワジーが危機のコストを埋め合わせる希望をもちうる唯一の方法は、プロレタリアートの賃金をさらに抑制するということであるが、それは、階級間の構造的な対立が階級意識や階級闘争の形で生活世界においても生じる可能性をあおるだけの過程である。マルクスの場合、その帰結が革命であった。プロレタリアートは立ち上がり、資本主義を転覆する。

ハーバーマスからみれば、二〇世紀の初期に起きた労働運動や労働組合運動は、そうした対立の現実化が始まった明らかな証拠である。だが、現代の他の著者たちと同様に、ハーバーマスは、資本主義の進化や危機に関して別の語りをする。

システム（2）――ハーバーマスの福祉資本主義

ハーバーマスは、批判的な面も含めてマルクスの立場に多くを負っている。基本的にハーバーマスは、資本家の経済諸力のもともとの形状が、マルクスが論じたやり方で危機の傾向にあったことを受け入れる。しかし、こうした傾向が優勢であることを依然として示しうると論じているマルクス主義者（Harman 1989; Mandel 1970, 1980）には反対して、ハーバーマスは、資本主義社会の構造が、こうした危機傾向を含んでいることに対して調整機能をもったり、危機の可能性をむしろ他の方面に転じたりして調整してきていることを論じる。とくに彼は、民主主義的で調停者的な国家の登場に関心をもち、その国家が経済の円滑な運営や福祉に対して効果的に責任を負い、そうするなかで国家が、それに属する生活世界の市民に対して部分的に責任を取るようになってきているとみる。ハーバーマスによれば、こうした国家の登場は、先に述べてきた階級に基礎をおく運動によって部分的には説明される（Hall 1984 も参照）。それは階級の歩み寄りの結果であり、またある程度それはマルクスが描いた像に一致する。だが調停者的国家は、マルクスが予測しなかったり説明しなかった仕方で資本主義を改革する。

この点の基底には、マルクス主義からの明確な理論上の離脱が潜んでいる。ハーバーマスは、我々はもはや経済的交換の論理を（マルクスが想定し、後続のマルクス主義者が論じたような）社会発展の自律的、排他的、原初的な動力であると捉えることはできない、と論じる。ハーバーマスは、いかに経済発展の過程が政治諸過程によって影響を受けているかを示す。さらに同様に、経済や政治の諸過程がそれらの存続にとって不可欠な社会文化的な生活世界の（シンボル的再生産の）諸過程と関わっていることも、彼には明らかなことである。こうした構成要素のそれぞれ（経済、政治、生活世界）や、それらの各々の接点を考慮に入れながら、ハーバーマスは社会システムや危機に関する（原子論的な）マルクス主義者のモデルに対して、四層的なモデルをもって反対する。この後者のモデルのなかには、経済システムや危機に関するネオ・マルクス主義者的なモデル（それはマルクスのモデルを資本主義の性格の変化に対応して修正している）も含まれる。つまり合理性、正統性、動機づけのシステム、危機に関する説明が、そのネオ・マルクス主義者のモデルに付け加えられて、自らのモデルの内部に統合されている。

合理性のシステムは、経済運営に関する（管理運営者としての）国家の役割や手段に対応している。現代国家は、利潤率低下傾向という重荷を科学技術の発展に付託することによって（たとえば、大学における研究への資金提供によって）軽減してきているようだ、とハーバーマスはみる。さらに生産過剰傾向もまた、注意深い消費者分析や、余剰物の有効な活用で消費の割合の低下をかなりの程度減少させるような（国家の）福祉サービスの供給によって埋め合わされてきた。このことに加えて、国家は一定の計画立案と管理運営の能力をもった効果的な経済主体となってきた。国家は一定の公益事業を専有、独占して、安定した公的セクターを作り上げている。そして国家は、課税、国民保険、銀行業務や公定歩合の管理を発展させてきた。これらはすべて、経済の舵取りや運営のための手段である。

だが、経済運営と経済的下位システムによるシステム要請は、管理運営者による関与と要請だけではない。国家は、福祉供給のシステムを通して階級闘争や革命の可能性をなくし、それによって市民の幸福や健康に対して責任を負う民主制国家として、市民の目からみた正統性を維持しなければならない。民主的政府は、「入手可能な正統性」のなかに「避けがたい限界」を見いだす。これが問題なのは、いかなる種類のものであれ国家の供給にはコストがかかるからであり、民主制によって得られるものは、経済からみれば損失であるに違いないし、逆もまた言えるからである。かくして、資本主義の階級対立はなくならない。階級対立は、国家運営の経済的な要請と民主的で福祉的な要請との間で、管理運営システムの内部対立として記録される。そのうえ、この両者の要請は、管理運営の機能にとって中心的である。正統性がなくなれば管理運営が確実に崩壊するのとちょうど同じように、経済が崩壊すれば管理運営も崩壊する。

管理運営者が経済の危急にうまく対処できない場合、ハーバーマスはそれを「合理性の危機」と呼ぶ。もし人びとに対する説明責任に十分に応じられない場合は、「正統性の危機」と彼は呼ぶ。正統性の危機が合理性の危機と異なるのは、正統性の危機がシステムの危機であると同時に、生活世界の危機でもあるという点にある。正統性の危機は、システム統合と社会統合の両者を脅かす。システム統合の場合、有効な正統性を求めて管理運営者が要求する大衆の忠誠がなくなるからである。反対に、システム統合の危機が社会統合を脅かすというのは、それが人びとの不安を伴うからである。

ドイツの社会学者、クラウス・オッフェの研究に依拠して、ハーバーマスは合理性の危機の起こりうる原因を、次のような人びとの活動分野の出現にあるとみている。すなわち、その行為が標準的な短期的制御によっては直接的にコントロールされない人びとの出現である。例を挙げれば、その仕事が直接には市場の動きとは関係がない専門家たち、失業者、高齢者、そして市場状況や財政に関する政治の変動に直ちに反応するというよりも、自分自身の計画に応じて動く傾向のある巨大な独占企業の出現である。経済をコントロールすることは行為をコントロールすることであり、経済的行為をコントロールする唯一の「正統的な」方法は経済的な介入による、とハーバーマスは論じる。だが、経済市場の盛衰には直接に関わらない諸集団は、そのようにはコントロールされえない。それらの諸集団は、コントロールを越えたところに経済の諸要素をおく。そしてこのことが、合理性の危機の可能性を高めている。

この点のもう一方の側面は、筆者が記してきたように、正統性の危機の可能性である。合理性の危機を避けるさいに、国家はそれ自身の正統性を脅かすかもしれない。この点もまた避けられなければならない。だが、正統性をうまく管理することはまっすぐな過程ではない。なぜならそれは、経済システムと管理運営システムの両者によって求められている生活世界に根づく「動機づけの指向」（たとえば労働倫理）をかき乱すことなく、（合理性システムが経済と管理運営とを媒介させながら）管理運営と生活世界との間を架橋しなければならないからである。正統性の管理は、生活世界をあまり大きく乱すことなく、その生活世界に干渉しなければならない。そのさい正統性の危機の可能性は、合理性の危機の可能性と動機づけの危機の可能性との間で比較考量される。管理運営者は、自らの要請をもって経済的下位システムの安定性を脅かさないようにするか、あるいは自らの要請（つまり、通常はコミュニケーション的行為によって保たれる再生産の要請）をもって（下位システムとしての）生活世界の動機づけ傾向を脅かさないようにして、自分自身の正統性を確保しなければならない。それは、全体社会システムをまとめておく決定的な連関である。

国家が想定する正統性の機能は、実行が難しい機能であるとハーバーマスは記す。正統性が基づくべき生活世界の文化的伝統は、その伝統固有の再生産の手段をもっている。しかもその手段は「自然なもの」であって、破壊されることなしに「客観的に準備」されたり、「戦略的に採用」されるということはできない。すなわち、

……伝統は、それが連続性や同一性を保証する解釈システムから引き裂かれないかぎりでのみ、正統化する力を保持できる。（Habermas 1988a : 71）

換言すれば、諸々の伝統や意味システムは進化するが、しかしそれらは意識的に作られるのではない。つまり、「管理者による意味生産は存在しない」（Habermas 1988a : 70）。ハーバーマスによれば、このことが問題なのは、システムがつねに正統性を得るためのより大きな必要性を生み出しているからである。このことは二重の源泉を

もつ、とハーバーマスは主張する。第一に、管理運営システムの拡大は、経済的対立や危機の可能性をなくす手段として資本主義の発展と手を携えて進んできているものだが、その拡大は管理運営のためにつねに新しい諸機能を作り出し、そうしてそれらの機能実行と関わる大衆の忠誠を得るための、新たな必要性を生み出してきている。第二に、管理運営の拡大は、生活世界と国家の境界線の移動を伴い、生活世界の自明視された想定の多くの土台を実際には掘り崩しており、それゆえそうした想定はもはや自明視されずに、いまや批判や議論に対して開かれているのである。管理運営システムが侵入している生活世界の新たな領域の各々は、争い合う場となっている。社会化、教育、健康、地域計画や都市計画の詳細な部分がすべて、いまや(しばしば激しい)議論の対象となっている。それらは、かつては自明視されていたものだったのだが。変化がつねにより広い生活領域を政治的なものにしていき、それによって「市民の私生活主義」(以下を参照)の撤廃という形で「動機づけの危機」を導くかぎり、この変化は付加的な効果をもっているのである。

先に示したように、国家が意味や伝統的な正統化を創造しえないとすれば、国家が作り出す正統性を求める闘争は「使用価値」に基づくものである。すわなちそれは、自分たち自身で自分たち固有の成功を指向している、いまやより自己反省的となった人びとがもつ需要や要求を満たすことに国家が成功することに基づくものである。

> 財政上[税金によって]サイホンで吸い取られるような資産「価値」は、希少な「意味」資産に取って代わらなければならない。正統性の喪失は、システムに適合する報酬によって相殺されなければならない。(Habermas 1988a : 73)

そして、正統性の危機が生じるのは、

そうした報酬への需要が入手可能な量の価値よりも早く生じるまさにそのとき、あるいはそうした報酬では満足できないという見込みが生じる場合である。(ibid.)

このことを述べた後で、ハーバーマスは、正統性の危機は避けられないものではないと主張する。市民需要が私的なやり方で追求されるならば、たとえ当事者間の争いが人びとの期待を一層高めることになろうとも、システムが供給できるもの、したがって正統性を脅かさないものの範囲内で、その市民需要が存続していくことは可能であるとハーバーマスは論じる。加えて彼にとって明らかなことは、管理運営者は、公共圏における議論への接近を限定したり論題を限定することによって、自らを防御することができるということである。だが公共圏をめぐるコントロールが強く主張されればされるほど、ますます大衆の忠誠と正統性の危機が減少する機会は減っていくのである。

もし西欧の国家が正統性問題に直面するならば、そのときには以上の概要を越える理由からである。『正統性の危機』(1988a)という比較的早い段階での研究において、ハーバーマスは西欧国家が正統性問題に直面し、しかもその理由がシステム内部での「動機づけの危機」の可能性と関係すると考えていた。言い換えれば、その理由には、国家、職業構造、教育システムが要求する動機づけや指向と、社会文化的な生活世界によって(つまりコミュニケーション的行為によって)実際に生み出されるものが要求する動機づけや指向との間の溝が関係すると考えられていた。あるいは同じコインの他の面を強調していえば、「国家にとって逆機能であったり、社会的労働のシステムにとって逆機能である」生活世界の変化が正統性問題の理由と関係する、と考えられていたのである(Habermas 1988a : 75)。

「動機づけの危機」という概念、およびハーバーマスがそれに関して行った議論は、四つの基本的要求に基づいている。第一に、どんな社会システムも特定の動機づけに依存し、また今度はその動機づけが文化や伝統に基づく。第二に、資本主義は次のような諸個人に依拠する傾向をもつ。すなわち、(a)管理運営の再生産に貢献するように動機づけられ、またそれに関心をもつように動機づけられるが、正統性の問題に対しては関心のない諸個人(「市民的な私生活主義」)、(b)私事的な家族生活を楽しみ、それに投資も行い、その生活を支えるために仕事も自らどんどん押し進めることに関心をもつ諸個人(「家族―職業人的な私生活主義」)である。これは、市民的私生活主義と同様、所有欲をもった個人主義と業績指向を産み出す(主としてプロテスタントの労働倫理から引き出された)資本家のエートスと混ざり合った前資本主義的な指向である。第三に、先に記したように、資本主義の発展は自分自身の再生産に必要な文化や伝統を生み出すことができず、またそれらの条件をも実際に掘り崩しているので、これらの動機づけを確保することができない。最後に、システムの存続を確保するこれらの動機づけに取って代わるものは何もない。かくして、システムの基礎である生活世界の諸状態の土台が掘り崩されつつあるので、システムは危機の見出し語であると言われる。

動機づけの危機を促進しそうな要因に関するハーバーマスの議論は、我々がここで論じるべき中心的関心からはあまりにもかけ離れている。ハーバーマスには、後の著作においては生活世界の土台の掘り崩しを「動機づけの危機」の観点から理解する傾向はなくなり、むしろそれを「生活世界の植民地化」や「文化的貧困化」の観点から理解する傾向がみられる、とここで述べておけば十分である。こうした記述の再定式化は、我々が後に見るように、変動の可能性や変革主体の出現の可能性を排除するものではない。新たな記述が示唆するのはむしろ、より持続可能な資本主義、つまり動機づけの危機への自らの傾向でさえも(おそらく)調整可能にするような資本主義なのである。

システムと生活世界との関係

ハーバーマスは生活世界の植民地化に関する彼の議論を（『コミュニケーション的行為の理論』のなかで）、システムの生活世界からの分離という議論と、この二つの間の関係についての説明とを正式に定式化することで始めている。筆者がすでに述べてきたように、この分離に関する彼の説明は、一方で独立した国民国家の出現、他方で合理化された経済の出現に関する彼の理解に依拠している。そしてその説明はとくに、これらの「下位システム」の両者が、それらの媒体や担架体としてのコミュニケーション的行為を、ひとつの代替物に取って代えるという事実に依拠している。経済の場合は、その代替物は貨幣である。国家の場合、それは権力である。この議論をさらに先に進めるために、ハーバーマスは生活世界内に二つの区別された領域を認める。そしてそのそれぞれは、他の二つの下位システムのひとつに対応ないしは関係している。つまり、経済的な（下位）システムに対応し関係している私的領域、および管理運営的な（下位）システムに関係している公的領域がある。さらに、これら二つの領域の各々は、諸個人が占める二つの役割に分割することができる。そしてその二つは、コミュニケーション的行為というよりは、その組織化のために貨幣と権力に依拠するという意味で「媒介化《メディア》」されるものである。私的領域の内部で諸個人は雇用者の役割を演じ、そこでは労働力を売って賃金を受け取る。権力は支出され、貨幣は受容される。諸個人はまた消費者の役割も演じる。そこでは、諸個人は経済的需要を構成し、物財やサービスを購入する。この両方の行為は、貨幣によって媒介される。公的領域の場合、諸個人は受給者《クライアント》の役割を演じる。そこで諸個人は、貨幣に媒介される税を払い、管理運営的な権力の支出の結果である組織的成果から給付を受ける。諸個人はまた市民の役割も演じる。そこでは、政治的決定の形で権力が諸個人に発動され、また諸個人も投票行動といったような自分たちの政治的／国民的な忠誠心の形で権力を発動する。この図式に従えば、家族は、それが少なくとも消費の主要な場であるかぎりでは私的領域の核を形成する。そしてマスメディアは、意見や意思形成の機関として公的領域の核を形成する。

以上は、他の二つの下位システムとともに、生活世界がひとつの下位システムとしてシステムに統合される仕方である。この図式において、貨幣と権力の流れは、全体的危機に対する抑制と均衡を与えてシステムを調整する「フィードバック・ループ」として役立つ。我々がさまざまな危機傾向に関する議論においてみたように、一方の下位のシステムないし領域における諸問題は、貨幣および権力という回路によって他方の下位のシステムないし領域の諸問題に置き換えられるか、伝達される（たとえば、市民たちが忠誠心（権力）を撤回するのは、政治的決定（権力）がその市民たちに受け入れられないからである）。さらに各々のシステムは、特定の仕方で作動して相互行為を行う他システムの各々に依拠する。さらになお重要なことは、このシステム状の過程における各々の段階は、生活世界のレベルで記録されうるということである。たとえば世論の形成は進行中のコミュニケーション的実践であるが、それは同時にシステム特性である「大衆的忠誠」でもある。それは、一方で社会統合を、他方でシステム統合を確実なものにする。労働に関しても事情は同じである。それは「具体的行為」であり、コミュニケーションの文脈で形成され、社会統合に貢献する。しかもそれは、物質的再生産のためのシステム状の（経済的）要求を確保する「抽象的な遂行」でもある。

ハーバーマスにとって、このシステム／生活世界の等価性が維持されることは重要である。この等価性の維持は、システム状の諸々の変動と論理の影響を、我々が具体的生活のうえに記録することを可能にするものである。さらにそれによって我々は、いかにしてシステムが進化し変動するのかをみることができるようになる。我々は、この等価性の維持を支える動的で相互行為的な諸過程に関する分別をもつ。さらにいえば、システムのパースペクティヴへとまったく完全に転じていく傾向にハーバーマスが強く抵抗するのは、この脈絡においてなのである。そのように抵抗するということは、ハーバーマスの場合、人間の間主観性が日常定型化、合理化、官僚制化――これらを、彼や他の人びとはシステムの形成と同一視してきた――の過程によって、完全に侵蝕されてきているということを示唆することである。しかし、この完全な侵蝕は起こっていない。

ハーバーマスのアプローチの積極的な帰結は、彼が依然として倫理的スタンスを維持することができるということである。システムは人びとと関係しており、それゆえシステムの発展は良いとか悪いとか判断できる。いくつかの点でハーバーマスは、システム化は良いことであり、それは人間の生存のために一段と進んだ発展を達成してきていると述べようとしている。だが別のレベルでは、システムの発展は生活世界の植民地化に至り、それは確かに絶望的ではないが、現実には「病理的」であり、その阻止が求められるものであるとハーバーマスは主張しているのである。

生活世界の植民地化

生活世界の植民地化は、次の場合に生じると言われている。すなわちそれは、関係の「媒介化《メディア》」が貨幣と権力によってシンボル的再生産の中心過程にまで拡大し、それによって、コミュニケーション的行為が通常この過程で演じている役割に取って代わるときである。要するにそれは、貨幣と権力が社会化、社会統合、文化伝達の過程を媒介するときに生じる。さらにハーバーマスは、この植民地化はいまも生じているし、いままでにも一定期間生じてきており、それは経済危機を避ける必要性によって動機づけられていると主張する。すなわち植民地化は、筆者がすでに述べてきた管理運営的な拡大や経済的な拡大の一部分なのであって、それによって伝統はその土台が掘り崩され、その間隙に国家ないしは市場を規制するメカニズムが入り込んでくるのである。

とくに「受給者」と「消費者」の役割がこの過程のもとで拡大すること、そして個人が市民の役割を引き受ける公的領域が縮小すること、こうしたことはハーバーマスにとってかなり重要な問題である。政治的過程での公共的な参加と議論の機会が減少し、他方で、余暇、性的関係、家庭生活、さらには自己本位や心理学的体質が、管理運営的なまなざしや市場経済に組み入れられることが増大する。ハーバーマスにとって、この過程の一番の危険性は、外部の代理者が個人の私的生活に侵入することが増大し、個人が管理者やサービス供給者に依存することが増える点にある。この両方の場合、個人の自律性は掘り崩される。さらにこの植民地化は、合理的議論の可能性と、それに含まれる妥当性要求の必要性を伴った「言葉による合意形成」を犠牲にして、貨幣と権力によって操縦される社会組織化の傾向の増大を含む、とハーバーマスは付け加える。かくして植民地化の議論の要点は、かつては交渉可能で議論し合っていた生活領域が、経済市場の論理や管理運営的な権力の作動にますます侵蝕され、凌駕されるということである。コミュニケーション的行為は、「戦略的行為」つまりその間主観的な目的を達成するために合理的な合意以外で、論駁可能な妥当性要求以外の他の資源（たとえば権力）に訴える行為に置き換えられる。社会統合が合意によって達成されるということが減少し、明確にコントロールの戦略や技法によって達成されるということが増大する。以上のことがローカルな自律性をさらに侵蝕すること、それは明らかなことであろう。

植民地化の概念に対し、ハーバーマスは文化的貧困化という考え方を付け加える。ステファン・ホワイトは、この第二の過程を次のように要約する。

> ……専門的な形の立論が増大して専門家の守備範囲となり、それゆえ大多数の諸個人の理解過程との接触が失われる。……この過程は……日常生活を変形する効果をもつ。というのは、合理化された生活世界が、能力をもったあらゆる話し手に対して開いていた妥当性移管への関与が、いまやますます妨げられているからである。（White 1988 : 116）

こうした「専門家」は、管理運営システムや経済システムと結びついている。この点が、植民地化というテーゼと貧困化というテーゼの間のつながりである。さらに貧困化テーゼの帰結は、植民地化テーゼとの関係において、社会的主体の奪権力化となって現れる。専門家の実践は通常の市民には理解できず、まさにこの理由で、専門家の実践は公共的議論に対して開かれることができず、それゆえ公共的に説明可能になることができないとハーバーマスは記す。このことによって、市民が批判的に考えることが妨げられるのである。

ハーバーマスはこの事態を「意識の断片化」とよび、それを伝統的なマルクス主義理論のいう「虚偽意識」と対比させる。現代の市民は、世界についての虚偽的な像ないしは転倒した像によってではなく、むしろ一貫した世界像を定式化することができないということによって、おとなしくさせられていると彼は論じる。現代市民は、認識のうえで打ち負かされたり、負荷がかけられたりするほど騙されやすいわけではない。現代市民の世界は、自分たちの理解を超えている。そのような過程は、正統性の危機の可能性をたしかに寄せ付けないに違いないし、そしてそれは実際に市民的、家族的な私生活主義を助長している。実際に公的領域は腐食し、私的領域だけが意味への希望に手をさしのべる。筆者が述べた最初の論点に立ち戻れば、このことが資本主義の文脈でみられる合理化なのである。これが、西欧で進んでいるのと同様な合理化への顕著な下落傾向である。

この「断片化」テーゼには、いくつかの反論が可能である。トムスン（Thompson 1983）は、他の点ではこのテーゼを賞賛しながらも、このテーゼによって、言語やシンボルのイデオロギー的使用は現代の政治生活においては全然関連がないという考えに、我々が誤って導かれてはならないと論じている。これは筆者も支持したい批判である。さらに筆者は、意味の管理運営的な産出は存在しないというハーバーマスの主張との関連でも、問題点を指摘したいと思っている。この点が厳密な意味では真実だとしても、つまり少なくとも、管理運営者は意味の岩盤を形成する伝統を創造することはできないという意味では真実だとしても、それにもかかわらず、グラムシ（Gramsci 1982）がかなり明確に示しているように、管理運営者たちは、自分たちのコントロールを確実なものにするための手段として伝統を操作することができたり、伝統と自らを結合させることができるのである。たとえばイギリスの場合、サッチャー主義の成功は、何よりもサッチャー政府自身が、人びとの想像力のなかにあるイギリス文化の価値的側面と同一化することができたという点に基づくイデオロギーの勝利であることが示されてきた（Hall 1987 参照）。我々がハーバーマスのいう断片化という考えに従うよう説得されるとしても、我々にとってこの考えは、政治的指導ないしは政治的コントロールが確実になされる仕方についてのしっかりとした理解を妨げるものであってはならない。

『コミュニケーション的行為の理論』の結論は、全体的にみて悲観的なものではない。一方で、ハーバーマス理論におけるシステム次元それ自身は、システムの作動に関するより一貫した見解を与えていると言われている。他方で、さらによく言えば、ハーバーマスは生活世界内部での変化に対する二重の触媒を認めている。第一に、先に論じられたように、生活世界の合理化に関する彼の説明は、伝統の侵蝕や根絶を伴った新たな再帰性の出現を認めている。そうした再帰性は、批判や訴えの永続的で潜在的な源泉である。だがさらにハーバーマスは、生活世界の植民地化や貧困化に対する抵抗の例証として（いわゆる）「新しい社会運動」の出現を指摘した。そうした運動は（たとえば労働組合や社会主義者の抵抗に伴って）かつてそうであったような分配の問題に関連して形成されるのではない、と彼は論じる。新しい社会運動の関心は、「生活形式の文法」から生じる。そうした社会運動は、脅かされる伝統を守ったり、よりよいものを求めて（いま不安をかき立てる）文化形式を変化させようと欲する。あるいはまた、そうした運動は、何らかの形式をもった地域の民主主義や説明責任の実現を目標としている。

ハーバーマス評価

『正統性の危機』の原著は、それほど昔ではない一九七三年の出版であり、『コミュニケーション的行為の理論』の原著は一九八一年に出版されたが、これらの出版以来かなり重要な社会変革が生じてきた。たとえば、政治経済的なグローバル化は、国民国家としての管理運営的な下位システムの主権の土台を何ほどか掘り崩してきた。国際的な経済・政治のさまざまな機関の出現と、そのそれぞれが国民国家の境界内で発揮できる影響は、政治・経済の主体としてあったそうした国民国家の主権の土台を掘り崩してきた。国民国家はいまや、それ自身の領土内での出来事との関係においてでさえ、いろいろあるなかの（強力なものではあるが）ひとつの行為主体にすぎなくなっている。国民国家の政治的、財政的な介入の有効性は、資本と政策の国際的な流れに依存している。もちろんそうした国家が、国際的な政治機関の意思決定の主要部分や諸過程に関与することによって、国際政治において何らかの発言権をもつとしてもである。さらに国内政治の内部での政治変動も、ハーバーマスが認めた潮流の方向をかなり変化させてきた。新右翼の興隆は、一定の国家的な管理運営における合理的システムの変更を含んでいるし、その変更は福祉国家の「後退」や、かつての公共セクター領域の再市場化ないしは民営化を含んでいる。さらにまた、こうした脱中心化は、組織哲学や経営哲学内部での脱中心化という新たなエートスとも適合するようになってきている（Lash and Urry 1988）。

具体的記述のレベルでは、これらの変化が明らかにハーバーマスの考えの実質的内容のいくつかを時代遅れのものにしている。だが我々が、新たな経済的で政治的な機関の存在を認め、国家システムの国際システムへの統合を認め、さらに国家システムがもたらす潜在的な危機の可能性（たとえば統治権を認知上あるいは現実に喪失することによって引き起こされる危機の可能性）を認めるとすれば、ハーバーマスの一般モデルは保持できるものである。実際グローバリゼーションが新たな多数の問題をもたらすとしても、にもかかわらずグローバル化は権力と貨幣による社会関係の媒介のさらなる促進を示しているのである。いまや、より多くの貨幣、より多くの管理運営が存在するが、会話の余地は少なくなっている。さらに変動のいくつかは、ハーバーマスの動的なモデルの観点から部分的に説明されうる。たとえば英国のサッチャー主義の生起は、一九七〇年代の終わりのケインズ的な福祉主義の（合理性の）危機と、それがもたらした（動機づけの危機さえをも含む）正統性の危機とに対する反応として認めることができる。サッチャー主義は多くの点で、ハーバーマスが認めたような問題のいくつかに対するひとつの反応である。全体としてみれば、筆者は、最近の社会変動がハーバーマスのカテゴリーのいくつかを揺さぶっているとしても、それでも現実の社会システムに関する具体的記述を与えようとする彼のパースペクティヴがもつ可能性は掘り崩されてはいない、ということを主張しておきたいと思う。

より抽象的なレベルでは、ハーバーマスによって我々は、自分たちが展開している理論的立場に関して意義ある前進を行うことができるようになった。生活世界に関する三つの部分からなる構造や、コミュニケーション的行為を通したその構造の再生産についてのハーバーマスの説明は、生活世界に関する我々の理解をかなり重要な点で前進させた。それはちょうど、コミュニケーション的行為において提起される妥当性要求についての彼の説明や、その結果、シンボル的再生産の論争的性格に関して生じる要求についての彼の説明が、我々の理解を前進させたのと同様である。だが、コミュニケーション的実践が引き受けることができる異なった時間／空間的な構造化を説明するためには、我々はまだここでシュッツを必要としているということを筆者は主張したいと思う。この点はハーバーマスの説明には著しく欠けている点であるし、彼の研究の限界をなすものである。にもかかわらず、ハーバーマスが革新したものは非常に重要ではある。

以上と同様に重要なのは、物質的再生産の説明と社会システムの説明の導入である。ハーバーマスが説得的な仕方でこうした考え方を導入できたということ、しかも間主観主義論者の立場に忠実であり続けたということは、社会理論に対する、そしてまさに間主観主義論者の社会理論に対する、彼のもっとも価値ある貢献のひとつである。それはまた歴史的にみて、最近のポスト・マルクス主義的思考の観点からも重要である。ハーランド(Harland 1987)が記しているように、マルクス主義の崩壊が社会生活における国家と経済の役割をほとんど無視する一連の社会理論を生じさせてきているが、それはかなり短絡的である。ハーバーマスは、詳細で洗練された生活世界分析の可能性を犠牲にすることなく、社会理論研究に対する経済的かつ政治的な視角を回復させたのである。

だが、ハーバーマスの説明にはいくつかの問題点もある。それらのいくつかはすでに本章の議論の過程で紹介してきたので、ここではそれ以外の問題点が論じられなければならない。

最初の問題は、認識論者のいう狭い意味において、ハーバーマスが間主観性と言語的コミュニケーションを同一視し、間主観性の身体化を無視する傾向があるという点に関わる。ハーバーマスは、人間の身体性、情動、知覚ないしは想像力については何も語らない。我々は知覚の考察を避けなければならない、なぜならそれは我々を意識哲学に引き戻すからだ、とさえ彼は提議する。この点に関する彼の無視は、次の三つの基盤において問題がある。

第一に、ハーバーマスは、人間経験の広大な活動部門を考察から排除することによってのみ、人間関係についての彼の特殊な見解を維持できていると思われる。ひるがえって、このことが示唆するのは、この部門が議論のなかにもたらされうる場合、彼の理論には弱みがあるということである。弱みが生じる場合、この弱みは実際以上に明確になる。第二章や第三章で、身体性や知覚などに関して行った筆者の分析によって示されたのは、これらの身体性や知覚などが、間主観的な場を引き裂くのではなく、間主観的な場のなかに織り込まれているということであった。それゆえ、ハーバーマスが救出されるのは、彼が自分自身の狭い体系を超えて本書の最初の方で考察されたより広いパースペクティヴの考察へと進むことによってのみである。実際、彼の間主観的人間観とはまったく反対の、知覚や情動などの概念が存在する。だからこそ、ハーバーマスは我々が展開した見解に同意するよう求められるだろう。

第二に、ハーバーマスが身体を理論化していないということは、人間身体がそのシステムにおいて（暗黙のうちではあれ）演じている非常に重要な枢軸的な役割のゆえに問題なのである。身体は、それが物質的再生産の中心にあるゆえに、ハーバーマスにとっては枢軸であった。物質的再生産は主に人間の健全な身体の再生産であり、それは社会システムの説明の核心にある。それゆえ、人間の身体性に関するより適切な説明が、物質的再生産に関する適切な説明となるはずである。だがここで関心があるのは、この物質的再生産ではない。もし我々が第二章で概要が示されたメルロ＝ポンティの道をたどるならば、そのとき人間身体は同時に、シンボル化と言語の主体、つまりコミュニケーション的実践の主体である。この意味で、物質的再生産とシンボル的再生産の両者はコミュニケーションを行う身体に核心の場を見いだし、それゆえまたシステムと生活世界がそこに核心の場を見いだすのである（Crossley 1995c）。

最後に、ハーバーマスの狭い言語的説明は、それが間主観性に関する説得力のある記述を与えないがゆえに問題である。他者との共在に関する我々の経験は、まさに身体化された経験である。つまりそれは、重なり合う視線の経験、感情や共有された恐れや空想の経験である。このことが、間主観性の理論において捉えられる必要がある。

以上のことは、ハーバーマスのコミュニケーション的行為理論の積極的諸相を否定することではない。だが以上が示唆してきたのは、ハーバーマスの説明と我々がすでに展開してきた説明とを融合させる必要があるということである。ハーバーマスと、筆者がこれまでの章で論じてきた著者たちとは、一定の同じ目標をもって（広い意味で）同じパラダイムのなかで研究しているのだから、こうした総合に問題はない（Crossley 1995c も参照）。

ハーバーマスに関するさらなる問題は、公式組織における行動についての彼の理解、とくに彼が公式組織における行動は（社会的というよりも）システム的に統合されていると示しがちな傾向に関わる。このことは、社会的主体を「文化的な判断力喪失者」として描くことになると言われている。マッカーシー（McCarthy 1991）は、この点の主たる提唱者である。マッカーシーが認めているように、公式組織の行動とその外部の行動との間には差異があり、このことは公式組織における自律性と創造的表現の欠如に部分的に原因がある。にもかかわらず組織の主要な研究は、コミュニケーションによる交渉が、我々が予想する以上に組織にとってはずっと重要であることを示している。実際、組織も非常にしばしばコミュニケーション的行為によって構成され、それゆえ社会的に統合されている。その結果、組織には社会統合とシステム統合との重なり合いが含まれなければならない、とマッカーシーは示唆する。この点は、ヨアスとギデンズが行った初期の批判、つまり社会の領域は、それに含まれる道具的行為とコミュニケーション的行為との間できれいに分割されるものではないという批判と再び結びつく。

この批判に対する筆者の見解は、両義的である。一方では、官僚制や公式組織のエスノグラフィーの見解として、それは正しいように思われる。公式制度で働く人なら誰でも、システムの要請（行為に対する、貨幣に駆動された要求や権力に駆動された要求）と、コミュニケーションによる交渉との間での引っ張り合いを認めることができる。さらに筆者が先に指摘した点に戻れば、我々はそうした制度が効力ある構造をもつ範囲を認めることができる。実際、労働が（とくに）男性のアイデンティティの中心的源泉であるかぎり、労働組織はシンボル的アイデンティティをコミュニケーションによって再生産するために中心的な場であると人は論じるであろう（Fraser 1989）。それにもかかわらず、ハーバーマスが必然的に関心をもつのが、この「内部」のパースペクティヴであるかどうかという点は明確ではない。彼がより関心をもっているのは、最終的にそうした組織のアウトプット（と外部からのインプット）が経済的であったり政治的であるということ、つまり組織が貨幣と権力を取り扱い、経済的条件や政治的条件に反応しているということである。

筆者の見解によれば、より説得力がある批判は以上のことのもう一方の側面である。すなわちそれは、ここで想定されている生活世界の関係が、貨幣のミクロな経済や権力によっていまも規制されているし、そしていままでもずっと規制されてきたという側面である。ナンシー・フレイザー（Fraser 1989）は、この点を力強く定式化している。ハーバーマスは不自然なまでに物質的再生産を支払い労働の領域に委ねており、そうして女性の支払われない家庭労働や母親としての労働、つまり種の物質的再生産にとって中心的な労働を無視している、と彼女は論じる。さらに、数多くの分析が示しているように、家族においても公的領域においても、コミュニケーション的行為と同じくらい多くの、権力、暴力、貨幣によるコントロールがしばしばなされている。この点は生活世界の植民地化ではない、とフレイザーは論じる。それはシステムより以前にあって、生活世界の内部でしっかりと構成されているコントロールのひとつの形態である。さらにそれが、労働市場や政治表現の手段におけるさまざまな機会に対してコントロールを及ぼすように広がるかぎり、それは主要な構造形成効果をもつ。フレイザーにとってこの帰結は、我々にはシステム―生活世界という関係の「多方向的」な概念化をいままで以上に大いに行う必要がある、ということである。さらにこのことが示唆しているのは、「新しい社会運動」として言及されるいくつかの集団行為は、ハーバーマスの説明によっては十分には捉えられないだろうということである。たとえば、フェミニズムが生活世界の植民地化に抵抗する場合、それは同時に生活世界それ自身の内部にある不平等にも抵抗しているのである。

この点は非常に重要であり、それは筆者が本書でこれまでにも何カ所かで触れてきた人種差別や性差別の問題と結びついている。ここでは、この点に対する当否を論じるのは紙幅が許さないが、こうした重要な点が間主観性の問いとの関係で過小評価されるべきではないことは明白である。しかしながら、本書でより詳細に研究することができるのは、生活世界内部のミクロな権力に関する論点と、フレイザーがシステムと生活世界の間に認めた多方向的な関係に関する論点である。次の章では、このことが論題となる。

第六章　間主観性と権力

ハーバーマスは、我々の議論のなかにはっきりと権力の概念を導入した。彼にとって権力は、コミュニケーション的行為の（より民主的な）過程と、このコミュニケーション的行為によって達成される社会統合とを避けて通るシステム統合の手段であった。そのようなものとして権力は、複雑な近現代社会における社会関係の統合的構成要素である。さらに、生活世界は植民地化を経験しており、それによってひとたび合意されて支配された生活領域は、次第に（コミュニケーション的行為というよりも）戦略的行為によって支配され、それゆえますます貨幣や権力に基づく指令や要請に従うようになるとハーバーマスは論じる。権力による統率は、社会形成を通して拡大している、あるいはむしろ過剰に拡大している。この点は、何人かの間主観主義論者たち、とりわけシュッツが取り上げなかった重要な理論的段階であり、またミードやメルロ＝ポンティといった他の間主観主義論者も体系的には取り扱わなかったものである。だが、ハーバーマスの権力問題へのアプローチにはいくつかの問題点がある。

本章で筆者は、これらの問題点が何なのかを論じ、それらがどのように修正できるのかを考察する。このことには権力の定義の考察が含まれ、またこの領域での何人かの鍵となる思想家たちの仕事、とくにもっとも注目すべきフーコーの仕事についての考察も含まれる。だが筆者は、この新たな課題を批判的に、かつ用心深く導入するつもりである。ここでは、筆者がかつての研究において展開してきたフーコー批判のいくつかに依拠している。そして権力に関するフーコーの考えを再構築する筆者のかつての試みを、より間主観的な仕方で拡大しようと筆者は考えている(Crossley 1993, 1994, 1996)。筆者は、フーコーの仕事の多くの諸相に問題点を見いだしているが、とくに主観性や間主観性は権力の結果であるという(少なくともフーコーと結びついた)見解に、筆者は異議を唱える。この見解は、筆者がかつて論じてきたように(ibid.)、支持できない考え方である。なるほど、フーコー的な意味での権力は、まさに間主観的な諸関係と諸実践の特定の布置連関がもつ結果であると示すことができる(ibid.)。筆者の見解は、権力は間主観性に寄生しており、その結果を生み出すために権力は間主観性を必要とし、間主観性に依拠しているというものである。このことは、すべての間主観的関係は権力関係であると述べているのではない。しかし、権力関係はつねに間主観的であると述べることができる。この後者の論点が、筆者が本章でとくに焦点を当てて立証したいと目論んでいるテーゼである。権力を真摯に取り上げるパースペクティヴは、必然的に間主観性を真摯に取り上げなければならないし、逆もまた真であると筆者は論じている。フーコーとハーバーマスの議論を経由して筆者はこうした議論に到達するのだが、まずはハーバーマスから始めよう。

ハーバーマスと国家

少なくとも、『コミュニケーション的行為の理論』におけるハーバーマスの権力の説明は、国家に中心をおいている。権力は、選挙の過程を通して市民によって国家に与えられ、したがってこの権力は、政治的決定、立法、政策などの形で、しかも福祉やいろいろな政治機能を通して国家組織のなかに還流してくると彼は論じる。我々が見てきたように、ハーバーマスにとってこの権力の限界は、正統性の要求によって規定されている。管理運営者は、市民がその管理運営者を支える権力を作動するかぎりで、権力をもつ。

このことがあまりに無批判的だと思われないように、先の章で述べた多くの論点を繰り返しておくことは重要であろう。第一にハーバーマスは、この過程が（不平等な）資本主義の階級関係において状況づけられており、しかも、そこでその過程がこうした階級関係から生じうる対立を解消する手段として機能していると理解している。第二にハーバーマスは、コミュニケーション的な行為や合意によって規制されうる社会生活の領域のなかに、管理運営が過剰に拡大してしまうことに関心をもつ。第三に彼はとくに、政治や政策の問題が公共的に議論されて（部分的に）決定される場である生活世界の公的領域が縮小して、その効力が失われていってしまうことに関心をもっている。ハーバーマスは、マスメディアと新たなコミュニケーション技術こそが効力をもつ公共圏の存在の可能性を現実のものにすると論じるが、しかしこの可能性は、多くの場合に現実化されてはいない（Stevenson 1995）。情報の流れと開かれた議論はかなり限定されている。そのとき実際にハーバーマスが論じているのは、市民たちが二重に奪権力の状態にあること、すなわち第一に、かつてはコミュニケーションによって交渉されていた社会領域が植民地化することによって、そして第二に、市民たちに与えられていた政治的議論や意思決定の場が縮小することによって、市民たちが奪権力の状態にあるということである。

こうした見解は、経験的にも理論的にも人を納得させる重要なものである。さらにそれは、フーコーのパースペクティヴを含めた社会理論の多くのパースペクティヴが、概念的道具も理論的広がりも欠いているために生み出すことができなかった見解である。ハーバーマスの観点のような広範囲のシステム分析の観点からのみ、人はこの種の諸問題の所在を認め、一貫しかつ納得できる仕方でそれらを理解することができるのである。こう述べたからといって、ハーバーマスの見解に問題がないわけではない。問題点の多くは、ハーバーマスの仕事とフーコーの仕事との比較によって描き出すことができるが、まずいくつかのより一般的な論点が考察される必要があろう。

最初の問題点は、権力の「能力―結果」モデルにハーバーマスが同意しているように思われる点である。このモデルは、現代社会学において強く批判されてきたものである（Hindess 1982; Weights 1981）。このモデルがもっているもの、そしてハーバーマスの見解がもっていると思われるものは、所与の行為主体、この場合は国家が、他の行為主体の意思に逆らっても一定の限定された結果を確保することができるという能力（おそらく比較的固定した能力）をもつかぎり、その国家は権力をもつと言われる点である。この見解が批判されるのは、次の理由によると論じられている。すなわち、（「権力」と結びつくような）具体的な社会的／政治的な帰結は、単一の行為主体の能力や行為の結果では決してなく、むしろ諸行為主体間の闘争の結果であること。つまり（第三の行為主体の行為を含む）一定の障害を諸行為主体に対して提供する諸条件や、交渉し合わなければならない諸条件に対―論的（dia-logical）に関わることの結果であること、こうした理由による（ibid.）。この意味で、帰結とは偶発的なものであって、それは我々がそうなるだろうと予測するのと同じ道をいつも辿るとは限らないという事実によって示されるように、当該行為主体の同定可能な能力に基づいて帰結が予測できるわけではない。権力は、行為主体に還元することはできない。行為主体は権力を「所持」しない。さらに、いかなる行為主体であっても具体的な闘争のさいに依拠するであろう資源は、行為主体自身がもつ特性というよりは、行為主体がそのなかで占める場や位置の特性であるとみなされるように、つねに特定の社会的な場（ウェイツとヒンデスはそれを「闘争場」と呼ぶ）や、そうした社会的な場における何らかの機能と有意義につながっているのである。たとえば、教師は学生に試験やレポートを求めるという立場にいる。実際これは、教師が求めることのできるほとんど唯一のものであるが、教師が教師であり学生が学生であるかぎりでのみ、教師は試験やレポートを学生に求めることができるのである。

こうした批判的な検討は、ハーバーマスの権力の説明の中心部分を形成する国民国家との関連で、かなり重要な関連をもつ。筆者が先の章で述べたように、国境内でも国境間でも行為することができる国際的な政治的、経済的な行為主体の出現は、国民国家の役割を変容させてきている。国民国家は、もはや独立主権の権力者ではない。それは、自分自身による完全な制御を超えている政治的な競技場での、他の多くの選手たちのうちにいる(重要な一人ではあるが)一人の選手にすぎない。国民国家は、それ自身の領土内では(あるいはさらに国際関係というかなりそれとは異なった闘技場の内部でも)、それ自身の行為の有効性を保証することはできない。なぜならば、その有効性は、これらの国際的な行為主体たちの行為に左右されるからである。たとえば多国籍企業は、国境の外部にその投資を移す場合、そのとき経済政策は予見できないような危険に晒される。さらに、この国際領域には明確な主権権力は存在しない。かなりの程度でハーバーマスはこのことを認識していると思われる。しかし彼には、より抽象的な理論を論じる場合に、権力を国家の能力に還元してしまうような、権力の能力—結果図式に陥る傾向が依然としてある。

こうした批判を行った後で、ハーバーマスが行っていることの土台を完全に掘り崩すことはできないということを付け加えることは重要である。現代社会には、社会の機能的要件の多くに対して責任を負い、まさにその理由でシステム状の統合過程にとって中心である巨大な管理運営者的階層が存在する。この点で、ハーバーマスはまったく正しい。さらに、そしてより決定的なことだが、国家はその市民に対して、コミュニケーション的な仕方で行為するよりも戦略的な仕方で行為する。国家は市民に指令を発するのであって、国家と市民たちとの相互行為における言語的合意や相互理解を指向しているわけではない。国家の行為は権力を基盤としている。このことは、国家が日々の基盤のうえで日常定型的な仕方で法や政策を履行し、服従を十分に期待し要求しているという事実によって例証される。ハーバーマスの観点からいえば、国家がこのことをなしえる理由は、国家とその市民を潜在的に結びつけている闘争場が妥協的な形態で中立化され、そのことによって国家は、市民たちが投票箱で国家に正統性を与え続けるかぎり、人びとのために行為する資格が与えられているという点にある。このことに、次のようないくつかの例外もある。たとえば英国の人頭税の歴史によって例証されるように、国家の決定が直接に挑戦を受け、覆される場合がある。つねにこのような闘争の可能性があるし、実際、市民たちが欧州裁判所というような新たな国際機関のひとつに訴え出ることによって、国家の決定を覆すような可能性もまた存在している。しかしながら、妥協的な形態が通常のケースではある。したがって、この意味で、能力―結果モデルからの批判はハーバーマスの理論との関係においては限定される。能力―結果モデルは、民主政治の妥協的形態によって多くの場合、無効にされるのである。さらに、これと同じ過程が大部分の生活の場であるミクロな世界でも生じる。我々の制度の多くには、比較的固定した階層秩序が確実に存在する。そこでは、ひとたび命令が与えられれば、それが命令だから命令に従うのである。相互的合意の可能性は、権力を基盤とする戦略的行為によって回避されてしまうのである。

この最初の批判と類似した、ハーバーマスへのさらなる異論もある。それは、ハーバーマスが政府それ自身の内部抗争や政府自身の構成の変化を考察しない傾向をもつ点である。政府は、ハーバーマスがときにはそうだと示しているようにみえるのだが、単一化された行為主体ではない。政府は、一連の異なった行為主体、実践、利害関心、内部闘争からなり、そしてそれらは、異なった問題との関係で異なった布置連関のなかで結集しているのである。さらにこのことには、さまざまなロビー活動グループや外部の支持者たちが絡む。実際、個々の政党や内閣でさえ（おそらくはそのなかの諸個人でさえ）、つねにそうした行為主体それ自身が対立を包含したり対立を解消したりした結果であるといったように分割されている。このような内部の諸過程は、投票者によって国家に与えられた権威を調停するので重要である。内部の諸過程で政治的な議題が立てられ、この議題がどのように形あるものとなり、どのようにしてそれによって提起された論題が解決されるのかも決定される。投票者の権力を国家の権力へと移転するのは、単純で問題のないものではない。もう一度確認しておこう。この異論は、ハーバーマスの見解を否定するものではない。最終的に、決定や行為は管理運営的なシステムから生じ、ハーバーマスもそうだと述べているように法律に規定されている。にもかかわらず、ハーバーマスの見解は、以上のような論点にもっと敏感でありえたはずである。

考察されるべき最後の批判は、ハーバーマスが国家やその機関によって発動される「正統な暴力」にあまり言及していないという傾向に向けられる。たとえば、一定の（非同調的な）市民を、一般の人びとから日常的に隔離する刑罰や精神医学的／心理学的な公的事業がある。そうした機関の発動は、一般的にはハーバーマスの権力概念を補強するものである。政治やその他の機関は、非妥協的な人びとに対処するさいには直接に自らの正統性に言及する。それらの行為は、コミュニケーション的というよりは戦略的である。それはよりよい議論による説得には開かれておらず、実際に暴力が使用される場合がある。だがここに、社会統制のこのレベルをハーバーマスが十分に考察していないという問題がある。それが問題である理由は、このレベルが社会統合に対して、またコミュニケーション的行為の可能性に対して直接の影響力をもつからである。そのような機関の行為は、直接的に制御できない人びとを、コミュニケーション的行為の緊急事態として——社会的に受容されうる程度に——生活世界のコミュニケーション的秩序から効果的に隔離してしまう。換言すれば、コミュニケーション的社会の可能性は、このゲームに興じない人びとをコントロールするという犠牲を払って勝ち取られるということである。かくしてコミュニケーション的秩序の社会統合は、ハーバーマスの分析が示しているような調和的、自発的なものではない。社会統合は、その社会統合を不可能にしようとしている人びとを、コミュニケーション以外の他の手段によって隔離することによってのみ可能なのである。こうした論点によって、我々はハーバーマス批判に関する次の節に赴くことになる。つまりそれは、フーコーによる批判である。

フーコーとハーバーマス

フーコーの仕事は、それが具体的な歴史的研究の形態をとっているという意味で、ハーバーマスの仕事とは異なっている。その研究は明確な哲学的枠組みによって語られてはいるが、標準的な哲学的／理論的な議論への取り組みを拒否し、社会構成の全体化的な理論構築への誘惑に抵抗している。一連の研究の狙いは、特定の社会的実践、とくに言説的実践に関して挑発的な歴史分析を構築することである。そのテーマは、そのような実践を行っている人びと、およびそうした実践を支えている人びとの自己イメージを掻き乱し、転覆させることである。しばしばこのことには、哲学的な論点、すなわち理性や人間の主観性という哲学的問題に関する論点を主張するために、歴史を用いるということが含まれている。そして、こうした彼の諸研究の多くにおいては、人間の主観性、言説、社会生活の場を組織化するさいに果たす権力のかなり重要な役割に関する考察が含まれる傾向がある。

哲学と歴史に関する二重の関心は、否定的にみれば、両者の領域の研究者たちからは良くない点数を付けられる仕事に終わっている、と述べることもできよう。フーコーは、自分の見解を人に納得させるような論理的議論を提示しようとしないので、貧弱な哲学者であると批判されてきたし（Dews 1987; Fraser 1989）、彼は時々まったく不正確で、自分の仕事を通常の歴史家が行う仕方で提示しないので、悪しき歴史家であるとも批判されてきた（Merquior 1985）。だが、より肯定的にみれば、フーコーの仕事は多くの著者たちの想像力を捉えてきたし、哲学、社会学、歴史学の企ての導火線の役割を果たし、日常生活に埋め込まれた政治や権力関係を照射してきた。彼は、世界を見る別の見方を提示してきたのである。それは、その見方が投げかける問題や、それが問う問題において魅惑的であり、かつ有用であるとされてきた。本章で筆者がフーコーを評価するのは、この脈絡においてである。

フーコーとハーバーマスのそれぞれの権力観の関係を考察する前に、彼らの異なった研究様式に関して、手短な注記が必要であろう。フーコーは、ハーバーマスのような巨大な社会理論の構築には関わらないということ、またフーコーは、そうした研究の仕方には反対さえしているということ、こうしたことは筆者の見解からいえば、我々がフーコーの歴史的で（巨大ではない）理論的な研究の帰結を理論構築の仕事に合体させることを妨げるものではない。なぜ我々がこのような仕方で理論化を行うべきでないのかに関する注目に値する理由は、フーコーによっては与えられていないし、フーコーの（系譜学的な）歴史への洞察をあらためて枠づけすることはできないという適切な理由もない。したがって筆者は、我々がこの仕事を行うことができるという想定に立ち、さらにフーコーの考えとハーバーマスの考えを異花受精させることによって得られる多くのものがある、という想定に立って進めていきたい。

フーコーの研究の多くや、フーコーの後継者によってなされた後続の研究（たとえば、Daen 1991; Donzelot 1980; Nettleton 1992; Rose 1985, 1989）は、ハーバーマスの合理化の説明や後の生活世界の植民地化の説明に対して、似てはいるが経験的にはより豊かで、かつより繊細な像を描いている。我々が近現代という時代へと推移してきた道を跡づけながら、フーコーは、人間生活を支配可能な形にしてきた数多くの技法、実践、およびその複合体を検討し、いかにしてこれらの様相が初期の時代の様相と異なっているのかを考察してきた。そして彼は、学校、監獄、工場などで作動するなかに現れている規律訓練（discipline）の技法を検討している。すなわちそれは、時間や空間を通して身体を組織化し調整する仕方であり、また身体を従順なものにし、効率よくする仕方である。そうした権力のミクロな諸技法が我々の主要な制度の全体を包み込み、それらが社会構成全体に広がるコントロールの網の目を形成し、人間を計算可能で管理可能な主体に変容させている、とフーコーは論じる。権力のこうしたミクロ世界的な網の目とともに、さらにフーコーは「生の権力」の形成をも跡づけた。それは、福祉に基づくミクロ世界的な「生をめぐる権力」であり、旧体制《アンシャン・レジーム》の国家にとってはまさに中心的であった「死をめぐる権力」（つまり強制執行や拷問の権力）に取って代わってきているものである。この形態の権力は、人口を認識可能で制御可能なものにする無数の管理運営的な技法のなかに存在する。そしてこれを機能させているのは、各種の専門家のシステムと機関である。「統治性（governmentality）」に関する後期の仕事のなかで、さらにフーコーは、管理運営的な合理性のシステムに関する経験的な分析を加えているが、この点は、福祉資本主義の危機傾向に関するハーバーマスの説明にとってはまさに中心的なものであった（第五章参照）。フーコーおよび彼の後継者たちは、統治実践を告げ知らせるような、統治とその諸限界に関するさまざまな理解の出現を跡づけ、そしてまた統治の内部で機能する（国民保険や課税制度のような）メカニズムの出現を跡づけている。

加えて、フーコーの説明をシステム統合における権力の役割に関するハーバーマスの理解に近づける理論的方向性のなかで、フーコーは次の二つのことを強調する。すなわちまず、権力はその効果において建設的であること、つまり権力は望ましくない傾向を単純に抑圧するというよりは、むしろ「社会的に望まれた」事態あるいは規範的な事態を産出するということであり、次にこのことは国家およびその他のヘゲモニー団体の効果的な機能を促進させるということ、この両者を強調する。フーコーにとって、近現代社会の権力は統合的なものであって、禁止的なものではない。事実、フーコーの立場をさらに展開してきた何人かの著者たちにとって（Clegg 1989）、規律訓練の権力は日常生活の定型的特徴として、まさに近現代の複雑な社会やその制度的形態の組織化と統合にとっての要件である。ハーバーマスの用語を使えば、それは現代のシステム統合にとって不可欠である。ここからさらに進んでフーコーは、権力は「悪」である必要はないというハーバーマスの考え方を共有する。ハーバーマスと同様、フーコーは一定の形態の権力は「病理的」であるとみなしているが（Foucault 1982 : 209）、しかし同時に彼にとっては、すべての社会が権力を必ず含んでいるということは明白であった（ibid. : 223）。

しかしながらフーコーは、彼が研究したことに関して、ハーバーマスとは異なった理解をもついくつかの決定的な点がある。こうした相異点は、権力が奉仕する機関への関心というよりも、権力の諸々の技法へのフーコーの関心をめぐって展開される点にあるが、そうした彼の関心は以下の傾向を伴っている。すなわちそれは、社会的管理装置としての国家を、そうした技法に歴史的に依存するものとみる傾向、権力を「上から下へ」という力よりも「下から上へ」という力として理解する傾向、つまり中心から放射するものとしてではなく、中心を支える周縁で構成されるものとして理解する傾向、こうしたフーコーの傾向である。規律訓練の網の目からなる多くの諸相は、国家によって植民地化され、国家を通して中心化されてきたとフーコーは論じる。しかし国家は、まさにこの網の目との関係において従属的な関係にある。近現代国家は、それが神経中枢であるのと同様に、管理的な規律訓練（および生–権力）の結果である。したがってフーコーにとって、民主的な正統性から引き出される権力は（それはハーバーマスの説明の中心部分であったが）、より基底的な政治的下部構造に基づく第二次的な権力である。

……公式的な点では、代議制が、間接的あるいは直接的に、交代要員を持とうと持つまいと、主権者の権威を形成するすべてのものの意思として権力を可能にするが、その基底においては、規律訓練が力や身体の服従を保証するのである。（Foucault 1979 : 222）

市民の公式の権利の下で、その権利を支えつつ規律訓練の「非平等主義的で非対称的な」実践が存在している、とフーコーはさらに続けて述べている。ハーバーマスが描いたような民主的権力は、より基底的な規律訓練の権力の上の寄生的なものである。さらにフーコーは、そうした技法は文化のより広い諸相のなかに住みついており、そのようにしていまや我々の自発的行為のレパートリーの一部を形成している、と論じている。

筆者は以下において、ここで別個に提起されてきた諸論点を取り上げ、それらの含意と説得力とを、ハーバーマスの仕事と間主観主義論者のアプローチとの両者の関係において、より一般化して評定してみようと思う。

規律訓練と国家

近現代の民主的国家が規律訓練の諸関係によって囲繞され、かつそれらに依存しているという主張は、あるレベルでは、近現代の管理運営と社会統合のシステム状の機構の生起が生活世界の合理化に依存しているというハーバーマスの主張の単なる繰り返しに過ぎない。フーコー自身は合理化のグローバルな過程への言及を避けているが、彼の研究の多くはこの方向で読むこともできる。さらに、合理化の過程は必然的に規律訓練形式の出現に関する理解を伴う。この点までは、ハーバーマスの立場はフーコーの立場によって挑戦を受けてはいない。ハーバーマスの立場は経験的に実証され、確証されている。さらに、フーコーの分析から生じるように思われるさらなるハーバーマス批判、つまり権力は国家において中心化されるのではなく、ローカルな実践によって構成されるという批判は、事実上、規律訓練についての自分の研究に対するフーコー自身の（前述の）結論によって、その大部分は取り消されている。すなわちそれは、規律訓練は主として国家装置内部で植民地化されてきたという結論であった。フーコーの議論におけるこの捻れは、近現代国家を生じさせた生活世界の合理化から国家による生活世界の植民地化へというハーバーマス自身の説明のなかで生じた捻れと事実上類似している。フーコーの捻れは、ハーバーマスのこの説明と確かに一致しているのである。両者の場合とも、中心化された国家制御の可能性と、それゆえ自由主義的民主制の可能性とが、社会生活の特定の場で先行する合理化やそれに付随する一定の制御技術の導入のなかにあると語られ、そしてそのとき、中心化された国家がこれらの技術を専有し、かつこれらの技術に対する主導権をうち立てると論じられている。

フーコーは、以上の論点との関係ではハーバーマスよりも優れていると言われることがある。その理由は、フーコーが、コントロールを行う企ての実行の仕方に関してより明確な観念を我々に与えるからである。しかしこの言い方は、ハーバーマス主義者の立場に対する重要な問題を取り上げていない。ハーバーマス主義者たちは、これらのフーコー的洞察を、自分たち自身の立場に役に立つ付け加えであるみなすだろう。さらにハーバーマスのパースペクティヴは、合理化とコントロールの過程によって構成される公式的な民主的政治システムを主題化し、理論化する点で、フーコーのパースペクティヴよりも利点をもつ。フーコーの政治形態に関する分析は、人びとを統治する技法の解明で止まっている、あるいは規律訓練が民主主義の可能性の条件を構成するところで止まっている。このことによって、フーコーのパースペクティヴは、具体的であるか抽象的であるかのいずれの観点にせよ、議会制政治の組織化と作動に関して語りうることが限定されている。フーコーが語っている「政治」は、本筋の政治理論や政治分析の本来の「政治」ではないし、またそうではありえない（Walzer 1986）。それとは対照的にハーバーマスは、社会関係の合理化／規律訓練が生み出す民主主義システムの機能、およびその欠点についてより明確な意味を我々に与える。そのようにとらえるハーバーマスによって我々は、民主的政府を構成してきた規律訓練のメカニズムが、その当の政府による形質転換に従うようになる仕方について考えることができるようになるのである。たとえば、イギリスにおける教育政策は、試験といったような規律訓練技法の使用に直接の影響をもってきた。それは試験（十一歳試験）を廃止もするし、また新たな試験（全国テスト）を導入したりもする。加えて、教育政策は、学校で用いることができる処罰の類型と用いることができない処罰の類型（フーコー（Foucault 1979）が「ミクロな刑罰」と呼んだもの）を立法化してきた。このような指摘が意義をもつのは、それがフーコーの図式にさらなる次元を付け加え、公式化された民主的権力と規律訓練的権力との二つの方向の動きを照らし出すことができるからである。さらにこうした指摘は、我々に対してさらなるシステム危機の可能性を伝える。我々は、管理運営者が正統性への要求とコントロールへの要求とのバランスをとる必要があるということを理解する。コントロールは効果的に民主主義の基礎を作り出し、そうして正統性の基礎を作り出すが、コントロールそれ自身は正統化されなければならず、最終的には民主制国家が正統化の要となる。

以上の説明を我々が受け入れるならば、我々は少なくとも二つの異なった権力の様相を認めなければならない。すなわち第一に、規律訓練といったコントロールの直接的な形態に適合的な権力。第二に、選挙による権力、つまり投票と投票が政府に与える権限とに結びつく権力。本章での筆者の主要な関心は前者にあるが、この二つの相互関係をしっかりと心に留めておくことは重要である。このように述べておけば、我々はフーコーとハーバーマスの間での次の重要な対照点、つまり技法の問題に立ち戻ることができる。

権力関係、技法、間主観性

権力に関するハーバーマスの主要な関心は、権力が存在すること、それが正統化されること、そしてそれが自らのために作動する国家ないしは専門機関のいずれかによって履行されることである。そう考えるハーバーマスと対比して、フーコーは、いかにして権力が構成され履行されるのかという問いにより関心をもっている。フーコーは権力の技法に関心があるのだ。さらにフーコーの仕事の含意は、とくにハーバーマス主義者のアプローチがたとえば社会的行為主体の固定的能力として権力を暗黙のうちに実体化する場合には、ハーバーマス主義者の問いの形よりも、このフーコーの問いの方がより原初的であるということである。権力の構成のされ方を問うことは、フーコーにとって、権力がひとつの能力であるとか所与の社会的行為主体の所有物であるといった素朴な見解を超えて進んでいく道である。

筆者は上述したように、ハーバーマスとの関係で「能力―結果」に対する異論についてはすでに部分的に論じてきた。さらに、規律訓練的権力と選挙による権力との間で筆者がすぐ前で行った区別は、権力の二つの形態、つまり権力を概念的に把握する方向と権力を分析する方向がありうると示唆することによって、この主張点を支持している。筆者はいまやこの主張に対して、ハーバーマスの「戦略的行為」の概念が、実体化された説明とは反対の方向に向かっているということを付け加えておきたい。この概念は、所与の社会的な場における権力関係の構成に関する理解に対して、一定の方向性を指示している。戦略的行為は、ハーバーマスが（貨幣の交換と同様に）権力に結びつけた効力をもつ行為の様相である。それは、権力の実現の手段である。つまり、権力が履行される仕方である。この意味においてハーバーマスは、少なくとも権力の「ありよう」への問いを認め、その「ありよう」への問いと対応する行為の形式を求めているのである。だがこの点にもかかわらずハーバーマスは、戦略的行為やその権力の基礎となる効能については、ほとんどと言っていいほど何も語らず、その点でハーバーマスの説明は、フーコーによる「ありよう」の問いに関する分析への従事から恩恵を得ているようにみえる。

『監獄の誕生―監視と処罰―』（Foucault 1979）といった権力に関するフーコー初期の研究において、フーコーは十八世紀後期、十九世紀、二十世紀初期のヨーロッパ社会の実践的言説のなかに現れはじめる社会的コントロールに関する技法（たとえば建築の設計図、政策記録、訓練方法、教育と管理のマニュアルなど）の特定の布置状況の出現に言及して、権力に関する「ありよう」への問いに経験的に答えている。これらの文書は、規律訓練によるコントロールについての特定の理論的根拠を示しており、したがって権力の特定の論理を示しているとフーコーは主張する。

だがフーコーの後期の仕事においては、権力の「ありよう」への問いに対する彼の答えは、権力の定義の形式や権力分析の方法論をより問題にするようになる。実際フーコーは、自分の初期の仕事によって促された問い、すなわち社会組織の形式を権力の技法として構成しているものは何かという問いに答えている。これは重要な問いである。というのは、すべてのものを権力の形式として見る、あるいは権力の結果として見るというフーコーの仕事のいくつかによって与えられる傾向、つまり権力をどこにでもあるものとして見、それゆえにどこにもないものとして見るという傾向が少なからず存在するからである。

フーコーの定義のまずもって重要な段階は、権力は人間間の関係の特性だということを示すことである。すな

わち、

……思い違いをしないようにしよう。もし我々が、権力の構造とかメカニズムについて語るとしても、それはただ我々が、一定の人物が他者に権力を行使しているということを仮定するかぎりにおいてのみである。「権力」という用語は、当事者間でのひとつの関係を指し示すものである。(Foucault 1982 : 217)

さらにフーコーは、権力は「社会的ネットワークのシステム」に「深く根ざしている」と付け加える。このことは一見して明らかなことのように思われるが、フーコーの思考の展開にとっては重要な一段階である。彼が行ったより初期の仕事は、ときに、権力が人間関係に外在する力で、この人間関係に何らかの作用を及ぼすものとして描かれるという認めがたい段階をたどっていたように思われる。これは訂正される。権力は、人間関係から独立しては存在しない。権力は人間関係のなかで立ち現れる。我々の観点からいえば、この主張は重要である。なぜなら、この主張は権力と関係性とを同一のものと認めるからである。言い換えれば、フーコーは間主観性および権力についての間主観的理解の方向を指し示している。権力は人びとの「間」に、間世界に存在しているとみなされている。もっともフーコーは、間や間世界を十分に概念化する理論的道具立てをもっていなかったし、また「間主観性」といった用語を使おうとはしなかったけれども。

こうした間主観主義論者的な要素は、フーコーが権力関係に不可欠な二つの要素が存在すると論じるとき、さらに展開されている。すなわち、

「他者」(権力が行使されている者)は、行為する人格として徹頭徹尾認められなければならない。そしてまた、権力の関係に直面するときは、反応、対応行為、帰結、起こりうる介入の全領域が開かれるであろう。

(Foucault 1982 : 220)

これらは、権力の関係というよりも友情の関係の要件のように見える場合があるので、我々がこの二つの関係を区別できるようなより明確な規準が我々の定義には付け加えられる必要が当然ある。だが、この引用のなかでフーコーが行っていることは、権力の関係を暴力の関係から、つまり物理的な決定論から区別することである。権力は人びとが行為するのを妨げるのではない――もちろん、行為を妨げられる場合もあるのだが――と彼は論じている。また、権力は物理的な力として、あるいは物理的な原因として人びとに作用するのではない。むしろ権力は行為に影響を与えるために、人びとを行為の主体と「名指す」ことで人びとの行為に作用する。さらに権力は、男性であろうと女性であろうと、人びと自身に対してではなく、行為に作用が及ぶことあるいは起こりうる行為であるということ、このことがここでの対比においては重要である。暴力は、(対象としての) 人に対して及ぼす行為である。権力は、間―行為 (inter-action) として現れる。すなわち、

……権力はつねに、行為する諸主体に、すなわちそれらの行為によって行為する諸主体に、あるいは行為できるということによって行為する諸主体に、作用を及ぼす仕方である。つまりそれは、他の行為に影響を及ぼす一群の行為のことである。(Foucault 1982 : 220)

このことには、固定した行為の様式は含まれない。すなわち「それは駆り立て、勧誘し、誘い込み、より容易にしたりより困難にしたりする」(ibid.)。重要なことは、行為が行為をコントロールする手段として作用するということ、そして行為が及ぼされる者は行為の主体者としてつねにそう名指されて維持されることである。

以上のことは、暴力と権力は同一の領域に共存できないということを意味するわけではない。おそらくそれら

は、一緒に作動さえする。実際パーソンズ（Parsons 1967）が示したように、暴力の使用は、行為主体の未来の行為に効果的に作用を及ぼす有意味なコミュニケーションでありうる。例を挙げれば、非妥協的な行動が続く場合に、不同意や「将来」への警告を伝えるためになされる平手打ちがそうであろう。だが論点は、権力と暴力が一致する必要のない社会的行為のさまざまな形態があるという点にある。暴力は、行為に作用する仕方で用いられるときにのみ権力と一致する。このことは、行為のもうひとつのカテゴリー、つまりコミュニケーションにも同様に適用される。フーコーは言語理論や行為理論をもってはいなかったが、権力がしばしば言語行為によってコミュニケーション的状況で構成されるということを認めている。だが彼にとって明らかなのは、我々は、権力の要素と、情報伝達であると彼が理解する行為や状況のコミュニケーション的要素とを区別しなければならないということである。この説明において権力とコミュニケーションとは、コミュニケーションが権力関係の担架体である場合もあるが、必ずそうであるとか、つねにそうであるとは限らないといったように、特定の行為において共存する場合もあれば、共存しない場合もある行為の異なった要素なのである。

以上のことから引き出せる含意――後にさらに詳細に展開するが――は、フーコーの権力理論は権力の「使用理論」だということである。すなわちフーコーにとって、行為がそれ自体独力で権力を構成するのではない。むしろ、行為の特定な形式の使用こそが考察されなければならない。繰り返せば、とくにフーコーが関心をもっているのは、ある行為が他者の行為から特定の行為を引き出すために、その行為に作用する手段として用いられるかどうかという点にある。

以上のような探究の方向は、間主観主義論者のパースペクティヴにとって大いに示唆的である。行為への作用であるとか、起こりうる行為であるとかいった考え方は、第二章で論じられたいろいろな考えのいくつかを想起させる。たとえば、身振り会話に関するミードの理解、時間地平の融合や共に行為することに関するシュッツの理解、そしてメルロ゠ポンティやガダマーによって論じられたような会話の還元不可能性、である。我々は、権力関係の論理が間主観的で、対－論的な論理であり、しかもまた関係としての権力関係は、「間」や「間世界」を構成しているに違いないという印象をもつ。権力は一個人に属するのではない。権力は、諸行為が交差するところで、これらの行為とそれが影響を与える戦略的諸可能性との間で形を成す還元できない構造のひとつの帰結として生じる。さらにフーコーが、権力関係と暴力関係や物理的決定論との間に引こうとしていた区別を考えてみれば、彼にとって権力は、思考や意味の間世界を通して構成されるということは明らかである。すなわち権力は、物理的／因果的な特性によるよりも、むしろ行為の共有された意義に影響を受けるということである。権力の力は、意味に基づく間主観的な力である。

だがそれにもかかわらず、この段階でフーコーは、権力についての彼の理解と、たとえば会話に関する彼の理解との差異についてはほとんど何も語らない。質問をすることは、何らかの形で影響を与えるために他者の行為に作用するひとつの仕方であるといってよいが、それは我々が通常権力関係だとみなす範例的な事例ではない（たとえば尋問の状況におけるように、問うという行為が権力状況の一部を形成する場合でさえも、そうではない）。では、何が、行為に作用する行為を権力のひとつの事例とするのであろうか。

この問いに答える前に、フーコーが権力に言及するとき、彼は個人化された行為には必ずしも言及していないということが指摘されるべきだろう。したがって、問いと答えに関して筆者が提起する反論はいささか曖昧なものである。権力に言及するときフーコーは、行為の特定の文脈への言及を含む行為の総体に、つまり「行為の全体的構造」に言及する傾向がある。あるいはまた、権力に関する彼の主要な研究におけるように、彼は、文脈から切り離されて孤立化された特定の行為というよりも、むしろ時間割の順序、告白の技法などといった、より広い行為のパターンを通した細目の歴史的出現に言及する傾向がある。このことの含意は、孤立した状態ではいかなる個々の行為も「権力」の例示とはなりえないということである。行為はすべて文脈のなかで、つまりその行為が（空間的時間的に）結びつけられた他の行為との関係のなかで考察されなければならない。さらにより特定化して述べれば、行為は、それが使用される仕方の観点から考察されなければならない。このことは、権力についてのフーコーの「使用理論」に関して筆者が先に指摘した点を繰り返し、かつ発展させているのである。にもかかわらず、このことでもって、なぜ間―行為の一定の総体や行為の一定の使用が「権力」と名づけられる利点があって、その他は権力と呼ばれないのかという理由についての問いには、まだ答えられていない。

フーコーがこの問いに答えるやり方のひとつは、「行い（conduct）」や「統治」といった概念に言及することによってである。行い《コンダクト》は二重の意味をもち、その両面が権力に統合されるとフーコーは記す。権力は行いであるが、それが行動ないしは行為であるという意味でひとつの行いであり、しかも同時にそれは、指揮《コンダクト》するということでもある。権力は、他の行為を導き統治する。あるいはまた、権力は他者の可能な行為領野を構造化する。ここには、非対称性についての暗黙の認知がある。一方の行為主体が他方の行為主体を導くのであって、相互的に他方によって導かれることはない。さらにこのことが合意を意味する場合もあるが、権力関係は本質的に合意的なものではないとフーコーは付け加える。この後者の主張は数多くの含意をもつが、ここでとくに関心があるのは、それがハーバーマスの仕事と一致する点である。フーコーが述べるには、権力は相互理解や同意（合意）に指向しない状況に基づくし、また権力はそうした合意、つまり行為の相互的に同意された調整と結びつけられると有意味に述べることもできない。換言すれば、権力とは理想的発話状況ではない。それはおそらく、依然としてひとつの会話状況ではあるが、理想的発話状況とは異なった仕方で指向された異なった類型の状況である。こうした考え方が重要なのは、フーコーとハーバーマスがどこで重なり合い、どこで互いを補強し合うのかということを、その考え方が我々に示してくれるからである。ハーバーマスは我々に、権力ではない行為類型（コミュニケーション的行為）を指示する。他方、フーコーは存在する事柄（およびハーバーマスが戦略的行為と呼ぶもの）を詳しく述べる。さらにより重要なことは、彼らは多かれ少なかれ、合意の論点に関しては真ん中で同意するように思われることだ。合意の存在ないし欠如は、両者にとって決定的な要因である。ハーバーマスは、理想的発話状況にとって重要な合意に（論議に基づいて）指向するが、他方フーコーは、権力にとって重要なのはそうした指向の欠如だとみる。彼らは、同じコインの異なった側面を論じているのである。

ここで、次のことを付け加えることが重要である。すなわち、合意に関する以上の問いや、合意への指向に関するこうした問いこそが、権力問題のなかに道徳的、批判的な次元を導入するということである。複雑な現代社会は、合意的な一致に基づいて生き延びるために必要なすべてを達成することはできないということ、このことはハーバーマスとフーコーの両者とも認めている。にもかかわらず、生活世界の植民地化という考え方が示唆しているように、生活領域への権力の侵入――そこでは、こうした合意という仕方で規制され、その規制はかえって良いと思われているものだが――が起こりうる。そうした場合に権力関係を認定することは、ひとつの批判である。その批判は、そのような特定の領域において、権力関係（および戦略的行為）に替えてコミュニケーション的行為を求めること、したがってその領域の民主化を求めることを意味するのである。

こうした議論によって、我々は権力の利用可能な定義に大いに近づくことになるが、しかし我々は、権力の分析が考えなければならないこととしてフーコーが示した五つの点を熟考することによって、さらに権力の定義を鋭利なものにすることができる。その熟考によって、権力が立ち現れることをフーコーがどのように思っていたのか、そして権力は何を意味しているとフーコーが考えていたのかについて、我々にはより明確な観念が与えられるであろう。そして、このような考察によって我々は、権力の間主観性をより詳細に考察することができるようになるのである。

フーコーが同定した権力関係の第一の相は、「人が他者に作用を及ぼすことを認める差異化の体系」である（Foucault 1982 : 223、強調は原著）。そうした差異化の体系は、法、地位に関する伝統、経済的差異、能力における差異などでありうるとフーコーは論じる。かくして我々は、警察官だけが逮捕する権力をもち、医者だけが診断する権力をもつなどと言うことができる。このことは本稿の観点からして興味深い。というのは、こうした体系はその本性上、必然的に間主観的であるからである。この差異化の体系は、おそらく暗黙のうちに過ぎないとしても、行為の異なった権利の相互承認に依存する。それは「生活形式の一致」によって構成され、社会的な出会いにおいてまさに相互に維持されるかぎりで存在して力をもつ。以上が示唆しているのは、権力は我々の生活世界の地平に根差しており、我々の言語ゲームの構造化に根差しているということである。

この点のよい例が、「話者の地位」はジェンダー化されており、また女性の地位は従属的であると示唆してきたフェミニストの著者たちの仕事のなかで与えられている。女性は、男性が許されているのと同様には自分たちの言葉で事を成すことが許されておらず、時には、女性が語ることの意味は、それを語るのが女性であるという事実によって左右される、と論じられてきた。もちろん、女性はこのことに同意しないとしても、しかしそれは間のなかで規定された事実であり、特定の誰か個人の手のなかにあるわけではない。

この点は、より一般的な形でピエール・ブルデュー（Bourdieu 1979, 1992, 1993）によって、発話状況との関係で展開されている。第二章で論じられたように、発話行為理論に批判的に取り組むなかで、ブルデューは発話行為の社会的で制度的な媒介を論じている。言葉によってうまく行為がなされるかどうかは、それが他者たちによって受け取られ反応される仕方に依存し、そしてこの依存自体が今度は、誰が、どのような文脈で、どのような仕方で話しているか（たとえば言葉のアクセントや話し方）に左右される、と彼は記す。もし発話が、発話の市場の需要と一致しないならば、それは単純に効果を持たないだけであろう。それは理解されないか、作動しない。ブルデューの研究から引くことのできる、この点についての明確な例は、船の命名に関するものである。「私はこの船を……と名づける」という言葉が、命名という仕事にとって十分であるのは、ただその人がこの仕事をするよう任命されている人である場合のみであると彼は記す。第二章で筆者が記したもうひとつの明確な例は、議会の解散宣言の場合であろう。この行為は単純な言語的交換によって構成されるが、しかしその関与者だけが不可欠な形で独占しているのである。

以上の論点を示した後では、次のことが記されるべきだろう。フーコーは実際には彼自身の研究のなかで、このような差異化の体系についてはほとんど何も語っていない（おそらく、専門集団の地位と、狂気と正気の相関的な地位との関係は除いてであるが）ということである。とりわけ、彼がとくに分析において焦点を当てた社会領域の多くを越えるような永続的なこの差異化について、彼はほとんど何も語ってこなかった。たとえば、彼の仕事のなかには階級構造に関する説明はないし、またその認識もほとんどない。あるいは、ジェンダー関係や、さまざまなエスニック集団の関係に関する説明もないし、またその認識もない。たぶんこれらは、フーコーの念頭にあったような差異化ではないのであろう。だが、それらが念頭になければ、それらは念頭におかれるべきである。たとえば、フーコーが行ったように（Foucault 1965, 1979, 1987）、社会統制の技法として精神医学について語ることは、その領域のエスニック間の不平等に関する大きな衝撃を論じることがなければ、その特定の社会的装置の政治的作動に関してより大きな意義をもったものを見逃してしまうように思われる（Fernando 1988, 1991）。

この点に関する最後の考察を行ってみよう。自らの専門的知識が一連のさまざまな争いの場で起こる社会的事件に介入し、調整して、自らの権威を高めることに役立つ「専門家」の誕生に関しては、フーコーとハーバーマスとは関心が重なり合う。疑いもなくフーコーはこの問題に関して、二人のなかではより経験的である。フーコーは、医学、精神医学、性科学、および彼が論じている公共的健康を監視するその他の専門家システムの誕生を説明した。だがハーバーマスも「文化的貧困化」という彼の命題を通して、この点に関してなすべき非常に重要な貢献を行っている。この「文化的貧困化」という考え方によって、我々はフーコーの研究における明らかな問題点、すなわちフーコーの研究は一見して批判的であるようにみえるが、それが、多くの人びとによって自明で政治的にも問題がないとみなされている事態をありのままに（単に）記述しているのであるから、実際には批判的ではないという問題点を克服することができる。たとえば、我々は皆、医者は我々の体に関して一定の認識論的で政治的な特権を享受しているということを知っているが、しかし我々は、そのことが我々の苦痛を和らげ、我々が長生きするのにたぶん役立つだろうから、それは良い考えであると考える傾向がある。「文化的貧困化」という考えは、我々がこうした傾向を、説明責任、妥当性、技術能力問題、権限逸脱といった問題として提起することによって、より深く問題化するのに役立つ。我々は、自分たちの公共的な技術的基礎の低下や、公的な説明責任の場に置かれる論争点の範囲の縮小といった、この両者のような特定の争いの場が専門家による植民地化であると理解できるようになる。もちろん我々はまだ医者を必要としているであろうし、多分今後も必要であろう。しかし、我々は少なくとも言語をもっており、それを用いて自分たちの関心を定式化できる。そして、このことが実践上での何がしかの変化を論じる基盤を与える。そこに、民主化要求をもって専門化に対抗する動向を見てとることができる。

フーコーの第二の論点は、「他者たちの行為に影響を与える人びとが追求する目標の類型」に関わる(Foucault 1982 : 223、強調は原著)。この論点は、多少とも自ずから明白である。しかしながら、これらの目標は個人的なものではなく、ある組織構造内で人が占めている特定の役割や、そうした役割として人びとが役立つ特定の機能と結びついているとフーコーが考えていることは、注意しておくに値する。この点が、官僚制や第五章で論じられた行為のシステム的媒介に関するハーバーマスの理解と結びついている。官僚制下の役人は、その効果がシステム統合の達成にとって中心的であるような明示化された目標を追求する。

第三にフーコーは、「権力関係を存在させる手段」(ibid.、強調は原著)があると認める。その例を挙げておけば、先に言及された扇動やそのかしなどと並んで、力による脅し、経済的不均衡、監視の関係などである。この点は、間主観主義にとってはとくに関心のある事柄である。というのは、この点は間世界や相互行為の論理と関わるからである。すなわちそれは、口語的に語るならば、人びとが「最初のボタンを押すように、口火を切って」回るやり方なのである。つまり、どのようにして人びとは扇動し、そそのかすのかといったことである。たしかに当座、我々は、このことは相互性に基づくとか、特定の類型の出来事や行為がもつ価値、意義、意味に関する一群の共通理解に基づくとか述べておくことができる。無生物の対象を効果的に「そそのかす」ことができないのと同様に、チェスをまったく知らない人に「王手」をかけることはできない。意味や理解の共有がありさえすれば、暴力を用いなくても、たしかにある人から他の人に効果が伝わるであろう。もしシンボルの意味が二人の人によって共有されていれば、つまりその二人が共通のシンボル的な間世界に属していれば、シンボル的行動のみによって一方が他方をコントロールすることができるだろう。さらにそれは、適切だと内部で思われるように、共有された関連性システムや共有された文脈の内部で効果的でありさえすれば、たしかに効果的であるだろう。換言すれば、権力は生活世界を必要とするということである。

以上のことは、共有された関連性体系や生活世界が権力の効果を保証すると述べているわけではない。また、権力のシンボル形式は往々にして物理的な力によって「保証」されるとか、貨幣が金によって保証されるような仕方と同様に、それはより直接的なサンクション（そして同様に、より間接的なサンクション）と何がしかの類似性があるというパーソンズ（Parsons 1967）の観察を否定するものでもない。だが要点は、生活世界のシンボリズムは通常、コントロールを保証するのに十分なものであるということである。

さらに、間主観主義的な二つの論点がここで付け加えられるべきであろう。第一に、エリアス（Elias 1978b）に従って筆者は、人間はつねにすでに（財政的、情動的、実践的な）相互依存のネットワークに巻き込まれており、そしてこのネットワークが権力関係に必要な何がしかの効力を与えるということに同意する。我々が他者に依存しているからこそ、つまり我々は自分たちがいまこのように存在するために、また自分たちが望むことを達成するために他者に依存しているからこそ、我々は他者の影響を受けるのである。もし他者が我々と他者を結びつけている絆をコントロールするならば、そのとき他者は我々をコントロールするよい機会をもつことになる。この絆とは、我々の「押しボタン」なのである。あるいは少なくともそれは、我々がもっている押しボタンによく似たものなのである。第二に、この絆に不可欠なものは、我々が本書の多くの箇所で論じてきたような、他者の欲望を欲望するということである。我々が他者の影響を受けうるのは、他者が我々にとって重要であり、ある意味で我々は他者なしでは不完全だからである。我々は、自分たちの承認が撤回されるのを望まないゆえに、あるいはまた、我々は特定の仕方で見られるのを望まないゆえに、我々はコントロールされうるのである。この特殊な絆は、それが自分と自分の自我や自分のアイデンティティとの関係の構成に関わるときには、非常に強いものとなる。

この意味で我々は、権力が動機づけや価値体系への作用を含み、その作用によって必然的にこの動機づけが特定の仕方で水路づけられるといってよいであろう。動機に対して権力を行使される人びとは、もしその人びとが一定の物事を達成したいと望み、また特定のアイデンティティを獲得したり維持したりしたいと望むならば、特定のやり方で行為する以外に選択はないという状況におかれるのである。

権力を存在させる手段に関するこのような議論にとって不可欠なのは、権力は「間」あるいは「合間」で構成されるということである。すなわちそれは、権力は特定の相互関係性の論理に依存するということであるが、その依存が今度は、特定の意味、関連性、前提、および文脈の共有に依存しているのであり、しかもこれらのいずれもが、個々の主体に属しているのではなく、むしろ諸主体の間世界に属しているものなのである。権力は、それを行使する人の手のなかにあるのではない。それは、間世界ないしは間の特定の構造化の効果なのである。実際、特定の行為のもつ権力の効果は、それを行使する人にとって意図され、欲望され、知られているわけではないという場合が通常であろう。人間関係が、組織的な階層秩序や役割によって、あるいはその他の相対的に安定した媒介要因によって構造化されている場合は、とくにそうである。このことは、フーコーのパノプティコンの議論のなかで例証される。パノプティコンとは十八世紀の監獄のことで、真ん中に監視塔があり、その内部は外からは見えないが、その塔からは牢獄の各部屋がすべて見えるようになっている施設である。筆者が他の所で論じたように（Crossley 1993, 1994）、権力はこの監獄において間主観的に組織化されている。このことは次の事実から生じる。すなわちそれは、囚人はたえず監視塔にいる人によって監視されているという事実、そして囚人は「決してコミュニケーションの主体ではなく、情報の対象」(Foucault 1979 : 200) として位置づけられているという事実から生じるのである。だがこの効果は、監視塔にいる人の意図ないしは動機に依存してはいないし、そこにいる人もこの効果に気づかずにいる場合さえある。人が監視塔のなかにいるということだけが、囚人の「監視されているという不安な意識」(ibid.) を始動させるのであり、そしてこれが求められているすべてなのである。だが明らかにこのようなことは、以上の事例だけに生じるのではない。たとえば警察官は、その制服およびその制服がもつシンボリズムによって同様の効果を作り出すだろう。同様のことが、広範囲の事例にも当てはまるであろう。

フーコーが権力分析に対して光を当てた第四の論点は、「制度化の諸形式」である。この意味での制度化は、二重の意味をもっている。それは、一定の実践が定められて安定する仕方、つまり一定の実践が制度化される仕方に言及する。しかしそれはまた、(我々がそれもまた「制度」として言及する) 家族や仕事場のような社会組織の特定の形式において、そのような諸制度に固有な特性に適応し、そしてまたそれらに依拠するようになりながら一定の実践がなされる仕方にも関わっている。この点は、『監獄の誕生―監視と処罰―』においてもっともよく例証される。そこでフーコーは、一連の異なった制度的背景のなかでさまざまに絡み合った規律訓練の諸実践が立ち現れてくる様子を跡づけている。異なった制度が異なった仕方で同一の諸実践を制度化する、と彼は記している。

ここで論じられた一般的な論点は、権力は定着し、制度化されて制度になるということである。だがフーコーにとってもっとも重要だったのは、この制度化によって我々が、権力は制度の帰結として (組織としての) 制度に還元されうると信じてしまう間違いに陥ってはならない、ということである (Crossley 1994)。フーコーにとって、権力とは個々の制度を超えた (筆者が間主観的実践であると捉えた) 諸実践の帰結である。さらにこの見解に従えば、権力が制度の帰結であるのと同様に、制度はまさに権力の帰結である。この点は、近現代社会を特徴づける複雑な組織形態の多くが、フーコーが描いた歴史的には偶発的なシステム化された規律訓練の諸技法なしには不可能であったというクレッグ（Clegg 1989）の観察において、もっとも明確に捉えられている。これらの諸技法が、そうした組織への統合（システム統合）の基盤を与え、そのようなものとしてまさにその組織が存在するようになったのである。

　フーコーの最後の論点は、特定形態の権力のなかに現れる「合理化の度合い」に関わる。彼がこのことによって意図していると思われることは、権力の諸関係や諸実践が、（他者の抵抗を含む）それらの周囲環境に適応する仕方やその適応の程度と、そしてそれらが組織化される仕方について、我々が研究しなければならないということである。いいかえれば、そこには権力の諸形式の社会的組織化や適応可能性を研究する必要性があるということである。

　以上の一覧では述べなかったが、フーコーの仕事のなかの他の箇所で述べられている付加的な論点がある。それは、権力はつねに抵抗と対になっているということである。彼が論じるには、権力はつねに自由である人びとに対して行使されうるが（とくにこのことの理由は、もし権力の主体が自由でなかったならば、それは権力ではなくて物理的な決定論になってしまうからである）、しかしこの自由は同時に、権力関係においてたえず一貫した非妥協的態度、つまり彼がそう呼ぶような「戦い」（agonism）を保証するものである。このことは、ハーバーマスとの関係でたいへん興味深い。それは一方で、生活世界の植民地化には抵抗がなされるし、実際にもなされてきたというハーバーマスの主張と再結合する。さらにフーコーは、ハーバーマスが言及したのと同一の抵抗運動のいくつかに言及している。たとえば、女性運動、管理に対する闘争などである。だがこの点にもかかわらず、フーコーの仕事はまた、たとえば管理／被管理の世界に関する彼の描き方が文化的な判断力喪失者というモデルの方には向かないような形で、ハーバーマスにおいて見いだされるものよりも一層直接的な意味での抵抗をも示唆している。

権力の偏在

本章のここまでの結論は、二重である。第一に、権力は還元不可能な間主観的現象であるということ。第二に、フーコーの仕事とハーバーマスの仕事はかなり補完的なものになりうるということ。とりわけフーコーはその権力概念を通して、ハーバーマスの「戦略的行為」の考え方を我々がさらに発展させるさいの手助けになる。他方ハーバーマスは、フーコーに対して、フーコーが自分の権力理解を引き立てるものとして用いた行為における合意という考え方を、より中身あるものにするコミュニケーション的行為に関する概念化をもたらすことができた。この点は、フーコーにとって有益であろう。というのは、フーコーのアプローチは、分析的な理由からも政治的な理由からも、いいかえれば自らのアプローチを権力の妥当な定義として維持するためにも、そしてまたそのアプローチが権力批判におけるより実証的で倫理的な要素を発展させることが可能となるためにも、権力ではないものに関してより明確な概念化が必要とされるからである。

だがフーコーの仕事には少なくとも、ハーバーマスのアプローチに対して障害となるような——そして（第五章で論じられた）フレイザーのハーバーマス批判と再び結びつくような——、もうひとつのさらなる側面がある。この問題の要点は、次の事実をめぐって展開される。すなわちハーバーマスは、明らかに権力を国家による作動と同一視し、後になってはじめてそれが生活世界に課せられていることを示唆するが、それに対してフーコーの場合は、権力はすでに生活世界に埋め込まれているとみている。筆者がすでに指摘したように、この問題は部分的にはある程度相殺されている。というのは、フーコーは国家が権力装置の多くを植民地化してきたことを認めているし、他方ハーバーマスも近現代国家が合理化の過程の帰結であるとしているからである。だがこのことは問題の完全な解決ではない。なぜならフーコーは、権力の技法が国家機構に吸収されてしまうというのではなく、それが生活世界の日常的な諸実践のなかにしみ込んで、広がっていることを示しているからである。たとえば『性の歴史』(Foucault 1981) において、フーコーはヴィクトリア朝時代における性への関心が、一連の社会的関係と個人的関係との両者を、権力の連続的交替《リレー》つまり「権力と快楽の螺旋状態」として構成しながら、いかにしてその両者を再構成したかについて記述している。例を挙げれば、両親と教師は子供たちの性を監視するよう促され、男たちは自分たちの妻を監視するよう促される。すべての人が他のすべての人の行動を観察し監視するようにされ、生活世界は隠匿と発見、「捕捉と誘惑」のゲームで満ちていた。さらにフーコーによれば、この究極の帰結は、人びとが自己監視の役目を引き受けることである。権力の動きが、まさに人びとの人格構造を被う。

> そこでは、武器や物理的暴力や物的強制は必要がない。まなざしだけが必要だ。各個人が重きをおく査察のまなざしは、かくして各個人がこの監視を隅々まで働かせて、各個人が自分自身に対して自分自身の監督者であるという点に至るまで内面化されて終わりとなるであろう。(Foucault 1980 : 155)

間主観主義からみて、こうした考えにはいかなる問題もない。生活世界を貫いているとフーコーが認める権力の「リレー」や、彼が「捕捉と誘惑」の「ゲーム」から発していると示す「権力と快楽の螺旋状態」はすべて、間主観主義論者の立場とよく適合する(Crossley 1984)。さらに、自己監視という考えや、それが他者による監視に由来するという考えは、「I」と「me」の反省的な関係や、それがもつ社会統制の保証の役割に関するミードの考えとも同じものとして適合する(第三章参照)。ミードにとってもフーコーにとっても同じように、外的な権威者の「態度」を自己が取得することによって、近現代社会では社会的コントロールおよび自己コントロールが同時に達成される。だがそこには、ハーバーマスとの関係で(そしてそれゆえ、我々が展開する立場との関係でも)

ひとつ難点がある。それは、生活世界が権力の関係によって構成されるよりも、コミュニケーションの関係によって構成されるということを、この指摘が十分には示唆していないように思われるという意味での難点である。あるいはまた、生活世界におけるコミュニケーション関係の——生活世界の植民地化という命題が示唆していると思われるような——捻れが、経済的、政治的に支配された社会のシステム圧力には還元できないという意味で難点なのである。

我々はこの問題を、歩み寄りによってしか満足のいく形では解決できないだろう。この歩み寄りの第一の点は、フーコーが権力関係を生活世界のなかに認めたことは正しいという主張である。筆者は、ハーバーマスもまたこの点を認めるであろうと示唆した。ハーバーマスが国家権力について語るとき、とくに国家権力こそが彼が考えていることであって、したがって他の形態の権力への問いは開かれたままであるということは、彼には明らかであったと思われる。だが彼が、その問いを認めていようと認めまいと、家族内の権力関係といった生活世界内の諸々の権力関係も存在するし、そしてそれらは無視することができない。さらにこうした諸関係は、生活世界の再生産過程の内部で機能する。たとえば、子供に対する親の関係を構造化するとき、その関係は社会化の機能を構造化するのである。

だが、歩み寄りの第二点は、あらゆる関係が（つねに）権力関係であるわけではないという点である。フーコーの研究は、権力から自由な関係、つまりコミュニケーション的行為の関係（議論の力だけがそこでの唯一の権力である）は存在しえない、と示唆しているわけではない。事実、フーコーが正確に権力を境界づけ定義しようと努力していることは、権力関係以外の関係があることを示している。さらに重要なことは、これらの権力関係以外の関係も、社会秩序の再生産に関わっていることである。人びとは関係の基礎を自由に議論することができ、そしてそれに影響を与えうる。人びとは、自分たちの不一致を解決するのに、権力に基づく方法で行うのと同様に民主的な方法でも行う。そしてその各々の方法が、周囲環境の差異に応じて適切でありうる——つまりそれは、各々の方法が適切に用いられていないということではない。さらにまた生活世界内で機能する権力が、公的領域と私的領域の両方においてコミュニケーション的行為によって挑戦を受けるということ、そしてこの挑戦の圧力によって政治システム内部に影響が及びうること、さらにまた今度はこの政治システムが、そのような圧力状況を緩和するための手段として生活世界に作用するということ、こうしたことが起こる場合がある。最近の幼児虐待やドメスティック・バイオレンスに関する議論は、家庭内の権力に関するより多くの議論と同様に、以上の点の非常によい例を与えている。これらの議論は、生活世界の問題ではあるが、公的領域や政治システムのなかに引き込まれ、そこにおいてコミュニケーション的状況で開示されて、少なくとも一定の変化に結びつく可能性がある。

この第二の論点にとって不可欠なことは、我々自らが自発的に一定の形式の権力に従っているというフーコーの考え方について、いくつかの批判を行うことである。このフーコーの考え方には示唆的な点がかなりある。我々は、Iとmeに（時間を通して）分割される主体という感覚をもつし、しかも共同体の観点から自分を積極的にコントロールしようする主体という感覚をもつ。さらに、フーコーが強調するように、このように自分自身をコントロールしない人びとは、外部から（警官、精神科医などによって）コントロールされるであろう。だがこう述べてはきたが、ミードが強調したように、Iとmeとの関係とは、事が決定されるまでの間、そこで観念がやりとりされる対話である。我々は自分自身をコントロールするだけではなく、我々は自分自身と（理に適うように）議論するのである。自分自身に対する我々の関係は、（その関係が基づく）他者に対する我々の関係を伴いつつ、権力に基づくのと同様にコミュニケーション的でもありうるのである。

最後に、生活世界における権力関係は非常にしばしばシステム的関係のなかで支えられる場合があるということが付け加えられなければならない。たとえば、父親がその妻や子供たちに対してもっている権力関係としてしばしば理解されている家族における権力関係は、法を通して、また賃金雇用や金銭に非常に接近しやすいということによって、父親の地位が支えられているという事実のなかにその支持を伝統的に見いだしてきた。もちろんこの点は、ナンシー・フレイザーがハーバーマスに対して提起した異論の一部である。家族の内側には内部経済があり、そこでは男性がお金をコントロールしていると彼女は論じる。だがこの論点は、二つの点を切り離しているのであって、同時にこの論点はまた、家族における権力が、システム統合の過程のなかで権力を含む媒体《メディア》によって形成されていること、つまり権力と経済システムや法システムとの関係によって形成されていることをも示しているのである。

植民地化の問題

以上の諸論点が意味していることは、生活世界は、国家による植民地化だけによって堕落させられるような純粋なコミュニケーション的行為の場ではないし、いままでも決してそうした場ではなかったということである。生活世界もまた、そのうちの一定部分が管理の構造と直接的には結びついていないとしても（コミュニケーション的行為の場であると同様に）権力関係の場である。

この点がさらに意味しているのは、国家による生活世界の植民地化がそれほど悪くはない場合があり、事実プラスである場合もあるということである。少なくとも、次のような場合はそうである。すなわち、生活世界の植民地化が、一定の民主主義的責任が取れるような公式の形態を伴って民主的には規制されていないような、「非公式」で非合理的な権力形態を転換するような場合である。たとえば家族生活への国家の介入は、すでにその単位のなかに存在していて少なくとももより権限が与えられた権力システムであるような家族の政治的構造を、国家介入に伴う公的な不満処理手順によって変革することに役立つ場合があろう。他方で、このような考えに基づく社会批判の適切な価値が、コミュニケーション的行為によって少なくとも一定の社会領域を自己規制する可能性を回復したり構築したりするために、確実に位置づけられなければならないのである。

こう述べてきたからといって、権力形態と生活世界とのこうした同一視は、ハーバーマスが描いた植民地化の一般像を変えるものではない。歴史的にみて、生活世界の多くの領域が、国家権力の諸関係によって植民地化されてきたことは疑いがない。さらに植民地化の衝撃が不平等やコントロールをこの一般像のなかに導入させたことは、まったく明白である。

またさらにハーバーマスの場合、植民地化は権力関係と同様に市場をも生活世界にまで拡大するという論点がみられることとの強調も大切であろう。このことは、ハーバーマスを現代の他の社会批判者から区別し、彼のパースペクティヴが、富や収入の不平等な配分によって決定される社会経験や生活機会の大きな差異を説明可能にしている非常に意義ある論点なのである。ハーバーマスの理論は基本的に依然として資本主義社会に関する理論であり（第五章参照）、そうした理論として彼の理論は、生活世界に対する次のように二方向の攻勢を認めている。すなわちこの見方に従えば、一方で生活世界は管理的な諸関係の過剰な拡大によって土台が掘り崩されており、しかし他方で同時に生活世界は、かつてはその生活世界のなかで日常定型的になされていた行為と奉仕が、いまや価格とブランド名を獲得するような商品化の過程によって土台が掘り崩されているのである。さらに、この二方向は明らかに相互関係がある。市場にあるものは、経済的経営によって管理運営的なコントロールを受けるからである。

主人と奴隷の問題

本章における結論を述べる前の最後の論点として、筆者は、第一章でその概要を述べた承認を求める闘争という寓話に手短に立ち返っておきたい。この寓話において、二つの意識が死を賭して闘っている。そして、そのそれぞれの意識の狙いは自己意識の獲得である。一方が降伏し、それによって他方の奴隷になる。しかし、このことは両者の承認の否定であって、どちらも自己意識とはならない。奴隷は自分が奴隷であるので承認されていない。主人もまた承認されていない。なぜなら、奴隷は主人を承認するに値しないからである。

人間の歴史には、このような死を賭した闘いが至るところに散在している。さまざまな闘いの記述が言及しているように、そこには死に至るものもあれば、この寓話のように奴隷になったり、暴力的な支配や排除の形態で奴隷と同じような状態にある者もいる。ヨーロッパの植民地といった遺産、ソ連の強制収容所やナチの強制収容所といった遺産はみな、我々の現在を形づくるのに関わってきた暴力システムを想起させるものである。そして、そうしたことは今も続いている。先のユーゴスラビアにおける民族主義者の闘争やその流血の結果は、ひとつの明白な例である。

本章で筆者は、かなり捉えがたい、おそらくは「自由主義的」だと思われる権力形態の道を跡づけてきた。それは、他者の否定を試みるよりもむしろ、他者を行為の主体として維持しながら、間主観的関係を活用する道である。この権力の形態は、共有された意味の関係を通して作動し、他者の自由を「利用可能」なものとして維持しながら、他者を促し活用することを狙いとしている。それは、間主観性という社会的絆や、承認を求める欲望を否定するよりもむしろ、これらを使用することである。このことは、事態が悪い方向に進むときに通常はそれを防ぐ闘いを支援するものとしてのみ有益な、より激しい「死を賭した闘い」を伴いながら、権力が我々の現代社会で取る共通の形態であると筆者は信じている。

だが、この権力の現代的な形態は完全な相互承認を含んではいない。そしてこのことが、我々が依然としてこの形態を「権力」と呼ぶ理由である。それは、他者の従属を伴っている。本書で展開されたパースペクティヴに従えば、完全な相互承認は、我々がハーバーマスと結びつけてきた理想的発話状況を含むであろう。理想的発話状況は、議論のみによって合意と相互理解を達成するための努力を伴っている。そうした状況はまさに他者を、他者自身のパースペクティヴに対してと同等に、諸々の出来事に依存しない独立したパースペクティヴをもつ者として認めるということを伴う。その状況は、他者である対話者のもつ異論を真摯に取り上げ、真摯に取り扱う。権力であれば、そこで権力自身の目的のために、他者のパースペクティヴを何とか水路づけようと狙うであろう。権力とは、コミュニケーション的で相互承認する関係が歪んだものである。

おそらく、このような権力構造の何らかの要素を少しも残さずに、我々の現代社会がその複雑な形態のなかで持続することは不可能であろう。もしあらゆることが開かれた議論によって決定されなければならないとすれば、我々はほとんど何もなしえないであろう。ときに我々は、自分の生活を進めるために階層秩序のなかの自分の役割や位置に従うことを認めざるをえない。しかし、いくつかの領域は未決定であり、我々は少なくとも権力関係に付着する「差異化の体系」のいくつかに抗議の発言をすべきである。とりわけ我々が考察すべきなのは、さまざまな社会領域を通して再生産され、役割に付着しているというよりも、我々が基本的だとみなしたり恒常的だと捉えるような、人としてのカテゴリーに明らかに付着しているジェンダーやエスニシティのような差異化に関してである。要するに、我々がめざすのは、自己決定の可能性を排除するような権力メカニズムの過剰な拡大がなされることのない社会であり、かつ公正で説明責任をもった権力のあり方なのである。

この点は、本章の最初に論じたハーバーマスの論点に、とりわけ公共圏の縮小という論点に我々を引き戻す。公共圏はまさに権力関係を説明可能にする文脈であり、開かれた議論を認める生活世界およびシステムの内部の場である。しかしながら、これを達成するにはどこまで遠くに進めばいいのか、そのための改革にはどのくらい多くのことがなされなければならないのかは、本研究で詳細に論じることはできない。

生活世界、正統性、コントロール

だが、数多くの明確な結論を本章から引き出すことは可能である。第一に、権力の研究は二つの形態を取りうること。我々は議会制の権力、つまり投票者の多数によってある政党に与えられた権限を検討できる。また我々は、日々の基盤のうえで我々の生活を規制する権力形態に関して、その技法に関わる内部構造を検討できる。本章の関心は主としてこの後者にあったが、筆者はそれらの相互関係を強調してきた。権力の技法に関わる内部構造は自由主義的な国家を機能させてきた。しかしそれのもつ諸相は議会制の内部で問題を抱えているし、そこでの変化も求められている。この意味で、中心となっている議会と、社会的世界という「土台レベル」でのコントロール実践との間には、二つの方向の運動がある。そしてそこには、コントロールへの要求と正統性への要求との間で確定されるべき平衡状態が存在する。政治家は、自分たちが望むような社会を作り上げたり作り直したりするためにコントロールシステムを活用しようと試みる必要があるが、しかし同時に、そうするさいには自分たちの正統性が危うくならないように注意深く対処しなければならない。

権力という観念を探究するさいに筆者は、それが間主観的関係や生活世界に埋め込まれていることも論じてきた。権力は魔法で動くわけではないし、魔法に頼っても何も説明されないことは明らかである。権力は人間関係の論理によって、共有された意味や相互依存によって作動する。権力は間主観性に固有な諸特性の所産である。さらに権力は、そうした諸特性が使用され、発動される特定の仕方に依拠する。これが、筆者が権力の使用理論と呼んだものである。ここから我々には、ブルデュー（Bourdieu 1977, 1992）のような著者たちが行ってきた権力の間主観的な実践学（pragmatics）の探究がより求められることになろう。我々は、具体的な状況において相互依存性やシンボルが、いかに使用され、いかに発動されて権力の効果が生み出されるのかを検討してみる必要がある。

このような間主観的な権力理論のさらに進んだ相は、諸主体が権力の作動によって否定されるのではなく、むしろ諸主体の主観性や、とりわけその欲望が、自分たちの行為をコントロールする手段として活用される相である。この相は、ヘーゲルの主人と奴隷の図式と著しい対照をなす。もちろん主人と奴隷の関係は、我々自身の社会や他の諸社会においても存続し続けているのであるが。

本章の最終的な主張は、国家は制度的コントロールの主要形態の多くに効果的な影響を与えるが、それがすべての形態に及ぶわけではないということであった。結論として我々は、ハーバーマスとは反対に、権力はシステム命令に関わりなく、生活世界のなかで産出されると論じなければならない。だが、このことを述べた後に筆者は、生活世界におけるすべての関係が権力関係であるわけではなく、そのいくつかは純粋なコミュニケーション的行為によって構成されるということ、そして権力の非システム的な形態がコミュニケーション的行為によって説明責任あるものとなりうること、この二点も論じてきた。このうちの後者の過程は結局のところ、生活世界の権力形態の説明責任やコントロール可能性の少なさから自分たち自身を守るために、国家権力のより明確な説明責任のある形態を利用する社会的な諸行為主体の問題に帰着するであろうということ、このことを筆者は付け加えておいたのである。

第七章　生活世界の市民

本書最後のこの章で、筆者は、市民権《シティズンシップ》概念の考察を通して間主観性に関する筆者の研究を完結させる。このシティズンシップという概念に関しては、最近、学問的な文献や一般の新聞においても、多くのことが書かれるようになってきている。異なった多くのパースペクティヴや議論も現れてきた。筆者はここで、こうした文献やもっとも中心的な論文でさえも漏れなく再検討するつもりはない。漏れなく再検討するとすれば膨大な著作になるであろうし、かえって本書の目的を見えなくしてしまうであろう。むしろ筆者は、いかにして、そしてなぜシティズンシップが間主観性の観点からみて重要なのか、また逆に、いかにして、そしてなぜ間主観性がシティズンシップの観点から見て重要なのかを考察するために、シティズンシップと間主観性との関係を検討するつもりである。筆者の議論は、間主観性と関係する諸々の論点と概念が、シティズンシップの問題に新たな深みと新たな次元を付け加え、このシティズンシップ概念の価値と重要性に関する我々の理解に寄与することにある。さらに筆者は、（いわば方程式の一方の項からみて）シティズンシップ概念によって我々が間主観性に関して政治的に

（システムの大文字の政治や生活世界の小文字の政治を伴って）考えることができるようになる、ということを主張する。十全なシティズンシップとは、間主観的な諸可能性の政治的具体化であると筆者は主張する。

この事例を論じることは必然的に、これまで論じられてきたことの繰り返しを含むことになろう。このことは、（いままで）馴染んできたことを我々が異なった光のもとで見る機会を与え、それをあらためて査定する機会をも与えるゆえに価値ある繰り返しであろう。さらにまた、この作業によって我々はこれまで論じられた著者たちの何人か（とくにミード）を、シティズンシップの社会理論における隠れた伝統として示すことができるであろう。こうした著者たちはシティズンシップに関して多くのことを語ってきたが、彼らはいままでこの問題に関する議論においてはほとんど認められてこなかったのである。

本章は、シティズンシップについて議論するために、まず間主観性問題との関連について一般的な議論から始める。そこでは、この議論が、当該の中心的諸概念のいくつかを論じることによって一層明確なものにされる。次いで筆者は、シティズンシップの理解にとってもっとも適切な間主観的関係の類型を考察し、市民となる過程を論じる。ミードの仕事が本章のこの部分で中心的である。最後に筆者は、新ヘーゲル派のフランシス・フクヤマ（Fukuyama 1989, 1992）の仕事に注意を移し、間主観性の政治的形態として理解される十全なシティズンシップが西洋諸社会で現実化される度合いについて考察する。

シティズンシップ、システム、生活世界

シティズンシップは、間主観性の研究においては不適切な考察主題だと思われるかもしれない。というのは、一見したところシティズンシップは公式的な政治的関係であり、そのようなものとしてそれは社会の間主観的な生活レベルに属しているのではなく、社会のシステムレベルに属していると思われているからである。シティズ

ンシップへの問いは、権利と義務、裁判、議会、福祉国家についての、制度的な定義や規定や施行の公式的体系に関する、社会―構造的な問いであると論じることも確かにできる。この点は、現代のシティズンシップ論議の中心人物、たとえばT・H・マーシャル（Marshall 1992）が考えている見方である。さらに、彼の研究に由来する議論の論者たちは、彼の概念に関してはしばしば批判の対象にするが（Roche 1992a; Stewart 1995; Turner 1990）、システムレベルからの移行に関してはほとんど意識していない。シティズンシップのよりローカルな形態は提唱されるけれども、依然としてそれは統治の水準で言及されることがしばしばである。さらに、「シティズンシップ」という題目の下で論じられることの多くは、国家的ないしは世界規模での事柄に関わっていて、あまりにも遠大かつ抽象的すぎて、間主観性の問題と通常結びつけられるより親密で間人格的な事柄とは関係してこないようにみえる。

こうしたシティズンシップの定義や理解を、実質的な仕方でひっくり返すのは馬鹿げていることであろう。シティズンシップが何らかの意義をもつはずだとすれば、たしかに以上のことは（多少なりとも）シティズンシップが意味していることである。したがって筆者は、パラダイム転換によって、シティズンシップの議論に間主観性を持ち込もうというのではない。実際シティズンシップは、ハーバーマスの仕事（Habermas 1987a）のなかで「システム統合」の過程が定義されたときのように、この過程にとって不可欠なものであるということ、またシティズンシップを分析するさいに我々は全体社会的、システム的な焦点を維持しなければならないだろうということ、以上のことは筆者の議論の一部をなしている。このように述べながら、筆者はシティズンシップの形式的、システム的な定義を深めて実質化したいと意図しているし、そうするなかでシティズンシップは間主観的な核をもつということを示したいと思う。

シティズンシップは、それが諸々の権利を保証し、地位に適合的な諸々の義務を強いる政治的地位や制度的システム（相対的に安定した社会的実践の総体）であるかぎり、システム的な特性である。だがシティズンシップは役割でもあり、ハーバーマスが記したように、そうした役割としてシティズンシップは、システムと生活世界との間を媒介する。市民は市民として、生活世界における、とくにその生活世界の公共圏における論争と議論を通して引き出される政治的見解を、システム的な投票の流れに転換する。そうするなかで市民は、正統性のシステム的過程に参与する。さらに市民の役割は現代社会の動機システム内部で維持されなければならず、またハーバーマスが認めていたように（Habermas 1987a, 1988a）、このシステムは生活世界のなかで、またそれを通して構成されるのである。自分たちの役割を遂行するために、市民はその役割の意味、シティズンシップの意味を共有しなければならない。そして市民は、その役割を十分に遂行するのに必要な実際的知識をもたねばならない。「シティズンシップ」は、ひとつの集団として市民にとって意味をもつものでなければならない。シティズンシップは、市民が共有する間世界の構成的な特徴であり、その世界のなかで各自がもつひとつのアイデンティティである。それは、我々の日常生活の意味地平を構成する自明視された想定からなる織り地のなかで、つまり（間主観的に構成された）生活世界において（Roche 1987; Schutz 1964）、具体化されねばならない。さらに、このような「ねばならない」ということのすべてが、主として間主観的―コミュニケーション的な相互行為によって達成されねばならない。こうした「ねばならない」は、行為やシステム（少なくともこのシステムが、貨幣や権力によってもっぱら媒介されると理解されるならば）のメカニズムによって保証されるのではなく、生活世界の共有された地平に基礎づけられ、またシティズンシップの参与に基づいて道徳的要請を行うような間主観的実践によって保証されるのである。この意味でシティズンシップは、シンボル、同一化、行為の方向づけを通して社会的アイデンティティの一形態として構成されるのである。

シティズンシップの社会理論の本流は、「間主観性」「生活世界」「市民役割」といった概念を使用してはいないが、筆者がここで言及する現象およびその重要性に関して明確に一定の認識をもっている。たとえばT・H・マーシャルは、彼の古典的な著作『シティズンシップと社会階級』の最後の部分において、人びとの間でシティズンシップとその義務についての意味を保持するさいに含まれる困難さを嘆いている。

シティズンシップの義務に訴えていくことが緊急時にうまくいくことがあるとしても、ダンケルクの精神［非常時の不屈の精神―訳者注］が文明化［civilisation＝市民化とも訳せる―訳者注］の永続的な特徴ではありえない。（Marshall 1992 : 46）

この困難さは、なぜシティズンシップへの忠誠が国家レベルよりもむしろローカルなレベルにおいてより良く定着すると多くの人びとが考えるかの理由である、とマーシャルは述べる。人びとは自らをローカルな共同体の一部だと考えたり、感じたりするが、しかしこのことは国家レベルでは困難なのである、と彼は論じるのである。この問題には、後に立ち返ることにする。当面の目的のためには、次のように述べておけば十分であろう。マーシャルは、シティズンシップとの関係で動機の問題（危機ではないとしても）の所在を認めながら、シティズンシップは生活世界の基礎であるということも認めている。

筆者がここで指摘した論点は、抽象的で理論的なものでは決してない。それは、実際の政治生活のなかに重要な相似物をもつ。というのも、この論点は政治参加に関わり、また政治過程への参加に対して求められる動機や能力に関わるからである。そのようなものとしてこの論点は、所与の社会において（国家レベルでも国際レベルでも）シティズンシップが効果的に機能するためにかなり重要なものなのである。たとえば、我々は選挙への関心が低いことを心配する。というのも、このことは、公式の制度的な機構は整っているにもかかわらず、シティズンシップがうまく機能していないことを示すと思われるからだ。我々は、英国人をヨーロッパの市民であるとみなすことに躊躇する。その理由は、ヨーロッパのシティズンシップにとって適切な政治諸過程への英国人の関心の度合いも参加の度合いも低い、という点にある。英国人はヨーロッパの市民の役割を引き受けないので、またシンボルとしての「ヨーロッパ」は英国社会の（諸）生活世界における「市民」とは必ずしも適切にはそれほど関連していないので、英国人は十全な意味でヨーロッパの市民ではない、と我々は言う。事実、生活世界を構成する意味地平では、「市民」［英語でいうcitizenは元来はラテン語から生じ、また（古）フランス語と関連が深い―訳者注］という言葉は、「ヨーロッパ」と（まだ）和解するどころか、おそらくは「ヨーロッパ」と対立さえしているというナショナリズム的で愛国的な身元証明の要素と関わっているからである。

シティズンシップに関するこうした間主観的な定着について我々の理解をさらに高めることは、間主観性やシティズンシップと結びついている数多くの鍵概念を考察することによって可能となろう。とくに我々は、「共同体の成員性」「義務」を考察する必要があるし、さらに「地位」としてのシティズンシップ概念と密接に結びついている「承認」という概念をも考察する必要がある。これらの概念を論じることによって、我々はさらに、「シティズンシップ」と「間主観性」が、どのように、どこで重なり合い編み合わされているのかを見極めることができるであろう。

主要諸概念の連関

共同体の成員性《メンバーシップ》についての考え方は、シティズンシップのどんな定義にとっても基本的なことである。市民であることは、政治的共同体の成員であることである（Marshall 1992; Roche 1987 ; Stewart 1995）。さらに近年、「共同体」のより実質的な意味が、現代のシティズンシップの健全な基礎設定のための中心的なメカニズムとして、左派陣営の思想家と右派陣営の思想家の両方から呈示された。これらの見解によれば、共同体とは国家と個人の間を媒介し、市民関係のなかでこれら二つの間の正しい平衡状態を促すものだとされている。この見解に関する中道左派の定式化は、イギリス労働党の指導者トニー・ブレアによって提唱されている。市民たちは、自分たちの生活のなかに深く侵入して威圧する国家を望んでいないが、社会的な真空状態のなかに住むことも望んでいない、とブレアは論じる。市民たちは、これら二つの選択肢の間にある第三の道を求めており、そしてその第三の道が共同体《コミュニティ》なのである。共同体は、シティズンシップを養い育てるための適切な環境であり、そして実際、我々の本性の良き側面を養い育てるための適切な環境である。

「共同体」は相互依存の承認を含むが、行きすぎた政府権力は含まない。それは、我々が共に働くことによって変化や不安定なものの力に出会うのにしっかりと備えをしておくことを受け入れる。「共同体」は、自己関心の一段進んだ見解の一部として、競争的であると同時に協力的であるという我々の性質がもつ諸要素に対して、ひとつの基礎を与えるのである。(Blair 1995 : 18)

このこともまた「間主観性」を含意しているということ、さらに本書で概要が述べられた間主観性に関する議論がここで言われていることに一定の実質を与えるということ、こうしたことは明らかであろう。我々が確認したように(第五章参照)、共同体は所与の空間における単なる人の集まり以上のものである。共同体であるために、必ずしも地理上接近している必要のない人びとは、自分たち自身をひとつの集団として確実に理解し、そしてまた自分たちの環境をも確実に理解するということを分有しなければならない。人びとは共通のアイデンティティを、共有された生活世界から引き出さねばならず、また共有される関心や投資対象を持たなければならない。そうした人びとの役割は相互依存的でなければならず、関係的に定義されなければならないし、また相互にそのようなものとして承認されなければならない。そしてこのことは、このような役割を相互の側の相互行為において包含し、相互の側の相互行為から引き出さなければならない。共同体とは、相互行為からなる還元不可能な構造であり、その構造は自己規定的でもあれば自己規制的でもある——あるいは少なくとも、相対的にみてそうであるといえる。さらにいえば、「成員性」は論理的にもこの点に結びついている。つまり、一人の成員であることは、共同体の共有された理解に関わることであり、共同体内部の相互依存的な役割をもつことであり、そしてそのようなものとして承認されることである。

換言すれば、共同体は必然的に間世界であり、間主観的な空間である。そして共同体や成員であること、したがって市民であることの存在論は、必然的に間主観的な存在論である。市民とは、間主観的主体である。

こうした考えから生じる次のような重要な問いがある。それは、このようなものとして共同体がどの程度、大文字の「政治的共同体」と一致するのか、したがってどの程度「シティズンシップ」と一致するのか、ということに関する問いである。共同体は多少とも自己創造的な現象であり、大規模な多元的社会においてはつねに大文字の「政治的共同体」との関係において全体社会的であり続ける。そこで、そのような大文字の政治的共同体は、いかにして構成されうるのだろうか。そうした共同体は、我々がシティズンシップについて意味ある形で語ろうとする場合に、必ず構成されねばならないのだろうか。こうした問いに対する判断はしばらく保留しておいて、後に立ち返るつもりである。当面は次のように記しておくことで十分だとしておかなければならない。すなわちこのような問いは、先に論じたように、シティズンシップとの関係で、動機の問題の潜在的可能性に関する我々の理解にとって中心的なものであるということである。シティズンシップは、明確な市民役割やアイデンティティなしには維持されないし、また今度は、これら市民役割やアイデンティティは政治的共同体なしには維持されないのである。さらに我々は、どのようなものであれ、強い共同体を求める論拠が現在欠けつつあるということを付け加えることができるだろう。戦後期の流れのなかで、生活様式はますます私事化し家族化する傾向（つまり家族を中心とする傾向）があることが、社会科学者たちによって一般的に考察されている。

考察すべき第二の概念は「義務」である。この概念は最近まで、シティズンシップに関する議論においては比較的用いられなかった。権利が第一で、この義務の概念はそれに対して第二のものであった。人びとは一般に、権利と義務は同じコインの裏表であること、あらゆる権利はそれに対する義務を前提としていること、こうしたことを認めているけれども、義務に対して権利を強調する傾向があった。たとえば人びとは財政的支援を行うための税金を払う義務に対して、その財政的支援に対する権利を強調してきた。しかしながら、流れは変わってきた。ロッシェ（Roche 1990, 1992a）が記しているように、新しい左翼や新しい社会運動（とくにフェミニズムやエコロジー運動）の両者によって、義務に関する新たな言説が政治文化のなかに導入されてきた。後者の新しい社会運動の場合、義務に対するこの言説は権利に対する言説から生じてきたが、前者の新しい左翼の場合、義務はシティズンシップに関する議論のなかで最重要なものとなった。さらに両者の場合、このように認定された義務は、大文字の政治的義務を越えて拡大している。義務は、環境に対する義務、子供に対する義務、性的パートナーに対する義務などを含む。こうした見解においてシティズンシップは、他者たち（動物や環境を含む）に対する積極的な関係のことであり、他者たちに対する責任や義務の意味を含むものである。シティズンシップは、公式的な権利や制度のシステムによってと同様に、我々の生活世界における他者たちとの相互行為によって、しっかりと確保されるものである――もちろん政府もまた義務をもち、その義務は公式の権利や制度によって与えられるものである。

　義務の役割に関する明確な言明は、この新しい左翼の事例の場合、先に言及したトニー・ブレアの演説のなかにも与えられている。ブレアにとって、義務は密接に共同体と結びついており、それが我々にひとつの社会構築の道を示している。その社会とは、「個人を包摂する」のではなく、むしろ個人が活躍できるような社会である。ブレアは言う、

　義務は品位ある社会の礎石である。義務はそれ自身以上のものを認める。義務は権利が与えられる文脈を規定する。それは個人的であるが、しかしそれはまた社会に大きく関わっている。他者への敬意、他者への

責任、これらは力強い活動的な共同体にとって本質的に必要不可欠なものである。(Blair 1995 : 18)

この引用は、義務それ自身のもつ間主観的な相をほとんど説明している。ブレアは「それ自身以上のもの」を、つまり相互連関性を認めると述べている。そして彼は、他者との関係において敬意と責任を論じる。もちろんこの政治的定式化と、本書で提起してきたさまざまな哲学的議論との間には相違点もある。とくにブレアは倫理的次元を提起しているが、それについて我々は少し触れてきただけである。またブレアは行為の非常に特定の形態(義務に忠実な行為)に言及しているが、それについて我々はまだ精密に検討していない。さらに、フッサールやヘーゲルのような著者たちの仕事によって措定された他者性の問題は、あまりブレアを悩ませないであろうと思われる。にもかかわらず、そこには連続性もある。この義務が前提にしているのは、他者を承認し、敬意をもって責任ある形で他者と共存する主体である。そしてその主体は、共同的普遍性の方向で自分自身の特殊性を超え、またそのことによって自らを市民として承認する意識を前提とする。要するに、義務は間主観性を前提とする。シティズンシップ関係や市民役割の実践的な現実化にとって不可欠な義務とシティズンシップの感覚は、他者とともに共通の世界に属しているという間主観的な感覚である。

本章の最初の部分で論じられるべき最後の概念は、「承認」である。承認は、シティズンシップが地位であるかぎり、シティズンシップの考え方に含まれる。市民であること、市民の地位を享受することは、そのようなものとして承認され、敬意を払われることである。この意味での承認は、本書でこれまで論じてきた「承認への欲望」や「承認を求める闘争」という概念と直接的に関わっている。たとえばコジェーヴの場合、十全なシティズンシップとは、承認を求める闘争の制度的な解決のことである。そうしたシティズンシップは、承認への欲望を満足させる。それは、主体に対してのみ適切な権利と義務を主体自らに与えることによって、主体が主体であるという制度的な確証を与えるのである(この点は以下における記述を参照されたい)。

この立場は、フクヤマ（Fukuyama 1992）によって具体的に最近の世界の歴史との関係で展開された。フクヤマはまず第一に、現代の西洋民主主義によって与えられたシティズンシップは、我々が制度的に承認への欲望を満足させる状態に近づいてきたと論じる。そしてこの点に加えて彼は第二に、全体主義的な選択肢は崩壊過程にあり、自由主義的民主制へと引き続き進んでいくということが、この欲望の歴史的意義に対する遺言であるという。承認を拒絶するような社会は今後もずっと存在しえないと彼は論じる。歴史はつねに、欲望を求める機会を行為に転換し、欲望を拒否する力を打破するであろう。

我々がこの議論を受け入れることができるかぎり、そして筆者はある程度はそれを我々が受け入れなければならないと考えているが（この点に関する筆者の議論は、さらに以下を参照）、シティズンシップの公式的な権利に関しては、承認に関する間主観的関係の制度的具体化として解釈できる。翻って考えてみると、それは間主観的闘争の成果である。このことは、すべての社会が同一の道を経てシティズンシップに到達するということを意味しているわけではない。明らかにそうではなかった（Turner 1990）。しかし以上のことは、同一の間主観的なダイナミズムがこれらの異なった道筋の基層にあるだろうということを示唆している。このことはさらに、ホネット（Honneth 1995）が論じているように、我々の社会や他の諸社会の生活世界において現在も続いているシティズンシップを求めるさまざまな闘争の多様性に対して、何らかの説明要素を与える。こうした見方に従えば、いかなるレベルであれ、人びとに承認の尊厳が与えられない場合には、しかもそれがとくにシティズンシップの制度的形式において与えられない場合には、人びとはつねに潜在的にそうした状況に反対するであろうし、また状況は結果として不安定になるであろう。

シティズンシップの間主観的基礎

間主観性とシティズンシップの間に、このような基本的連関があることをみてきたので、いまや我々はシティズンシップの間主観的基礎についてより詳細に考察することができる。ここで述べなければならない第一の点は、間主観性の根源的様相と自我論的様相との間の区別に関係している。この二つの様相の間主観性のうち、いずれがシティズンシップに対して適切な基礎を与えるのであろうか。さらに、いずれがシティズンシップのどのような議論にも必然的に貫流する規範的潮流を与えるのであろうか。

この両者の問いに対する答えは、自我論的様相の方であると筆者は示したい。この自我論的様相は、シティズンシップやシティズンシップの倫理にとって十分な一般性、匿名性、普遍性のレベルで作動している。他方、根源的間主観性はそうではない。根源的間主観性は、対面的なレベルでのみ維持されうる。そして同様に、根源的間主観性から生じる倫理も対面的な倫理である。それは客観化や類型化の形態を避ける倫理であり、またそれは経験上の他者の縮小を非難する倫理である。この種の倫理は、ブーバー（第一章参照）とレヴィナスの両者によって提唱されている。

> あなたが鼻、目、額、顎を見て、それらを記述できるとき、あなたはモノに対するのと同様に他者に対して目を向けているのである。他者と出会う最良の方法は、その目の色に注目することでは決してない！　人は目の色を観察するとき、他者と社会的な［つまり倫理的な］関係にはない。（Levinas 1985 : 85）

このパースペクティヴは、対面的出会いの倫理に対して多くのものを提供するだろう。にもかかわらず、シティズンシップの諸関係は、この観点からみた倫理的なものでは決してありえない。シティズンシップの諸関係は根源的間主観性の構築物とは一致しないのである。ロッシェ（Roche 1987）が述べたように、市民仲間とは「よそ者仲間」である。その人たちは、対面的に出会うことはあまりなく、それゆえ出会うとしても（想像上の）客観化を伴っている。実際その各々はいくつかの重要な特性によって特徴づけられるが、匿名性の域を超えない抽象的カテゴリーにすぎない。匿名性の域を超えるような地点では、各々は市民であることを止めて特定の人びととなるだろう。シュッツの用語を使えば、市民は「同時代者」であって親密な者や「共在者」ではない。あるいは、もっと正確にいえば、「市民仲間」は同時代者の下位カテゴリーである。というのは、我々の同時代者のすべてが我々の市民仲間であるわけではないからだ（たとえば、我々自身の社会以外の諸社会の成員は、同時代者であっても市民仲間ではない）。このことは、シティズンシップが間主観性には基礎づけられていないということを意味するわけではない。それはまた、シティズンシップの間主観的で倫理的な基礎を否定するわけでもない。筆者が述べてきたように、以上のことが意味するのは、シティズンシップは自我論的間主観性に基礎づけられているということである。

このことを理解し精緻化するために、我々は子供期の「自我」の獲得に関するミードの議論に立ち戻らなければならない。ミードにとって、自我の獲得に不可欠なのは、言語の獲得、つまり子供が特定の言語共同体というシンボル的世界へと入っていくことである。だがこの点に加えてミードは、「他者の態度取得」の重要性を強調する。第三章で記したように、この（想像力に富む）過程は、はじめは子供がプレイに関わることによって生じる。そこで子供は、さまざまな役割を取得し、特定の他者の態度を取得することを学ぶ。次いで子供は、自分とゲームとの関わりを通して発達する。そこで子供は「一般化された他者」の態度取得を学ぶ。この「一般化された他者」には、共同体全般の見解、たとえばその規則構造などが含まれる。ゲームとの関わりを通して、子供は共同体の態度を取得し、その立場から自らをみるようになる。とくに自我をもつことへのこの道筋は、筆者が第三章で論じたような（メルロ＝ポンティの「鏡像段階」といった）他の可能な道筋と比べても重要なものである。というのは、この道筋は、自己感覚がいかにして共同体への所属感や統合感を含むことができるようになるのかを説明するからであり、それゆえそれは「市民的な自我」を考慮に入れるからである。このことはミードが非常に強調した点である。自我となるためには、人は必ず「共同体の成員」でなければならないとミードは論じる（Mead 1967 : 162）。自己意識をもつためには、人は他者の見解と、そして実際、共同体の見解とを採用してこなければならない。それゆえ、市民であることと自己であることは、ミードにとっては一致しているのである。

このことは個人の差異を否定するものではないし、建設的な対話によって見解を変える可能性も否定するわけではなく、もし共同体であるならば、諸自我の間には「共通の構造」があるはずだとミードは続ける。さらに権利も、この基礎においてのみ認めることができる。

我々もまた、もしすべての人の態度をコントロールする態度の共同体のなかの成員でなければ、我々自身であることはできない。もし我々が共通の態度をもっていなかったら、我々は権利も所有することができない。自己意識的な人間として我々が獲得してきたのものによって、我々はその社会の成員になるのであり、そして自我もまた我々に与えられるのである。（Mead 1967; 163f.）

この引用文は、純粋に分析的な言明として読めるだろう。つまり権利の体系は、（態度を強制するよう努めている強権国家であるかどうかにかかわりなく）態度の一定の共有なしには社会的に維持することが不可能である、ということである。にもかかわらず、この言明は規範的な含意をもち、その含意が後のミードの研究において鋭く焦点化されるようになる。そこで彼は、動物は共同体に参加していないし自己意識ももっていないので、動物は責任をもちえないし権利ももちえない、と主張する。「我々は動物たちの命を絶ち切る自由をもっている。つまり、動物の生命を奪っても悪いことをしたわけではない」(Mead 1967 : 183)。

筆者は、我々がミードの立場をもう少し穏当なものにするよう提案したい。彼が提起している脱存在論的な考察は、たしかに我々の道徳的―政治的な思考の多くを補強しているが、その考察が我々の思考を完全に先取りしているわけではない。我々の道徳的思考の一部は基本的な功利主義的考察と結びついているが、そのことは少なくとも、我々は動物に対する不必要な苦痛を引き起こすべきではないということも示唆している。この基盤において我々は、動物も一定の形の権利をもっている場合があると述べることができる。あるいは少なくとも、我々の道徳理論は、もし我々がここで最小限のこうした主張をしなかったならば、我々の社会の大部分とは調和しないだろうと述べることができる。だが、こうした問題があるにもかかわらず筆者は、シティズンシップの地位は間主観性に基礎づけられているし、基礎づけられるべきであるというミードに同意する。シティズンシップの地位を、共同体の「基本構造」を取得しえない存在に与えても無駄である。というのは、そうした存在はシティズンシップの地位(市民役割)のうちの、その存在固有の役目を実行に移すことはできないし、それゆえ市民ではありえないだろうからである。選挙権を与えられたロバは、それを何に使うのだろうか。さらに言えば、そうした存在は市民としての義務を尊重することはできないであろう。したがって、そのような地位を享受することがシティズンシップの核心において社会的不公平を構成することにはほとんどならないだろうし、せいぜいのところ内部からその地位を崩壊させるだけであろう。そうした存在は、義務を伴わない権利をもった集団である。しかし、自分たちの義務を果たさない場合に、その存在は確実に他の皆の権利の土台を掘り崩すであろう。全体として、政治において他者の権利に敬意を払う能力を欠いた存在の部類に入るので、そうした存在のいずれも適切な権利を所有することはないであろう。

以上が、シティズンシップはひとつの条件をもった地位であり、またそうでなければならないことの理由である。つまりその条件とは、シティズンシップと結びついたなすべきことを履行する能力に基づき、また実際にそうしているという事実に基づくという条件である。ミードに従った筆者の議論は、こうした条件が、人間の発達の過程で生じてくる（自我論的な）間主観的性格と結びついているということにある。我々が市民であり、また市民でありうるのは、我々が「他者の役割を取得」でき、自己の特殊性を越えて共同体の見解を取得するからである。自己であることと市民であることは、この見解においては、そのそれぞれのもつ間主観的性格によって一致するのである。

もちろんこの議論においては、説明を要する両義的な周辺部もある。たとえとして筆者はすでに、動物は市民であることなしに権利をもつ場合があると述べてきた。したがって、次のこともまったく明らかである。「人間」というカテゴリーの内部には、我々の基準には完全には当てはまらない幼児――幼児は、いま言及している第二次的な（自我論的な）間主観性をまだ発達させていないからである――のようなグループもいるということである。また人間の大人たちのなかにも、ときには間主観的な市民指向性を失っている人びともいる。たとえば、老人性痴呆症の兆候のある人やある種の分裂病の場合は、共同体の観点からみて間主観的な現実から幻覚や妄想と思われるような現実への断続的な横滑り状態を含むであろう。さらに、いくつかの例においては、我々がシティズンシップの権利と責任のいくつかを外してもよい場合がある。精神異常の法的申し立ての場合や、強制的な拘禁にあるような場合である。そうした場合は、間主観性やシティズンシップの観点から考え続けることは非常に難しい。とくにそういった人が関わっている状態はきわめて複雑な現象であり、それは我々の基準からみてうまく適合しないからである。だがこのことで我々の基準を下げる理由はない。少なくとも、我々の基準を下げるとしても問題は少しも明らかにならないし、下げるということになれば我々がこれまで得てきたものすべてを失うことになるであろう。我々がなすべきことは、我々の基準をもって研究し、そしてその基準をめぐって研究することであり、人びとがシティズンシップの要求に対してどの程度「きちんと適合」できるのかという範囲を判定することである。もちろんこのことは、法や議会がすでにそうすることを要求しているものであるが、それらの判断は現代の政治生活において多かれ少なかれたえず議論され、しかもそれが持続されることが大切であろう。

いかなる共同体が問われているのか

少なくとも現状では、ミードの立場に照準を合わせることができる異論がある。それは、ミードの立場が、現代社会の複雑性や多元性という観点からみて、認めがたいような同質的な共同体の生活を前提にしているという異論である。筆者がこの異論を最初に提起した第三章において、この点をめぐって筆者がとったやり方は、我々がミードの観点からも多元的な状況にある共同体や一般化された他者に対して一貫して言及できることを示すことであった。だがこの答え方は、シティズンシップの問いとの関係では十分ではないだろう。というのも、シティズンシップはまさに一定の同質性の要素を実際には前提とするからである。ミードの単数の「共同体」や「一般化された他者」は、同質性の要素が不可欠である。シティズンシップは単数の「政治的共同体」を前提とし、そしてもしシティズンシップが維持されるならば、この政治的共同体も維持されるに違いない。

この問題は、ミードのシティズンシップの見解に限られたことではない。それは、あらゆるシティズンシップの見解との関係でも問題である。というのは、すべての見解は、あらゆる市民がその市民である単数の政治的共同体を前提にしなければならないからである。これは、理論的問題というだけではない。それは、ひとつの実践的な政治的問題、つまり筆者がすでに記述してきたような動機づけの問題でもある。あるいはむしろ、それは二つの実践的問題からなるといえよう。第一に、どんな所与の政策内部にも存在する、社会文化的共同体の多様な多元性を統合するという問題がある。もしシステム統合とその統合に伴う十全なシティズンシップの諸関係とが達成され維持されるとするならば、そのとき、システムを構成しているさまざまな共同体は束ねられて、ひとつの共通な政治的共同体にならなければならない。第二に、この「共同体」が存在するさいの抽象化の度合いや、それが日常的な事柄から離れる度合いというものがあるとすれば、政策に関わる市民役割やアイデンティティを獲得し維持するさいの問題がある。直接的に参与し、包摂され、その成員に直接的に感知されるような地域集団や利益集団の共同体は、比較的容易にそれとして認められる。しかし、ピーター・ソンダーズ（Saunders 1993）が観察してきたように、この問題の解決は、シティズンシップの抽象的な地位との関係や、政府のなかでその地位が固定されている社会的にかけ離れた機構との関係では、それほど容易に達成されるわけではない。

逆説的ではあるが、この第二の問題、つまり抽象性とアイデンティティの問題は、第一の問題の解決にとって不可欠である。シティズンシップの地位は、現代社会の増大する著しい多様性を緩和することができる、あるいは少なくとも、もし我々が正しい政治的戦略をとるならばといった条件付きで、緩和することができるであろう。なぜならば、シティズンシップは比較的抽象的な地位だからである。またシティズンシップは、それがもつ普遍主義の要素を具体化することができる。というのは、それが日常的な相互行為の個別性からかなりかけ離れているからである。ロッシェの論点を繰り返せば、市民仲間とは「よそ者仲間」であり、そうした者として互いに認め合っている。市民仲間は、互いに好意をもったり互いに知っている必要もなければ、同じ信念や価値を共有する必要もない。そうした人たちは異なった生活様式や宗教をもつことができ、異なった共同体――その共同体が地理に基づくもの、仕事に基づくもの、コンピューターに基づくもの、あるいはその他何であれ――に住むことができる。シティズンシップは、もし社会的義務の基本要件が満たされ、利害関心のどのような対立も適切な法的ないしは政治的なシステムのなかで、またそれを通して解決されるならば、同質性を必要としない。

シティズンシップはこの意味で（筆者が本章のはじめの方で述べたように）、社会システムに対して機能するのであって、（シティズンシップは生活世界に埋め込まれているとしても）生活世界に対してではない。人は、シティズンシップがシステム統合を確かなものにすることを望むが、シティズンシップが社会統合を達成すると想像しているわけでは決してない。より大きな同質性によって特徴づけられるより小さな共同体は、社会統合を達成するであろう。そしてそうした統合は、全体としての社会秩序の達成に必要である。小さな共同体（それは必ずしも地理に基づく必要はない）は、社会システムの内部に安定性と社会統合からなる島を作る。そしてまさにその理由で、そうした小さな共同体は活気づけられる。しかしこのことは、シティズンシップそれ自身とは関係がない。システム単位としてのシティズンシップの課題は、こうした島々を一貫したものとして結合し、それが与える島々の安定性と統合を乱さないようにすることである。筆者がすでに述べたように、こうしたことを行うためにシティズンシップは形式的で抽象的なものに留まらなければならない。それは多元性を認め、いかなる共同体にも肩入れすることのないようにしなければならない。さらにそれは、パーソンズが強調するように（Parsons 1967：422–65）、異なった諸集団を同化しようとするのではなく、「包摂」しなければならない。というのも、同化は必ず、共同体のローカルな連帯に基づく社会統合によって達成されている安定性を破壊するだろうからだ。

このことは、シティズンシップが道徳的、政治的に中立的なカテゴリーである、と述べているのではない。そうではない。シティズンシップの形式性と抽象性は、多元性と民主制に対する自由主義的な選好を具体化する。さらにそれは、ヨーロッパやアメリカで生じ、これらの社会の革命的な急迫事態に対応して形成された特定の合理化過程の所産である（Habermas 1991a）。さらに、シティズンシップに関するこの見解は、その島的共同体が法の範囲内に留まり、共同体の義務を遂行することを要求する。それは、シティズンシップならば「何でもいい」というのではなく、シティズンシップ「であるかぎり何でもいい」ということである。

しかし、では市民役割についてはどうであろうか、またシティズンシップの感情についてはどうであろうか。いかなる共同体がそこにはあり、どんな部分に感じ入るのであろうか。いろいろあるだろう。この点をみてみるために、ハーバーマスが行った生活世界の公的領域と私的領域の区別（彼が現実的で具体的で歴史的なものとみなしたもの）を、我々は受け入れなければならない。そして、我々が論じてきた諸々の島的共同体は私的領域であると認めなければならない。この私的領域内で、我々はとりわけ関係的に定義された多元的な役割を占めるであろう。私的領域でとくに我々が義務の問題に関心をもつ場合、我々は市民の役割を演じるであろうが、しかし市民役割は、このレベルでは我々が果たす義務による以外のどんな特定の特権ももっていない。さらにこうした義務は、市民の義務が通常はより特定化された役割に発展するので、その義務に伴う特定の「市民」という標識をしばしば見失うことになるであろう。たとえば一市民の義務のひとつは、彼女ないし彼が親である場合は良い親であることであり、また彼女ないし彼の子供が良き市民へと成長するために子供たちに必要なものを与えることであるだろう。人はこの場合、親としての役割を立派に遂行することによって市民の義務を果たすのであって、シティズンシップという特定の感覚をもつことなしにこのことを行うであろう。そのさいには私的領域レベルでの感覚が存在し、それは人が抽象的な政治的共同体や市民アイデンティティという標識であると必ずしも認める必要なしに、市民役割を履行することができるということである。このことは、先に言及した脱中心化された権利や義務に関する新しい社会運動の議論が重要となる点である、と筆者は示唆したい。あるレベルからいえば、市民役割は、人が占める一連の他の役割を適切に遂行することを含む第二次的な役割である。だがこの点にもかかわらず、市民役割は下位の役割が積み重なったものにすぎないというわけではない。市民役割は同時に、より上位のレベルの活動を含んでいる。

　より上位のこの活動の場は公的領域である。これは、自らの多元的なあり方を超える生活世界領域である。この公的領域は政治的な討論と議論の場であり、アレントに従えば、それはそのような議論においてのみ、またそのような議論を通してのみ存在するものである（Passerin d'Entreves 1992）。それは、相互的な魅力や共有された態度、信念、価値に基づくのではなく、共通に関心をもつ論点に基づく、つまり政治的な論点に基づく「人為的な共同体」（ibid.）である。市民は、そうしたいからではなく、そうしなければならないから一緒に来て論じ合うのである。つまり市民の存在は、他者や共通の源泉に別々の形で結びついているから、またこうした結びつきの諸関係は交渉で取り決められるから一緒に来て論じ合うのである。議会は、そのもっとも高次なレベルでは、このような討論の明確な場所であるが、ハーバーマス（Habermas 1987a）やスティーヴンソン（Stevenson 1995）が強調しているように、現代社会においてはマスメディアが——たとえ全体として望ましい仕方ではその機能を果たしていないとしても——そのために必要な環境を構成している。マスメディアは、共通の論点が論じられる共有された空間を創造する。

ここで、公的領域を構成するのはとくに討論であること、つまりコミュニケーション的実践であることを付け加えておくことは重要である。これは、このレベルでの意見の不一致が生活形式の一致によって保証されているとか、それがハーバーマス（Habermas 1987a, 1991a, 1991b）の形式的語用論において同定されているような論弁的な議論の構造によって保証されているといったことを前提にしているわけではない。公的領域の統合が崩れるのは、コミュニケーション的行為が権力と貨幣というシステムメディアの侵入によって土台が掘り崩される場合や、そうなる度合いに応じてであるか、あるいは実際に真摯な議論の土台が自己防御的なレトリックによって掘り崩されるときである。この意味で、おそらく公的領域は、現代の社会生活において完全に実現される理想というよりも、おおよそのところ実現される理想とみなすことがもっともよいであろう。さらにこの公的領域は、ハーバーマス（Habermas 1987a）が観察しているように、あきらかに生活世界の植民地化によって縮小している領域である。

筆者が行ったように、公的領域の人為性に言及することは、その重要性の土台を掘り崩すことでもなければ、強いアイデンティティがその領域に結びついていないということを示唆することでもない。もし経済システムと政治システム（福祉システムも含む）の両者によって現代社会のシンボル統合がなされているとすれば、そこには市民たちを結びつける相互依存のたくさんの道がある。たとえ市民たちの関心が対立しているとしても、彼らは多くの共通関心ももつ。経済的、法的、福祉的なシステムや、コントロールシステムにおいて起こっていることは、いつも同じ仕方でいつも同じ程度というわけではないとしても市民たちすべてに影響を与える。こうして市民たちは、そのように生じている事柄を議論することや、そうした事柄に対して影響を行使しようとすることに対して関心を共有している。さらに、この相互依存性を市民たちが利用するのは、市民たちがかかわる実践や儀式（たとえば、投票行動、メディアの政治的動きに従うこと、納税すること）に参与することによって、そしてこれらの活動に絡んでいる政治的言説によってである。さらにまた、シュッツ的な意味での「シンボル」（たとえば超越的現象が指示するもの——すべての成員を含む——第五章参照）も多く存在し、それが一市民のアイデンティティのよりどころを与える。これは「市民」であることそのものであって、もっとも重要なものである。つまりシティズンシップとは、社会システムにおける制度的連関や役割であることに加えて、実質的な内容は本質上競い合っているものであるにもかかわらず、ひとつの概念、ひとつのシンボルなのである。そうした概念やシンボルは、それらを組織化する手段としての役割と制度の両者のうちで機能する。だが単独では、そうしたシンボルは無能である。しかし、参加する間主観的実践の統合的構成要素としてこの実践に統合されるならば、シンボルはシティズンシップの意味を構成するのに役立ち、それゆえ市民役割やシティズンシップの制度を補強し調整するのにも役立つのである。

政治的な相互依存性の承認とそれへの関与、この過程においてシティズンシップにおける言説によって占められる場所、そして超越的なシンボル、これらによって市民はミード的な意味で政治的共同体の態度を取得することができるようになり、それゆえ市民としてのアイデンティティをもち、市民役割をもつことができるのである。ここに、市民役割へと市民たちを動員し統合するシティズンシップの言説とシンボリズム、公共圏、および参加実践が存在する。間—主体たちが厳密にミード的な意味で市民のゲームを演じ、そしてそれによって、役割とそれに伴うアイデンティティを取得して市民となる。このゲームは、あらゆるゲームが（必ず）教えてもらって学ぶものであるのと同様に、コミュニケーション的で間主観的な実践を通して、教えてもらって学ぶものである。それは、生活世界にルーツをもち、生活世界によって保持され、生活世界を通して伝えられるのである。

シティズンシップのシンボリズムが生活世界において現実化されているということは、人びとが自分たちの権利やシティズンシップあるいは民主主義に言及するときは、いつでも例証される。そのような言及を人びとが争う形で行ったり、シティズンシップの意味を論じ争うということは、もしその人たちが依然としてシティズンシップを要求し、それによって自分たちのアイデンティティにとってシティズンシップが重要であることを自ら示すならば、決して以上のことに対する異論ではない。市民たちは、もし彼らないし彼女らが市民としてのアイデンティティを保持し続け、公共圏にとって適切なやり方で、つまり開かれた会話と議論によって自分たちの市民役割を追求し続けるとすれば、実質的な争点に関して、しかもシティズンシップの意味に関する争点においてさえも一致する必要はない。この意味で、反語的ではあるが、いま我々がヨーロッパ全体で目撃しているようなシティズンシップの意味をめぐる闘いは、シンボルとしてのシティズンシップの強さと有意味性に対する証拠なのである。我々が心配する必要があるのは、人びとが、その政治的な闘争において「シティズンシップ」の提唱を止めてしまうときである。そうなれば、それは深刻な動機づけの危機や正統性の危機の兆候となるであろう。

制度、役割、アイデンティティ

こうしたシティズンシップの議論のなかに現れはじめる鍵となる論点は、シティズンシップを構成する制度、役割、アイデンティティが相互に補強される度合いについてである。システム状の機能として、シティズンシップの制度は生活世界内部で市民役割やアイデンティティがどの程度具体化されているのかという点や、それらのコミュニケーション的再生産がどの程度なされているのかに左右される。しかし、この役割やアイデンティティは政治的参加の度合いに左右され、そして今度は、その政治的参加の度合いがそうした参加が制度的にどのくらい容易に行えるかに左右される。このことのなかには、強い政治的メッセージが存在する。すなわち人びとは、もしそうした役割が純粋に意味あることだと認められないのならば、シティズンシップの役割を実行できないし、実行しないであろうというメッセージである。純粋な参加の機会をもたないならば、人びとは義務の感覚や成員であるという感覚を感じないであろう。この観点からみて、全体規模の社会的連帯がもっともよく高められるのは、政治生活への有意味な参加のよい機会が与えられることによってである。さらに、積極的な参加の他の形態、とくに支払い労働や「認定された」労働によって経済に積極的に参加することは、政治の場合と同様に重要なことである。財政のために国家に全体的に依存していて自分の共同体に財政的に寄与できないような主体は、主人と奴隷の関係の論理によって、その共同体の一部だとは感じないであろうし、そのために共同体に憤りを感じる場合もあるだろう。

もしシティズンシップがこのようにして実現されないならば、あるいはむしろそれが実現されない度合いに応じて、諸個人は公民権を奪われ、システムはハーバーマス的な意味での動機づけの危機の可能性に直面する。このことそれ自体は（もちろん市民にとっては問題であるけれども）社会システムにとってはそれほど問題ではないのかもしれない。だがハーバーマスが記してきたように、動機づけの危機は正統性の危機の引き金となりうる。そして正統性の危機は、システム統合の本格的な危機である。正統性を失った国家は、国家が社会生活をそれによって調整し組織化している通貨（と権力）をまさに失うことになる。

そうした下方への螺旋的な進行は社会を通して均一に広げられる必要はないし、筆者が示唆してきたような将来の不幸の黙示として存在する必要もない。公民権の剝奪や動機づけの問題は徐々に生じて変化しうるもので、それは少なくとも身分証明や役割参加のレベルでは集団や個人の間で異なる可能性がある。にもかかわらず、正統性の危機の可能性は軽々しく見てはならないだろうし、公民権の剝奪は倫理的理由から決して無視されるべきではない。さらに、シティズンシップの政治的共同体の強さは、その全体的で均質な統合に確実に依存しているに違いない。ダーレンドルフ（Dahrendorf 1994）とソンダーズ（Saunders 1993）が（異なったやり方で、しかも異なったイデオロギー的な目的のためにではあるが）ともに強調してきたように、公民権が剝奪された諸集団は、たとえそれらが政治的共同体への重大な挑戦となるような行為能力を欠いているとしても、それにもかかわらずそれらの存在が他の諸成員の間に引き起こす反応によって政治的共同体への脅威となる。そこで、我々の次なる問いは、我々の社会においてこうしたシステムが効果的に機能する度合いに関するものとなる。どの程度まで、我々の社会はその成員に対する十全なシティズンシップを達成するのであろうか。この問いによって、我々は議論の次の段階、つまりネオ・ヘーゲル主義者にして間主観主義論者であるフランシス・フクヤマの仕事によって刺激が与えられた段階に進むことになる。

十全なシティズンシップとは何か――フクヤマの位置

マーシャルは、彼の著書『シティズンシップと社会階級』のなかで、福祉供給へ向けた一群の社会権の制度化とともに、十全なシティズンシップが（イギリスの人びとにとって）達成されてきたと論じている。彼の見解では、これはシティズンシップの歴史的な完成のために適切に置かれる必要のあった最後の一片の煉瓦であった。それは、シティズンシップの真の核を形成する市民的権利や政治的権利が社会的に剝奪されて否定される可能性を根絶した。マーシャルの時代の他の著者たち、たとえばアメリカのタルコット・パーソンズ（Parsons 1967）のような、別の社会を取り扱った著者たちは、これほどの確信はもっていなかった。パーソンズは、アメリカの黒人たちはシティズンシップの公式的権利をもってはいたが、主としてアメリカ奴隷制度の歴史的圧制の余韻が今日に残っていた結果として、依然としてまだ十全な市民ではないと記していた。パーソンズの見解では、アメリカの黒人たちは「第二階級の市民」であった。というのも、彼らないし彼女らは法の下での平等や十全な政治的権利は享受するけれども、社会生活や政治生活のより実質的な基礎を形成する相互行為においては平等ではなく、より劣った地位に依然として置かれていたからである。だがパーソンズは、このことは不可避なことではなく、そうした状態はその他の点では多元的なアメリカのシステム内部に黒人文化が受容されるようになるにつれて修正されるであろうと確信していた。そのさいマーシャル同様、パーソンズはシティズンシップの歴史の終わりが間近だとみているのである。

近年、イギリス、アメリカ、および残りの西洋世界（さらに東洋のいくつかの社会も加えられている）に関して、マーシャルの主張よりずっと根本的な見解が発表された。フランシス・フクヤマ（Fukuyama 1989, 1992）によれば、これらの社会は「歴史の終わり」に到達している。これに伴っている主張は、これらの社会は、その基本的な制度的および社会構造的な形態が人間的な要求や欲求への供給という観点からみて、もはや改良されえない（それゆえ改良されないであろう）進化の地点に到達した、という主張である。その形態は、自由主義的（資本主義的）民主制である。この主張の論拠は、少なくともその一部は、世界全体を通して社会組織の代替モデルの崩壊、とくに中心に計画経済を置いていた（東欧の）権威主義的な社会の崩壊である。フクヤマによれば、こうした「代替案」は歴史過程において選択されてきたが、それがまったく（実行可能な）選択肢ではなかったと示されてきたというわけである。

フクヤマの命題は、すべての社会問題が我々の歴史のこの地点で適切に解決されてきたという見解を伴うものではない。またそれは、我々の社会で今後、衝突、変化、事件がたくさん起こる可能性も排除していない。その命題がもつすべては、経済的、政治的な供給の基本構造は変わらないであろうということだ。この立場に従えば、とくに新しい技術発展の力のもとでは、資本主義的市場の構成は時の推移とともに変動するであろうが、それは資本主義構造内での変動であり、社会経済組織の異なった形態への変動ではないだろう。同様に、（代議制の）民主主義の制度や過程も変化するであろうが、我々が代議制民主主義の構成を止めるようなところまでは行かないだろう。あるいはむしろ、『歴史の終わり』（とくにその最終のいくつかの章）を通してみられる、少し控えめではあるが、自己確証的な命題を思い起こしてみると、この変化の過程から得るものは何もないであろうと言ってよい。この変動、変化という意味では、歴史の終焉とは完成という達成ではない。

以上の命題は、それ自体でも非常に興味深い。しかし本章にとってとくに興味深いのは、その論述過程でフクヤマが「間主観性」「承認を求める闘争」「承認への欲望」に負わせている役割があるからである。ヘーゲルに関するコジェーヴの説明に依拠しながら、フクヤマは、動物の基礎的な欲望や理性に加えて、人間も欲望への基本的に人間的な欲望、承認への欲望をもっていると論じる。そうした欲望は、一連の異なった諸現象全体を説明するのに必要であるが、なかでもとくにそれは非民主的な形態の統治への人間的嫌悪、およびそうした関係の統治において従属的な役割にある人びとに生じる変革への当然の動機づけを説明する、とフクヤマは論じる。この点の含意は、人間の欲望が民主主義社会においてのみ十全の表現を見いだすということ、そしてそれがそのような状況を見いだしたときに政治的変化への欲求や要求が終わるということである――彼はこの点にかなりの限定を加えているけれども。これが、歴史の終わりというフクヤマの宣言の、より哲学的な実質的基礎である。さらにそこでは、「間主観性」「民主主義」「シティズンシップ」「歴史」といった諸概念の間に非常に明確な連関がうち立てられている。歴史は、承認を求める間主観的な闘争として捉えられ、その闘争は、制度化された民主主義やシティズンシップの形態での相互承認の達成において、またそれを通して解決される。

フクヤマの立場はいくつかの点でかなり説得力があり、またその一定の諸相はかなり魅力的である。その魅力は、フクヤマの立場が間主観性とシティズンシップとの間で形成する連関から生じており、さらにまたその立場が欲望と承認を求める闘争とが何であるのかを見定める点からも生じている。この点は、人間性という考え方が多くの（ポスト構造主義的でポストモダン的な）思想家によって強く否定されている時代にあって、この命題は、我々のありようの類型や我々がもつ欲求の類型について、それなりに適切で弁護可能な見解を措定し、そうしながら民主主義について説得的な擁護を行っているように見えるというレベルで魅力的なのである。この説明では、

（すべてのレベルで）民主主義が我々の存在の仕方にとってもっとも適切な形態の社会組織化であるとされる。さらにシティズンシップは、適正かつ当然のものとして見られている。というのは、我々が承認を欲望するからであり、また我々が他者たちとともに共同体のなかでのみ十全な形で存在できる存在の類型であるからだという、両方の理由による。このような考えは、我々の可能性を極端に限定することなく、いくつかの社会的―政治的な諸関係を批判するための基盤も与え（フクヤマはとくにこの可能性を切り拓いているわけではないが）、また我々の欲求にもっとも適合すると思われる社会秩序の類型を定式化するための基盤も与える。このことを行うなかで、さらに我々はこの考えによって、本書で論じてきた多様な分析的観念（社会学的、哲学的、心理学的な観念）を、規範的な政治的枠組みと連結させることができるようになる。もちろんこのことは、右派ないしは左派の特定の政治的イデオロギーと連結する必要があるということを言っているわけではない。それはただ、もし人間が十全な形で人間的であるならば、保証される必要のある基本的諸条件に関する理解を――たとえ最低限ではあれ――我々がもつ、ということを言っているだけである。そしてそれが示唆しているのは、共同体のレベルでは、もしその諸条件がすべての人に対して守られるならば、その諸条件は一人の人に限っても保証されるであろうということである。

フクヤマの他の諸相も、比較的納得のいくものである。世界中の多くの国で、自由主義的民主制に対する代替物が崩壊しているのは、近年の歴史の重大な事実である。そして広義の構造レベルで、自由主義的民主制に対する現実的な代替案が欠けているということは、否定できないことである。我々の社会は現在、意義深い変動を経験しており、またこの変動は直接に経済的、政治的な組織に影響を与えるが、しかし我々の社会が自由主義的民主制から離脱する傾向にはない。あるいは少なくとも、大部分はそうした傾向にはない。変動の大部分は、せいぜいのところ社会的、政治的な生活の中心が国家の（政党に基づく）レベルから、よりグローバルとよりローカルな二つのレベルへと移されることを示しているが、反対にそれが配分の中心的機構としての市場の廃止を含むということ、あるいは基本の代議制的民主主義が別の代議制的民主主義の形態以外の何かに道を譲るということ、こうしたことは示されてはいない。だが、以上のように述べたが、すでにはっきりと理論化されまた政治化もなされているひとつだけ明確な歴史的傾向が存在する。しかもそれは、より持続的な影響をもつものである。それは諸々のテクノロジーの発展であり、それがあらゆるタイプの労働の必要性を取り除き、それゆえに、少なくともその主要な提唱者に従えば、それは労働からの「解放」を約束すると言われている（Gorz 1982, 1985）。この命題に関しては、それが疑わしいものである理由が数多くある。新しいテクノロジーが経済生活や政治生活に及ぼす影響は、つねに社会関係やその社会関係を作り上げる革新的実践によって媒介されている。新しいテクノロジーは、それ自身では必然的効果をもっているわけではない。さらに、労働市場でのサービス部門の成長もあって、それは新たなテクノロジーによっては容易に置き換えられない部門である。なぜなら、その部門は「人間的な接触」に依存しているからである。そのような部門の成長は、労働市場が枯渇するというよりも、労働市場が実際には移動しているということを示している。にもかかわらず、主要な理論家たちによって概述されたような解放の可能性に関して手短に考察することは興味深いことである。

解放の影響は政治的レベルでは非常に広大なものでありうるが、しかしそれは構造的なものではない。仕事からの解放状態は、市民たちに政治参加への時間の増大をもたらすだろう。そうした市民は、奴隷や女性を自分たちのために働かせていた古代ギリシャの市民たちと似た立場にあることになろう（Roche 1992b）。この状態は、新たなテクノロジーによって提供されるコミュニケーションの可能性によってさらに高められる。トフラー（Toffler 1980）が記しているように、コンピュータ・ネットワークは「プッシュボタン民主主義」の可能性を切り開く。だがこうしたことにもかかわらず、この状態が認める民主主義の類型は、大きな人口規模のゆえに代議制の民主主義以外のものとなることはありそうもないであろう。というのは、あまりにもたくさんいるので我々すべてが直接の発言権をもつことはありえないからである。このように新たなテクノロジーは、発展したとしても代議制の民主主義を高めるだけである。それは、どのような点においても我々をそうした民主主義から離脱させることはない。だが経済的なレベルでは、影響は潜在的にはもっと重大であろう。というのは労働からの解放は少なくともひとつのレベルで、つまり資本の所有者側において、労働者に対する供給や「労働」人口間でのその供給の必要性を削除せずに労働への需要を削除することによって、市場資本主義の基本構造（自由主義的民主制の「自由主義的な」相）の土台を掘り崩すかもしれないからである。労働者にとっては、生存の問題として労働する必要が続くが、資本家はもはや労働者を必要としないだろう。あるいはむしろ、資本家は労働者を間接的に必要とするだけであろう。なぜならば、資本家は自分たちの商品を買うのに十分なお金をもった消費者は必要としているが、資本家のために働く労働者は必要ではなくなるからだ（あるいは、少なくともたくさんの労働者は必要なくなるからだ）。こうした媒介要因がなくても、あるいはこれと同じような何らかの媒介要因がなくても、我々の社会はいままでに見たこともないような規模での大きな失業問題に直面するだろう。市場を基礎としたテクノロジーの革新が続けば、分配と供給の市場を基礎としたシステムでは実際に追いつかなくなる可能性がある。

以上のことは、多分に将来の不幸を予言するような黙示録的なシナリオであるが、筆者がすでに述べたように、それ以外の現代の諸変動はどんな実質的な点でも自由主義的民主制に挑戦するようには思われない。むしろ変動は、自由主義的民主制の拡大であり発展であろう。にもかかわらず、考察のためにこのような旗を立てておくことは重要である。以上のことを述べたので、いまや我々は、フクヤマに対して向けられうる、より限定的ではあるが、いくつかの批判的考察に移ることができるであろう。

筆者の主要な批判、しかも他のすべての批判がそこから生じてくるひとつの批判は、法令や宣言書のなかに大事にしまわれているかのような自由主義的民主制と、その現実の実践との間には、かなりのギャップがあるということである。このことの帰結は、民主主義の完全な実現には至っていないということ、そして重要なことは、このことが一方ではある人びとにとっては「第二階級の市民」の再生産に帰結するということである。それは、第二階級の市民にとってと同様に、システムにとっても害となる状況である。ここから生じる批判は自由主義的民主制の観念への批判ではないし、この批判はたしかにその民主主義に対する代替案を示してもいない。だがそれは、変化が必要なことを認める。それは、いくつかの点で「逆機能主義者」的批判である。つまりそれは、約束している商品を社会システムが配達してくれないといった批判の仕方を認める批判である。これは、間主観主義論者の問いの観点からも重要である。というのは、間主観性の制度的な地固めは不完全であり、変化を必要とするからである。さらにこうした批判は、変化が必要とされる領域のいくつかを示すはずである。

本章では、ここに含まれる論点全部をカバーするだけの余裕はない。だが、筆者がやろうと思っているのは、この種の批判のなかで考察されるべき三つの広い領域を示すことである。このことを、さまざまな形態の第二階級の市民が構成される仕方に関する考察とともに具体的に示してみたい。筆者が考察する領域は、シティズンシップの制度（これが中心的なシステム要素を構成する）、公的領域、私的領域である。筆者はとくに後者の二つに集中したい。というのも、その二つが間主観的な事柄にもっとも直接に関わっているからである。

（1）シティズンシップの制度

シティズンシップの制度は、シティズンシップの権利と責務を直接的に守り強化するものである。これらのうちの主要なものには、以下のものがある。裁判所や司法組織、それらは市民の義務と権利を守り強化する。議会や政治組織、それらは政治的権利を守り強化する。そして福祉や課税のシステム、それらは社会的な権利や義務を守り強化する。これらの制度が批判を受けないわけではないこと、それらが適切だと思われる仕方で財を供給することに失敗することもあるということ、こうしたことは、我々が新聞を広げ、テレビのニュースをみるたびに目にすることであろう。さらに、政治／選挙のシステムと福祉のシステムの両者は、何人かの主流の政治家の目にはかなり変革をしなければならないと思われている候補である。このレベルで第二階級のシティズンシップがひとつの問題となるのは、人種差別主義のようなイデオロギーが制度の過程や実践のなかに埋め込まれ、それによってそうした階級の人びとに結果として不正な影響を与える場合である（Gilroy 1992）。そのような制度的なイデオロギーは、第二階級のシティズンシップを二つのレベルで構成する。第一に、そうしたイデオロギーがシティズンシップの権利と義務を与える制度への実際上の接近を制限するというレベルがある。第二に、それは適切な承認の不履行を示すレベル、つまり他の集団には認められている承認がある集団には拒まれるというレベルがある。

以上と同様に重要なことは、シティズンシップの制度的基盤が変革期にあるということをここで認めることである。実際、国家構造としてのシティズンシップの制度的基盤は、社会構造の変動によって、またとくにグローバル化の過程によってその土台が掘り崩されている（Roche 1992a）。だが、シティズンシップの国家的な制度がこの過程によってなくなっているわけではなく、また近い将来もなくなることはほとんどありそうもない。にもかかわらず、この国家的制度自身が、グローバルな問題やグローバルな経済に対する対処が段々と効果的にできなくなっていると認識しており、それゆえそれ自身がシティズンシップの国際的な制度と結びつく必要があると認識している。ヨーロッパでは欧州裁判所が展開され、国家の裁判所が下した決定を無効にすることができるし、また欧州議会も、欧州選挙、法律、政策を伴って展開されて、まさに上述のことのひとつの例となっている。こうした変化との関係では処理されるべき問題が数多く存在するが、その問題の多くは、本章およびより一般的な形では本書のなかで提起された生活世界／間主観性の問題のなかに逆に流入するであろう。とくに我々の観点からみれば、本章のはじめの方で述べたように、シティズンシップの身分証明や動機づけを確保する生活世界的条件は、まだ国際秩序の方へと方向づけられていないという問題がある。我々はまだ我々の国際的な同時代者に対して「よそ者仲間」とはなっておらず、まさによそ者（あるいは、いくつかのケースでは歴史的な敵）のままである。そこで、いかにすれば我々は（生活世界としての）ひとつの共通な政治的共同体を認め、それに参加するようになるのかということに関する問いが生じる。

筆者がすでに記したように、ここでは次のことが強調される必要がある。すなわち、シティズンシップの文化とは、共有された信念、態度、価値のひとつではないこと、そしてそれゆえ国際的なシティズンシップの問題は、文化的な同質性や意見の一致を確保する問題ではないということである。もちろん、言語的および文化的な差異が、適切な議論や一致の障害となっていることは明らかではある。だがこうしたことにもかかわらず、国際的な秩序の正統性や、それに参加する動機づけについての共通の認識に関して重要な問題がある。シティズンシップの制度と同様に、共通の言語ゲームが構成されなければならず、市民が活性化しなければならない。さらに、同質性は求めないとしても、政治的なグローバル化は多くの国民社会で生活世界の伝統の土台を掘り崩し、これらの社会の市民たちが――(シティズンシップの)動機づけはまさにこれらの社会の伝統によって確保されている――そうしたグローバル化に対応することが期待されるようになるということは不可避であるように思われる。これは国際政治の観念の論理的な帰結である。システム要請による生活世界の掘り崩しに関するハーバーマスの研究に従えば、このことが成功裏になされるには、その過程で「うまい対処法」がこれらの市民にとって確保されうる場合だけである、と我々は予想することができよう。だがハーバーマスが記しているように、この場合でさえ危険性がある。それは、こうした対処法が主体を市民としてよりも受給者として構成する傾向があること、つまりそれは、主体が能動的な市民役割を担うというよりも(福祉の)供給で慰撫されてしまうような過程であるという意味で、危険性がある。

制度に関する題目の下で考察されなければならない最後の論点は、下層階級が育ってくるさいのその経済と存在に関するものである。本章ではこの問題を深く議論する紙幅はないが、こうした人びとの集団の存在を登記しておくこと、および手短にでもこうした人びとの実際上の参政権剝奪状態を考察しておくことは重要である。このような集団が存在し固定化されている理由が何であろうとも、そうした人びとは十全なシティズンシップの欠如や社会参加の欠如によって定義されるといってよい。シティズンシップの制度的な分析は、こうした集団に着目し、そのような人びとの参政権剝奪に関する状態を考察しなければならない（Roche 1992a）。

（2）公的領域

本章で筆者がすでに記したように、市民役割の多くは公的領域で遂行され、そしてこの公的領域は、その完全な形では、共通の関心がある論点に関する討論と議論によって構成されている。ハーバーマスに従って筆者は、この対話の媒体《メディア》は主にマスメディアであると付け加えた（さらに我々はこれに、インターネットのような新たな情報テクノロジーの形態も付け加えられるだろう）。そのようなメディアは人びと全体を、あるいは少なくともこの手段をもち、それを利用する意思をもっている人すべてを、同時に結びつけることを可能にする。メディアは、政治的、経済的なシステムにおける主要な出来事や人物に対して、市民の大多数が今後もつであろう唯一のアクセス方法を与える（逆にこうした出来事や行為によって市民すべてが影響を受けるのだが）。そのようなものとして、メディアは、市民がその市民役割に属する情報選択の多くを行う唯一の基盤である。市民たちが自分たちの状況の共通性を認識し、さまざまな形態の市民役割へと結集できるのは、主にメディアによってである。その結果として、メディアネットワークの機能する仕方がひとつの制度としてシティズンシップの有効性それ自体と直接に関係するのである。「悪い」メディアネットワークは、シティズンシップを有効に機能させることができないであろう。

以上の点から多くの重要な論点が生じる。しかもその論点の多くは、自由主義的民主制ではメディアへの接近やコントロールが限定され、不均等に配分されているという事実から派生する。さらに新聞や非公共放送的なテレビネットワークのような、こうした社会のとりわけ「巨大」メディアは、商業的な官僚制によって構成されている。その官僚制は、（そのそれぞれが固有の専門的関心を伴っている）専門の組織体によって階層秩序の形で人員配置され、しかもそれは他のメディアと市場を競うことによって、また同時に商業的に関心をもっている他の組織体の支援を要請することによって、商業的に成り立っていかなければならない。ニュースや（メディアにおける）公的な討論や議論は、公共圏の理想が示唆するような共通に動機づけられた人びとの間での自発的なコミュニケーションの所産ではない。それは社会的に、しかもより特定化して述べれば、財政的に組織化されたシステムであり、そのシステムは、それに適切な流れのなかで当該社会の経済的、政治的な構造を伴って統合を達成しなければならない。こうした見方はそれ自体ほとんど「新しい」ものではないが、それはマスメディアを構成する言説、したがって我々が知っているような公共圏を構成する言説が、議論や会話それ自体がもつ関心や力以外のものによって規定されているということを指し示しているゆえに重要である。実際、生活世界の植民地化という命題が示唆しているように、この生活世界の活動はシステム要請によって貨幣や権力の関係を介してまさに媒介されている。このこともまた新しいことではないが、シティズンシップがこの公共圏と結びついているかぎり、このことは、何らかのシティズンシップの失敗ないしは逆機能を指し示しているであろう。

筆者はここで、市民はつねにメディアにだまされやすいとか、メディアは巧妙に市民をだまそうとしているとか言いたいのではない。さらに筆者は、メディアが特定の政治的説得に向けて、必ずバイアスをもっているということを言いたいわけではない。バイアスがあるかぎり、また党派的信念をもった政治家はバイアスがあるとはっきりと思っているが、そうしたバイアスは、各々の回路においても、また時間も越えて多様である。筆者の論点は単純であって、公共的で政治的な論点に議論が捧げられる番組や記事においても、またあきらかに娯楽といった他のものが意図されている記事においても、開かれた公正な議論への関心はただメディアが実際に行っていることを知らせることへの一群の関心であり、しかもそれがもっとも重要なことだと思われるという論点である。さらに述べれば、編集方針は言うまでもなく、メディアの私的所有制やコントロールによって、また番組を制作する人たちの文化的背景の影響によって、いくつかの論点において特定の集団の見方を提示しないようにすること、またそれゆえに第二階級のシティズンシップという特定の形態を永続させたり構成したりすることがないようにすること、こうしたことも明らかである。必ずしもすべての見方が平等に公共圏に接近できるわけではないとしても、である。

ここで、ハーバーマスと彼の「理想的発話状況」の重要性が明らかとなる（Stevenson 1995も参照）。我々が理想的発話状況を必要とする場所があるならば、それは我々の政治的討論がなされる公共圏であることは確かである。だがまだ我々は、明らかにこの圏域をもっていない。我々は、貨幣と権力によって操縦されているシステムだけをもっているにすぎない。

以上述べてきたこと全体に加えて、情報テクノロジーにおける最近の技術革新が、マスメディアの変革の可能性と、公共圏のための代替場の展開可能性を切り開いているという点がある。とりわけサイバースペース、つまりコンピューターネットワークとくに「インターネット」によって切り開かれる空間は、公共圏への接近を可能にするという点で非常に大きな潜在力を秘めている。サイバースペースには、完全には規制されないコミュニケーション（つまり制度的には規制されないコミュニケーション）と匿名性の可能性とが存在する。対話者たちは、自分たちの見解以外には互いに誰であるかを知る必要はない。そのようにして対話者たちは、今日までに西洋社会で立ち現れてきている理想的発話状況にもっとも近い状況で見解を闘わせることができる。さらに、すでにいくつかの（互いに結びついている）市民たちでなされていることではあるが、討論を行い情報交換をするあらゆる種類の集団やフォーラムを形成する可能性がある。だが、明らかにまだこのことは適切な公共圏とはなっていない。まだ大部分の人びとが結びつけられているわけではないし、近い将来も大部分の人びとが結びつけられることはありそうもない。さらにまた、こうしたものが効果的な公共圏として機能するのに十分なほどにはたぶん組織化されていないし、規制もされていない。だがそれにもかかわらず、（現在非常に大きな論争の原因ともなっている）広範な無規制の状態は、可能性を秘めた出発点である。はじめは何もそこから除外されていないので、我々は非常に注意深く対応して、そこから除外するものを決めていくことができる。

（3）私的領域

私的領域との関係では、第五章で論じられたナンシー・フレイザーによるハーバーマス批判が立ち戻るに値する。フレイザーが指摘したのは、生活世界の私的領域は第一に、社会のシンボル的再生産と同じく物質的再生産にとっても中心的であり、第二に、社会的、政治的な不平等との関係において、それは決して「無罪」ではないということである。家族はそれ自身の内部（貨幣）経済をもっており、それはジェンダー的不平等の再生産にとっても、またその構成にとっても鍵となりうるとフレイザーは記している。

このことが重要なのは、承認としての我々のシティズンシップが下からも上からも非常に影響を受けるということを、それが示しているからである。生活の機会と可能性は、公式の制度的レベルあるいは公共領域のレベルできっちりと固定化されているわけではないし、また外的なシステムによる賦課（生活世界の植民地化）でのみ限定されているわけではない。それらは、生活世界の私的領域、日常生活と相互行為の世界のなかで、またそれを通して影響を受ける。この私的領域は、それ自身の内部に生活機会の再生産や媒介のための手段を、あるいはまた可能性や参加を制限する手段を含んでいる。それは、我々が特定のアイデンティティや能力でもって社会化される領域であり、我々の決定が下され、行為が多様な形で取り決められたり阻止されたりする領域である。つまりそれは、我々の時間と空間が多様に固定されたりコントロールされたりし、また外部へ開かれたり制限されたりする領域である。さらにそれは、我々が自分たちの世界に積極的に参加する可能性が（少なくとも部分的には）決定される場である。この点で生活世界は、システムレベルでは公式的には廃止されて平等になってきている第二階級のシティズンシップに関して、その平等形態を一層促進させることができるのである。

こうした点は、市民の動機づけの生活世界的構成とアイデンティティ化の生活世界的構成とに関する筆者の以前の指摘と再び結びつく。役割やアイデンティティとしてのシティズンシップが生活世界のなかで構成されるのとちょうど同じように、ある人たちにとってシティズンシップは——社会化ないしは排他的なシンボル化を通して――否定されたり不十分にしか与えられない場合もある。偶有的に獲得されたアイデンティティや能力が、生活世界において否定されたり制限されたりする場合がつねにある。さらにまた生活世界の諸関係が、通常はシステム内部で与えられる承認を否定することもできるし、そのようにしてシティズンシップの地位を実際に無効にしたり、無効にしているかのように見える場合もある。たとえば女性を性の対象とすることは、そうでなければ彼女たちに与えられている主体的―市民的な地位を、まさに彼女たちを客体として再構成することによって掘り崩していると述べることができる。あるいはまた、少数民族をシステムにおいて差別し迫害すること、あるいはエスニック・マイノリティを「彼ら」として、つまりひとつの問題として取り扱ういくつかの集団に見られる傾向、こうしたことはシティズンシップのより実質的な意味の否定である。生活世界における承認がなければ、シティズンシップは空虚であり、形式的で皮相なものである。

二つの論点がここから出てくる。第一に、承認としてのシティズンシップは、権利と義務についてシステムが刻み込んだものの観点からなされた形式的な表現をもつと同時に、一定の集団が生活世界のなかで享受する地位と結びついた、より実質的な次元をもつということを我々は主張できる。真のシティズンシップは、その両者のレベルでの十全の承認を必要とする。第二に、パーソンズに従って(いくつかの修正を伴ってではあるが)我々は、生活世界の諸関係がシステムの諸関係よりもかなり「遅れる」場合があること、そしてそれほど容易には変動したり変革されないこと、このことを認識しなければならない。自分たちの法を変えることは、しばしば隠れた、またつねに深く埋め込まれたコミュニケーションや間主観的な諸関係の構造に比べれば、比較的容易である。

ここでは、こうした考えをさらに展開し、さまざまな含意をもつ集団全体に関して、それがどういうものかを論じるだけの紙幅はない。承認を求めるその集団の欲望を、それを否定する社会に対して投げかける社会的、表出的な運動を通して、これらの集団はしばしば自分たちが何であるかを示そうとするとここでは述べておけば十分であろう。この意味で(ハーバーマスとは反対に)、生活世界の植民地化だけが新しい社会運動が抗議の対象とする唯一の社会的な力ではない。この運動は、自分たちに対して承認を拒む生活世界内の諸条件に対しても同様に抗議する。この点と関連して述べれば、シティズンシップは上から（生活世界の植民地化）だけでなく、下からもまた生活世界内で機能している不公正な力によって脅かされているのである。

こうした論点の多くは、フクヤマによっても妥当だと認められるであろうと筆者は確信している。たしかに、こうした諸論点は、歴史が終わったという見解に挑戦することはしない。にもかかわらずそれらは、十全なシティズンシップがすべての人のために獲得される前になされるべきことがまだたくさんあると立証しているし、少なくともある程度は、市民の構築における間主観的な生活世界の役割を強調することによって、その立証を行うのである。

このことが筆者の出発点であったし、筆者が下す結論でもある。筆者は、「間主観性」「生活世界」「シティズンシップ」という概念が互いに他を照らし出し、互いに建設的である方向のいくつかを示してきたと考えている。そして、シティズンシップがシステム―生活世界の関係の絡み合いと解きがたく結びついていることをも筆者は示してきた。そのうえで筆者は、本書でこれまで大要が述べられてきた間主観性の理解に対する、より規範的で政治的な次元の可能性を筆者が切り拓いてきていれば幸いだと思っている。

結語　社会生成の現場

本書で筆者は、実例を挙げながら、異なった学問的な伝統や分野が間主観性という論点をめぐっていかに収斂可能であるかを示してきた。それは、それらの諸分野に共通の基盤を与えうるようにするためでもある。さらに筆者は、概念のさまざまな見方を新たな区別（たとえば根源的と自我論的といった区別）に応じて再組織化しながら、そしてそれによってさまざまな見方を両立可能でしかも相互に豊かにし合うように示しながら、それらを結合し整合化してきた。そして最後に筆者は、間主観性の考察が「権力」や「シティズンシップ」といった他の主要概念に関する我々の理解を豊かにすることができると論じてきた。だが、こうしたことすべての基層には、より根底的な論点があるのであって、それを設定するが筆者の主要な関心であった。すなわちそれは、間主観性とは我々の社会生成の現場である、ということである。

筆者は、我々の社会的世界の時間構造とその本質的な未完性との両者を示すために、すなわちこの世界およびそこでの多元的な諸関係がつねに何らかの生成の過程にあるのであって、決して静態的ではないということを示すために、「存在」(being) ではなく、むしろ「生成」(becoming) を語ってきた。だが、より特定化して述べれば、筆者の論点は、間主観性は人間生活の個人的形態においても全体社会的形態においても、そうした人間生活の理解にとって鍵となるものであるという点にある。間主観性は、それによって我々の社会が可能となるものであり、それによってはじめて我々が我々となるものである。さらに間主観性は、それ以上には還元不可能な一種独特なものであり、我々のアイデンティティの生成原理、我々の主体的行為の生成原理、そして我々が生きる社会の生成原理である。そしてそれは、我々がそこから外に出ることができないものである。哲学であろうと社会科学であろうと、方法論的手続きの全体をもってしてもこのことは否定できないし、これを括弧に入れてしまうこともできないであろう。我々は間―主体である。我々の行為や思考は、我々にしか還元できない。それらは、多くの参加者をもち、他者のあらゆる身振りのなかで表現される行為に対する呼びかけに応えるゲームの一手、一手である。そしてそれらの意義はまさに、そうしたゲームにおける位置によって構成されるのである。

筆者は、以上のことを指示するために、数多くの理由から「fabric」という語を用いた［本書の副題も、The Fabric of Social Becoming である―訳者注］。第一の理由は、「social fabric」［社会組織に近い意味がある―訳者注］という一般的な表現と連接するためである。間主観性は、まさにこの表現のなかで暗示されている場（fabric）であると筆者は思っている。それは、我々をみな一緒に、それとして同定可能なひとつの集団や単位として保持するものである。第二に、「fabric」［織物という意味がある―訳者注］は、多様に重なり合って絡み合い、またさまざまな仕方で組織化されて配列され、ときには混乱状態にさえなるというイメージを眼前に思い起こさせる。それは、こうしたことの重なり合いによって達成されるまとまりや強さの感覚も意味する。一本の糸は、それだけでは強くもなければ、さしたる意義もないが、織られた糸には強さと形が与えられる。根源的間主観性や自我論的間主観性の分析、言語ゲームの分析、そして社会的生活世界のさまざまな自明視された想定に関する分析において探究されているのは、重なり合いのこうしたさまざまな形態やパターンである。最後に、「現場」(fabric）という語は、一定の物質的な基盤、身体的な絡み合いを示唆しており、それはまた間主観性においては明白なことでもある。人間は身体的な存在であり、そしてこのことは人間の間主観性にとってまったく決定的なことである。さらに、間主観的な人間の諸関係は物質的環境のなかで起こり、また物質的環境を含んでいる。

以上、全体的なことを述べたあとで、我々には避けることのできない問いがひとつ残されている。それは――あらゆる結論がそれを論じなければならないものだが――我々はいまどこにいるのかという問いである。筆者は、本書を執筆しながら、この問いに関する壮大なファンタジーを数多く楽しんできた。だが最後の段階では、答えは限られたもので、かつ明瞭なものである。テクストのどこかに将来計画が織り込まれているのであれば、いくつかのそれなりの構想が引き出せるかもしれないが、本書のごとき研究から出てくるような特定のものは存在しない。また我々が企てる将来計画に適用できるような明確な方法も手順も、ここには存在しない。筆者が本書で論じてきた多くの研究は広範囲の方法や分析手順を用いており、そしてそのすべてが間主観性の特定の諸相やそれと関連した諸論点を描き出すには適しているが、そのどれもが無理強いをしたり、他を排除したりするものではない。だが、本書が我々に与えてくれると筆者が期待していることは、社会的―間主観的な世界や、そこに関与している我々について思考する仕方である。

間主観性について考え、それがひとつの発想として措定する問題と格闘すること、それはまさに社会生活それ自身の問いと直面することである。それは、社会生活の現場という布地（fabric）の糸をほぐし、まず、いかにしてそれが一緒になって出来上がっているか、つまり我々は時間と空間を通して、思考と意味を共有しながら、少なくとも不一致だとわかる程度には一致しながら、いかにして自分たち自身を苦労しながら調整しているのかということを問うことである。それは、どんな思考や意味や行為が、共有されたり結合されたりするために実際に存在しているのだろうかと問うことである。あるいはまたそれは、人間有機体がその空間的境界を超越するものとつねに関わることができる理由を問うことである。こうした問いは、学問的な側面を強くもつとはいえ、必ずしも学問的な問いではない。それらは結局のところ、まさに我々自身の存在（とくに、私の存在とあなたの存在）に関する実存的な問いでもある。間主観性の問題に立ち向かうということは、我々はどのような存在であるのか、我々が属している世界はいかなるものであるのかを考察することである。この種の考察が、学問的なものであろうとなかろうと、我々の企て全体の核心にあることなのである。

本書が、これらの問題のいくつかの扉を開き、そうした問題に接近しやすくし、それらがもっとも良く考察される仕方について一定の考え方を提唱してきたとすれば、筆者が意図した仕事は達成されたことになるであろう。

付章　ハビトゥス・行為・変動——ブルデューの批判的検討(1)

ピエール・ブルデューによるハビトゥス概念の再発見と、彼がその概念を発展させ、しかも構造／行為の議論といった中心論議に対してその概念がもつ意義をも引き出してきた道筋は、社会学理論の重要な前進を示している。この概念は理論的にも経験的にも重要である。しかしながら、ブルデューがハビトゥスと社会的行為との関係を理論化するやり方には問題がある。あるいはむしろ、次のように述べた方がよいだろう。すなわち、ブルデューはそうした関係を適切には理論化していないように思われる、と。本章で筆者は、この問題点に取り組みたいと思う(2)。

まず最初に、ブルデューはハビトゥス概念の用い方には明らかに一貫性を欠くところが認められるという点から始めよう。ブルデューの非常に多くの仕事のなかで、ハビトゥスを行為能力（agency）の先取り的な理論として取り扱う。つまり、行為能力はハビトゥスによって構成される。それゆえ行為なるものとは、単純にいえばそうしたハビトゥスにすぎない。しかしながら、数は少ないが、とくに社会不安や政治危機に言及するとき、ブルデューはこのモデルから出発しながらも、ハビトゥスは「意識的計算」といったような他の行為原理に取って代えられると示唆する。これらの間に一貫性の欠如がみられるのはいうまでもないが、とくにこれらの説明には両方とも問題があるというのが筆者の論点である。そこで筆者は、どうしてそうなってしまったのかを明らかにすることに本章の最初の部分の多くを費やしたい。これらの問題に陥らないようにするために我々に必要なのは、ハビトゥスを、行為能力のより広くより動的な概念化のなかに位置づける説明であると筆者は論じる。本章の二番目の節ではこの点を敷衍して、第一に、我々が必要とするより広い行為能力概念とは、メルロ＝ポンティ（とくにMerleau-Ponty 1962）によって要請された「身体—主観」(body-subject) という概念であると論じ、第二に、この概念は、ジャン・ピアジェの仕事 (Piaget 1962) から引き出されるいくつかの洞察と突き合わせることによって展開・強化することができると論じる。ブルデュー自身がそう定式化しているように、メルロ＝ポンティの議論とピアジェの議論の両者の多くは、ハビトゥスの概念と重なり合う。しかしこの両者の議論は、ブルデューのそうした定式化がもつ限界を我々が乗り越えることができるようにする重要な視点をも付け加えているのである。

議論を始める前に、限定が二つ必要であろう。第一に、「ハビトゥス」を「身体—主観」に置き換えるために議論するのが筆者の意図ではない。これらの二つの概念にはたくさんの重なり合いがあり、しかもブルデューは自分の概念に、メルロ＝ポンティの説明にはない重要な要素をもたらしている。筆者の意図は、ハビトゥスを身体—主観の世界内存在の一位相として取り扱いながら、この二つの説明を結びつけることである。一方の概念を他方の概念に完全に置き換えることができるというのではなく、その両者は一緒になって作動することができるのである。第二に、筆者によるピアジェの仕事への言及は、ピアジェの仕事全体を是認するものとして意図されているわけではない。ピアジェの体系全体は問題にせずに、彼の仕事から重要ないくつかの観察例を引いてくることは可能である。筆者が行いたいのはこれである。とりわけ筆者が着目するのは、行為過程内部で調節と同化という興味深く説得力のある「図式」が現れてくることをピアジェが強調した点である。「高次の」反省的で知的な理解と操作とが、より身体的な「感覚—運動」的な把握に根ざしているというピアジェの主張が、メルロ＝ポンティの身体—主観の理解とうまく重なり合うと筆者は確信している。

ハビトゥスと行為者——一貫性欠如の問題

ブルデューによるハビトゥスの使用とそれへの論評は広範にわたるが、彼が書いているもののなかには明らかに強調の変化がみられる。だがこのことにもかかわらず、彼の仕事のほとんどすべてにおいて、つまり彼の主要な出版物のすべてにおいては間違いなく、彼は「ハビトゥス」を行為能力の概念と多少とも等価な概念として取り扱ったり、行為能力を「ハビトゥス」に置き換える傾向がある。ハビトゥスは行為能力を先取りする。このことは、たとえば次の公式をみれば明白である。すなわち彼は、『ディスタンクシオン』のなかで彼の実践の理論をこう要約する。［（ハビトゥス）（資本）］＋界＝実践（Bourdieu 1984 : 101）。この等式のなかには、ハビトゥスの形態以外に行為者が入る余地はない。これと同様な傾向が、『実践理性』のようなより最近の諸著作においても明白である（Bourdieu 1998）。そこでは、ハビトゥスの理論が行為能力の理論として示されている。本章の最初の部分では、ハビトゥスと行為能力とを同等視するこの傾向を取り上げてみたい。それが問題なのは、ハビトゥスという概念はそれのみで、行為能力というより広い考え方と無関係に存在することはできないからである、と筆者は論じる。しかしながらブルデューは、ハビトゥスによる行為能力の先取りという彼の示す傾向においては完全には一貫していない。彼の研究の数多くの点で、政治的な大変動や危機の時期に言及するとき、ブルデューは、そうした時期にはハビトゥスに取って代わると彼が論じる異なった代替的な行為能力の形態があると指摘する。ブルデューの議論は、次のようなハイデガーの有名な議論、すなわち馴染んでいるはず道具の扱いがうまくできないといった予想もしない出来事によって、現存在の世界へのかかわり方が、入手可能（to-hand）な準備の様態から手許の利用可能（at-hand）な様態へと推移する仕方についてのハイデガーの議論に非常によく似ている（Heidegger 1962）。社会的危機の時には、ハビトゥスの構成要素となる期待や想定が、行為者がそのなかに自らがいることを認識し、その結果自らの世界への対処の仕方や自らの世界内での存在の仕方が変化するという結果を伴うような状況とは一致しなくなる、とブルデューは論じる。行為者はハビトゥス的な存在の仕方からより反省的な仕方に移行し、行為能力は歴史的な過程にとって一段と中心的なものとなる。たとえばフランスの失業に関する最近の動き、つまりそれは世界規模にまで拡がる反企業運動に繋がっていく運動であるが、そうした運動を論じるときにブルデューは次のように論じる。

> ハビトゥスは、社会において行為することを通して人びとが獲得するひとまとまりの性向、反応、行動の形式である。それは、たとえば人びとが中産階級の環境のなかで育ったのか、あるいは郊外の労働者階級のなかで育ったのかといった、人びとが社会のなかで占める異なった位置を反映している。
> それは、社会が自らを再生産する仕方の一部である。しかし、そこには変化もまた存在する。対立が社会のなかの一部となる。人びとは、自分たちの期待や生活様式が、自分が置かれている新たな社会的位置と突然に調和しなくなっていると認識することがある。これが今日、フランスで起こっていることである。そこで、社会的な行為能力や政治的な調停の問題が非常に重要なこととなる。（Bourdieu 2000a : 18–20、強調は引用者による）

また、初期のインタビューのなかで、危機に言及しながらも行為能力に関して一層明確に強調しつつ、ブルデューは次のように論じる。

……ハビトゥスは、何よりも実践の産出原理である。そしてそれは、疑いもなく他のどんなものよりもより頻繁に作動する――ライプニッツは、「我々の行為の四分の三は経験的なものである」と言っている――が、一定の環境状態のなかでは――たしかにハビトゥスの即座の適応を場に合わせて調整するような危機状況においては――合理的計算や意識的計算といった他の諸原理に取って代わられる場合があることも無視できない。（Bourdieu 1990 : 108）

こうした主張には多くの問題がある。そのいくつかについては、筆者は他のところで論じたことがある（Crossley 2001a, 2001b）。また、いくつかの論点については後に立ち戻るであろう。当面はだが、以下の三つの点が手短に説明される必要がある。第一に、ここには一貫性の欠如という基本的な問題がある。先に記したように、ブルデューはハビトゥスの概念でもって行為能力の概念を先取りし、このハビトゥスの概念を十分かつ完全な行為能力の理論として提示する。さらに彼はサルトルやトゥレーヌの理論のような諸理論を攻撃し、それらの理論が、行為能力の説明においてハビトゥスの概念が示すものよりもずっと主意主義的ないしは「主体行為的（agentic）」であると批判する。しかしながら、右でみてきたような場合、ブルデューは自分の説明を変え、例外的な状況とはいえ、彼が批判している説明の流れに従ってはるかにずっと主意主義的な行為能力の理論を提唱しているように思われる。危機時に、行為者は自分たちのハビトゥスから解放され、自分たちの状況を自由に整序できるようにみえる。この一貫性の欠如は、実践の理論にとって大いに問題である。第二に、ブルデューは適切には答えていないが、彼の言及するこの行為能力がどこに存在し、それが他の場合には彼がもっぱら焦点化している「より通常の」ハビトゥス的な行為能力状態とどのように関係しているのか、という重要な問いを提起している。危機の時に生じるものは正確には何なのか、それはどこから生じるのか。ブルデューはこの問いに本気で取り掛からず、彼の行為能力の理論においても、また我々が彼の説明において期待をもって垣間みることができる政治的危機や社会運動の理論に関する断片においても、大きな欠陥を残している。最後に、ブルデューは、行為者がその慣習によって「規定」されるのか、あるいは行為者がそうした慣習から魔術的に自由になった説明不可能な何らかの仕方で「規定」されるのかという点で、彼自身の理論内部で問題のある二元論の定式化に近づいている。ライプニッツへの言及、つまり人間の「行為の四分の三は経験的なものである」という考え方は、一見してわかるように、行為者は自分の行為の残り四分の一は何らかの非経験的（超越論的？）な存在の仕方を享受しているだろうという含意をもつときには、とくにやっかいなものである。この二元論はそれ自体でも問題あるものだが、ブルデューが自分のハビトゥス理論を二元論に対する代替案として提示するゆえに、つまり自分のハビトゥス理論を、彼が適切に指摘しているような人間の行為能力や世界内存在に関する学問的理解に取り憑いて悩ませている多くの二元論の間でとるべき中間の道として提示するゆえに、それだけ一層問題が多くなっている。ここでもまた我々は、これが他の事柄と同様にまさに一貫性の欠如の問題であると論じることができるであろう。

これらの問題点を回避する方法は、ハビトゥス理論を身体的な社会的行為能力という、より広範な説明のなかに位置づけることである。これが本章の主たる狙いである。だが、このことを行う前に筆者はまず次のことを示したい。すなわち行為能力とハビトゥスとを同等視する傾向、それはブルデューの仕事の大部分において支配的な傾向であるが、これもまた問題があること、そしてこの傾向は上述と同じ重要な改訂が求められること、以上である。行為能力をハビトゥスに一元論的に還元することが満足いかないのは、行為能力とハビトゥスとの間の二元論的区別が満足いかないのと同じである。そして、この両者の場合に求められているのは、我々がハビトゥスをより広範な行為能力の理論のなかに位置づけることである。

ハビトゥスを問う

最初の段階として筆者は、ハビトゥスという概念は自己充足的な考え方ではないということを立証したい。このことで筆者は三つのことを言うつもりである。第一に、ハビトゥスという概念はそれ以外の何かに生じる変化や変動を、つまり人間有機体あるいはそうした有機体の個体群（ないしは下位個体群）に生じる変化や変動を指示するということ。ハビトゥスは「第二の自然として内面化され、したがって歴史としては忘れられた身体的な歴史」（Bourdieu 1992 : 56）であるとブルデューは書いている。このことが意味しているのは、何らかの仕方で変化させられる第一の自然が先在していること、もっと正確にいえば、それが第一の自然と第二の自然という二つであるような身体的存在が先在していることである。ハビトゥスは物的存在ではなくて、むしろ物的存在――つまり身体的な社会的行為者――が示す性向と図式の構造なのである。これはかなり明白な論点であるが、重要なものである。というのは、この論点によって我々は、ハビトゥスに先行して存在し、その内部にハビトゥスが現れて形を成す物的存在について問うことができるようになるからである。とりわけ我々は、ハビトゥスが獲得される仕方とその過程で前提とされていることに関する問題を問うことができる。この点が我々を第二の論点に導く。社会化の過程と子供の発達の過程への経験的かつ理論的な考察によって、ハビトゥスの形成が行為能力を前提とし、それゆえハビトゥスが行為能力を先取りすることはありえないというように、こうした過程での子供の能動的役割を認めるよう我々は余儀なくされるのである。この点はさらに、その中身が明らかにされる必要があろう。

(a) ハビトゥスの獲得

ブルデューによれば、ハビトゥスは諸々の社会構造の内自化(incorporation)を通して形成される。このことは、これらの社会構造に結びついている何ものか、すなわち誰かの身体(some-body)を前提とする。だが、ここで問題とする身体は、正確には何でもよい身体(any-body)ではない。それは、当該の諸社会構造と結びつくことが可能な身体である。無生物の物質界はいうまでもなく、動物界をざっと見渡してもわかるように、ほとんどの身体はこうした結びつきをもつことができない。人間の(社会的)世界を構成する諸社会構造の内自化が、能力や知力、一定の可塑性や知性の形式を要求するが、このことは間違いなく人間の諸身体に見いだされる場合に限ってのことだけ、つまりこうした身体がメルロ゠ポンティ(3)が認定した意味での主観性(身体―主観)に具現化される場合に限ってのことである。当面の目的のためには、人間の身体―主観の諸能力のうち、諸社会構造の内自化にとって不可欠な、したがってハビトゥスの形成にとって不可欠な、以下のような三点の概要を述べることで十分であろう。

第一に、ハビトゥスという概念は、知覚的、言語的、認知的、筋運動的、その他の行動との関係で安定した性向を形成することが可能な身体を前提とする。メルロ゠ポンティの見解をみてみよう。

> 我々の身体は、他の動物がそうであるような、明確に規定された本能を我々に課すことはないが、少なくとも我々の生に一般性の形式を与え、我々の個々の行為を安定した性向をもつ傾向へと発達させる。この意味で、我々の自然性は長い間をかけて形成された慣習ではない。というのは、慣習は自然性に由来する受容性の形式を前提とするからである。(Merleau-Ponty 1962 : 146)

あるいは、G・H・ミードは次のように述べる。

我々の過去は、我々の経験から帰結し、何らかの意味でそこに登記されている諸変化によって我々のもとに留まっている。人間的形式がもつ特定の知性は、過去を通して獲得されるこの精巧な制御のうちに存在する。人間という動物の過去は、人間がそれでもって行為する能力のうちに絶えず現前しているのである。

(Mead 1967 : 116)

論点は、我々が他の動物にみるような、同一の固定した生物学的本能を人間は示さないというだけでなく、同時に我々は、学ぶ能力を示し、我々自身の文化的な「本能」を形成する能力を示すということである。行為をしたり知覚したりするような特定の仕方は、相対的な持続可能性を獲得する。他の動物たちは、自分たちの基本的な行為パターンを安定した性向の形態で保持するというこの能力ないし傾向を欠いているように思われる。他の動物たちはハビトゥスを形成することが不可能であり、この点における不可能性との対比によって、人間の場合にみられるハビトゥスの役割や重要性が一層際立ってくる。かくしてハビトゥスによって、文化は人間にとっての「第二の自然」となりうるのであるが、このことが可能なのは、我々の第一の自然が我々にまず習慣を形成する性向をもたせるという理由のみに由来するのである。

第二に、諸々の社会構造を内自化する可能性は、模倣の力ないしは能力を前提とする。このことは奇妙な言葉遣いのように聞こえるかもしれない。模倣は、学問的な文化の内部では必ずしも一般的にはひとつの技能や能力とみなされていない。我々はしばしば「単なる模倣」という。しかしながら、模倣はかなり主体行為的(agentic)な活動を必要とする。たとえば、非常に基本的なレベルにおいても、模倣はかなりの程度の自己感覚的な自己制御を必要とするし、一定程度、他者との間主観的な関係性、あるいはもっと適切にいえば他者との間身体的な関係性を必要とする。もっとも単純な形態の模倣でさえ、目と手との一定程度の共同作用を必要とする。

身体である行為者は、他者が行っていることを自分が知覚するだけで、同じ行為を自分自身の身体で行うことができねばならない。つまり、身体である行為者は、自分が見るものを行為の形に翻案することができねばならない（もちろん、模倣が満足のいく形でなされる以前に、また行為の特定の様相が「獲得された」と思うことができる以前に、行為の繰り返しが必要とされる場合がある）。このこともまた、行為者が、自分自身の生きられる身体と他者の知覚される身体との間の等価性を「経験」するはずだという点で、間身体性の始原的な段階を伴っている。たとえば他者が手を挙げているのを模倣するためには、主体は、自分が見る挙げられている手と、上の方に手を伸ばす自分自身の筋肉運動とが等価であることを経験しなければならない。しかしながら、この様子は以下の理由によってもっとずっと複雑である。第一に、行為者は、自分自身では見ることができない自分の身体の一部を使ってしばしば模倣するからである（たとえばウインクという行為をまねするとき）。第二に、模倣のいくつかの主要形態は、行為者が自己においても他者においても見ることができない身体の一部を使っている行為の最終目標の状態をまねることを要求する。たとえば、幼児が話すことを学ぶときには、自分が聞いた他者の話している内容をまねする。しかしながら、幼児はこうした他者がその言葉を身体において形成する仕方を見ることはできない。というのは、言葉のこの形成過程の多くは、のどの内部という「視界の外」で生じているからである。そして、幼児は自分自身の口も、自分自身の喉頭も見ることができない。繰り返せば、幼児は自分が見たものの最終的な帰結をまねするのである。この点や他のこういった諸例を考察して、メルロ＝ポンティは、幼児は行為というよりも目的をまねるのであり、その生活の非常に早い年齢から自分と他者との間主観的／間身体的な関係に関わるのであると論じている（本書第三章参照）。どう少なく見積もっても、言語的ハビトゥスを獲得するのは能動的な行為者であり、したがってハビトゥスは言語的ハビトゥスに先行する行為能力の相を前提とするということ、このことを我々は否定することはできないのである。

第三に、ハビトゥスという概念が、機械的反射や固定的規則への厳格な固着を要請する行為（action）の概念から離れて、有能で即興的な行為能力（agency）という考え方へと我々を導こうとしているかぎり——この方向がブルデューの仕事のなかにあることはきわめて明確なことである——、このハビトゥスという概念は身体的理解という形式を前提とするし、ひるがえってその身体的理解はこのような理解に到達できる存在としての身体という考え方を前提にしている。ハビトゥスという特定構造を獲得するということは、刷り込まれる機械的な活動形式の問題というよりも、新たな形態の実践的理解を達成ないしは獲得する身体的行為者の問題である。我々が個々の言葉の意味を、それを使用することによっていかに学ぶのかという点に関するメルロ＝ポンティの説明をみてみよう。

語は、検討され、分析され、認識され、そして構成されるのでは決してなく、発話の力によって把捉されて取り上げられ、結局のところ、私が自分の身体とその知覚的で実践的な場に関してもつ最初の経験に沿う形で、筋運動的な力によって私に与えられるのである。語の意味に関して、私は、道具の使用を学ぶのと同様に、一定の状況という文脈内で語が使用されるのをみることによって語の使用を学ぶのである。

(Merleau-Ponty 1962 : 403)

この一節には、数多くの主張が存在する。一方で、メルロ＝ポンティは、幼児が知的な操作によって言語を獲得する、つまり幼児が反省的に言葉やその意味を検討すると論じる人たちに反対している。ヴィトゲンシュタインと同様に（Wittgenstein 1953）、メルロ＝ポンティは、そうしたいかなる説明もすでに言語を行為者にとっての前提としており、それゆえに自己矛盾的であると確信している。だが他方で、言語の獲得を機械的な条件づけの過程であると理解する行動主義者の説明にも反対して、メルロ＝ポンティは次のように主張する。すなわち、言語使用が意味をもつということ、言語の学習とはそうした意味を把握することだということ、したがって前言語的な段階の幼児はすでに意味に同調しており、幼児の属する社会の特定のシンボル的な意味システムに関わって、それを把握することができるということ、こうした点を主張している。子供は「オウムのような仕方」で言葉を繰り返して学習するのではない。子供は言葉の理解を獲得するのである。子供は特定の「言語ゲーム」において適切な形で言葉を用いることを学ぶのであり、子供による言葉の「理解」は、まさにこの獲得された実践的な技能のなかに存在するのである。だが、メルロ゠ポンティが認識しているように、このことはすでに幼児が、行動主義者がそう見なしているような単なる機械であるというよりも、むしろ身体的な行為者（オウムよりも一層洗練された行為者）であるということを前提にしているのである。幼児は理解しようと努力しているに違いないと同時に、そうすることができるに違いない。言語の獲得を説明しようと努めるさいに、言語能力を言語獲得以前の幼児に帰属させたり、あるいは言葉の獲得によって生じる行為者のかなりの変容を無視することはおそらく間違っているであろうが、同様に、言語獲得が幼児のための一定の「前言語的」な主体行為的能力を前提とすること、そして実際、世界の前言語的な意味把握を前提にすること、こうしたことを否定することもまた間違っているであろう。

本節で筆者は、言語に関する事例を論じてきた。しかし、我々が（心理学的）行動主義の問題を避けたいと願い、しかもブルデューが行ったように社会的実践は有意味だと主張したいと願うならば、同様な議論があらゆる社会構造の内自化にも適用される。社会構造ないしは実践を具体化することは特定の実践的理解の達成であり、ブルデューがそう呼ぶように「ゲームの感覚」の達成なのである。そしてこのことは、行為者がそうした理解に努め、かつそれを達成できる存在であることを前提としている。この議論の証拠となるのは、人間以外の多くの動物は人間の言語ないしは社会的世界を構成するさまざまな「ゲーム」には「熱中」できず、また依然としてそのなかでプレーヤーとなるべくゲームとは何なのかを「分かる」ことが決してできないという点にある。諸社会構造の内自化とは、それらの構造の帰結より以上のものである。それは、行為能力の達成なのである。

以上のように筆者の基本的な議論は、ハビトゥスという構造の獲得は、先の三つの例がそれぞれに示唆している通り、すでに幼児のために行為能力の基本的要素を前提にしており、それゆえハビトゥスは行為能力の先取りとして論じることはできないという点にある。行為能力はハビトゥスに先行し、かつハビトゥスの前提となっている。このことを述べてきたので、我々はピアジェに従って（Piaget 1962）、後のハビトゥスの獲得は初期のハビトゥスの獲得のうえでなされるということも論じることができるであろう。たとえば、言語の獲得において前提にされている性向や図式は、それ自身獲得することができる。もちろん、この先行的図式の獲得はすでに一定程度の行為能力を前提としているだろうし、したがって我々は、その図式の獲得のためにはハビトゥスという構造がつねにすでに能動的な行為能力を前提にしているという基本的論点を避けることができないのである。再度ピアジェに依拠すれば、たしかに我々は、自分の環境への精通と理解とを達成しようと努めている独立の行為者つまり幼児によってハビトゥスが獲得され形成されるということを認めなければならない。ハビトゥスという性向および図式は、そうした努力の残余物あるいは沈澱物である。ピアジェの場合も、メルロ＝ポンティの場合と同様に、身体―主観はハビトゥスに先在し、そしてそのハビトゥスは、自らの世界の把握を達成しようと身体―主観が前反省的に試みたことの所産なのである。ピアジェとのこうしたつながりは、さらに説明が必要であろう。だがその説明の前に我々は、ハビトゥスという概念が自己充足的ではないと述べることができる第三の点を考察しなければならない。

（b）形成と変動

ブルデューによって概念化されているように、ハビトゥスは社会的再生産の過程のきわめて重要な要素であり、行為と構造との間の要諦である。一方で、ハビトゥスは「構造化された構造」であり、行為者にとって外在する社会構造の所産であり、あるいはむしろ社会構造の（「論理的」で「原理的」な）内自化の所産である。この観点からみれば、行為は構造の帰結である。だが他方で、ハビトゥスはまた「構造化する構造」として「行為への前もっての性向」でもある。つまりその行為は、社会構造の内自化によって形成されてきたゆえに、こうした構造を存続させ再生産する方向での行為への性向をもつ。実際ブルデューは、構造をデュルケム的な意味で個人に「外在する」「社会的事実」であると見なしているが、構造は、それを具現化する行為者の有能な革新的／即興的な実践的行為においてのみ、かつそれを通してのみ存在するとブルデューは主張する。ハビトゥスは、構造化されかつ構造化するという両面性をもった存在である。

［ハビトゥスは］存続可能で、移調可能な性向であり、構造化する構造として機能するような前もっての性向をもった構造化された構造［である］。すなわちそれは、目的を意識的にめざすことを前提とすることなく、あるいは目的を達成するために必要な操作を確実に習得することなく、その結果に向けて客観的に用いられる実践や表象を産み出し組織化する原理として機能するような前もっての性向をもった構造化された構造である。ハビトゥスは、いかなる点でも規則に従うことの所産であることなしに客観的に「規制され」、客観的に「規則的」であるので、それは指揮者の組織化行為の所産を伴わずに、集合的にオーケストラのように組織化されうるのである。(Bourdieu 1992 : 53)

この点に関して、ブルデューの仕事において探究されてきた比較的単純な一例は、芸術の世界に関するものである (Bourdieu, Darbel, and Scnapper 1991)。あちこちの美術館に連れていってもらった子供たちは、そうしてもらわなかった子供たちよりも「芸術への愛好心」を発達させる傾向がある。つまり、連れていってもらった子供たちは、芸術作品を消費する「文化的欲求」や適切な鑑賞に必要な技量やそれに関わる背景的知識を発展させる傾向がある。そうした子供は、芸術界が基づく原理、つまりその「構造」を内自化する。だが今度は、この獲得された「芸術への愛好心」が芸術の世界を構成し再生産するために機能する。というのは、それが芸術ゲームへ参加するプレイヤーの供給、つまり文字通りに自分の行為と趣味とによって芸術界を具現化するプレイヤーの供給を保証するからである。この例の場合、我々はまた、社会構成の階層秩序的な分化がハビトゥスによって存続する基本的メカニズムをみることができる。こうしたメカニズムが希少価値をもち尊重されるならば、芸術への愛好心を構成する審美的な性向は、文化資本の一形態として機能する。そうした性向は、社会的位置の確保と維持に寄与する。だがこの文化資本は、社会構成をなすさまざまな集団の間に平等には配分されていない。それは主として学歴の高い中産階級に、その階級に特有なハビトゥスの一要素として集中している (ibid.)。かくして芸術の世界が再生産される過程は、同時にその芸術の世界に依拠する特権の一形態が再生産される過程でもある。中産階級の親たちが自分たちの子供をあちこちの美術館に連れていくとき、親たちはおそらく意図的ではないが、効果的に自分たちの文化資本をその子供たちに伝えているのである。それは、資産を直接に譲渡することによって自分たちの経済資本を伝えるのと同様に、確実になされる。さらに、ハビトゥスの構造は前意識的なレベルで機能するので、文化的、階級的な再生産のこの過程は、その過程のなかに含まれているすべての事柄によって誤った認識に向かいやすい。「芸術への愛好心」は自然の才能ないしは傾向だと (誤って) 了解され、それゆえこのことを根拠にした社会的な差異や不平等は、自然な差異や不平等として了解される。個人のうちにはよい芸術を鑑賞するまさしく自然な傾向をもつ人がいると思われている。そうした人びとは、生まれながら上質の趣味や感受性をもっているのだと (ibid.)。

ここで立ち現れる像は、社会とハビトゥスとの間のひとつの循環的な関係である。すなわち、社会ないしは社会の特定の構造がハビトゥスを産出し、そして今度はハビトゥスがそうした構造や社会を (再) 産出する。これには大いなる即興も含まれているであろう。ブルデューの見解によれば、行為者は機械的に構造を再生産するのではない。そうした行為者は「ゲームの感覚」によって動かされ、しかも同時にそのゲーム内で自発的に戦略的

図1　ブルデューの「社会的循環」

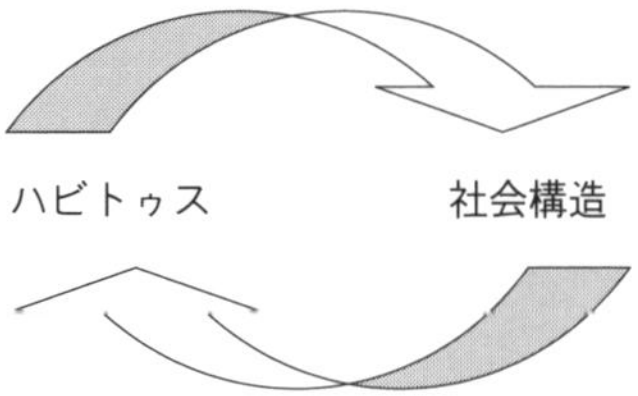

で革新的な手を打つ「勘」によって活動するゲームのプレイヤーのようなものである。にもかかわらず、それは循環であることは間違いない（**図1**を参照）。ゲームのなかで即興で戦略的に打たれる手は、ゲームとその形式の再生産に確実に寄与する。それは、どんな（仮想上の）機械的行為でも確実にそうであるのと同様である。この見解はデュルケムが『宗教生活の原初形態』において表明した見解と非常によく似ている。アボリジニの祭儀において一般的である循環的な時間観は、個人と社会の間の循環的関係によって形づくられているとデュルケムは論じる。

> 個人は、社会から自分自身の最良の部分を受け取る。社会のすべてが個人に、他の存在と区別される明確な性格や他の存在のなかでの特定の場所、そして個人の知性や道徳的教養を与える。［……］人間性の特色ある属性は社会から生じる。しかし他方、社会は個人を通してのみ存在し存続する。もし社会の観念が個人の心のなかで消滅してしまったら、そして集団の信念や伝統や熱望がもはや個人に感じられず共有もされなくなれば、社会は死滅してしまうだろう。（Durkheim 1915 : 389）

基本的なレベルで筆者は、ハビトゥスと社会構造の関係についての以上のような循環的な見方に関して、ブルデューやデュルケムと見解が一致している。行為者が社会構造を内自化し、今度はその社会構造を行為者がその行為によって維持するということは真である。芸術に関するブルデューの仕事に加えて、言語もこの点に関する非常によい例である。筆者が英国の言語を話すということは、筆者が英国の特定の社会構造を内自化し、そしてその社会構造が筆者自身の行為能力の基本的構成要素となっているという事実に関する非常に明確な例である。そしてさらに同様に、この特定の社会構造、ここでは英国の言語は、言語行為という発話行為においてのみ、しかもそれを通してのみ存在し、またその行為者が当該の言語を話し続け、同時にその子孫にそれを伝え続ける場合にのみ存続するということも明白である。しかしながら、ハビトゥスと構造とのこの循環的な概念化に関しては、問題がひとつある。この考え方はあまりにも循環的であり、したがって、なぜ、あるいはいかにしてハビトゥスとそれが再生産する社会構造が変動するのかに関して、適切な解答の糸口を提供してくれないのである。「ゲームの感覚」は、ゲームのなかでの即興的で戦略的な手、つまり固定点の周囲にある即興性を認めるが、ゲームそれ自身の変動はどのように生じるのだろうか。固定点からその固定性を失わせ、変移させるものは何なのか。ブルデューにとって明らかなのは、ハビトゥスが変化をもたらすということである。たとえば、彼の経験的な研究の全体は歴史に敏感であり、より最近の彼の仕事においてもはっきりと次のように主張している。すなわち、

> ハビトゥスは、新たな経験に反応するときに絶えず変動する。性向は一種の永続的な改訂に従う。しかし、それは決して根源的な改訂ではない。というのは、その改訂は、それ以前の状態のなかでうち立てられた前提に基づいてなされるからである。(Bourdieu 2000b : 161)

しかしながら、変動とは、先に述べた循環の断絶を意味するように思われる。そして、ハビトゥスと構造とが相互に構成的であるならば、この断絶はどこから生じるのかということが不明瞭である。もし構造がそれ自身の具現としてハビトゥスを創造し、ハビトゥスがそれ自身の具現として構造を創造するのならば、なぜ、そしていかにして事が絶えず変動するのであろうか。

この難問への答えは、ブルデューの界の概念[4]のなかにあると論じることができるかもしれない。界の概念は、我々を社会生活の動的性格へと注目するようにさせ、そうして我々に、変動への要求がいかにして出現するのかという点に関する観念を与える。ハビトゥスは、ある界のなかでのプレイの状態が要求するがままに変動する。

あるいはおそらくハビトゥスは、ゲームが芸術的ゲームと同様に恒常的な革新と変動を伴うとすれば、そうしたゲームの論理に対応して変動する。我々はこのように論じることができよう。しかしながら界の概念それ自身は、なぜ界がもつものが変動への圧力や要求であるのかということを、その概念だけで説明するには荷が重すぎる。それは、いかにしてそうした変動が起こりうるのか、つまりいかにして変動への要求が満たされるのかについては説明しない。我々が、界の概念のなかに革新ないしは発生（generation）のメカニズムに関する説明を求めても、ブルデューは、ハビトゥスの概念においても、あるいは界の概念においても、その説明を与えてはくれない。ハビトゥスは変動のメカニズムではない。それは、変動を認めるものではあっても、保持のメカニズム、あるいはむしろ保持の産出のメカニズムである。

加えて、循環的な説明はハビトゥスがまず最初に形成される仕方の問題に関して不明確であり、そしてハビトゥスがいかにして特定の社会的位置を「反映」するようになるのかという問題に対しても不明確である。たとえば、労働者階級のハビトゥスがある仕方で形づくられ、中産階級のハビトゥスが別の仕方で形づくられるのはなぜなのか。その違いはなぜ生じるのか。ブルデューが少なくとも『ディスタンクシオン』や『再生産』（Bourdieu 1984, Bourdieu and Passerron 1996）、およびそれらが書かれた時期の他の作品において我々に提供する説明は、諸々の階級がそこに存在している物質的条件に、とりわけ「物質的必要性」という条件からの諸階級それぞれの距離に焦点をあてている。労働者階級のハビトゥスが中産階級のハビトゥスと異なるのは、労働者階級のハビトゥスが物質的な困苦や必要性に最も近い地点で生活しているからである。労働者階級は、中産階級が享受しているような贅沢品を享受しない。この論理は明白である。物理的、社会的な諸条件が可能なものを限定する。しかしながら、こうした条件はせいぜいのところ、可能にするか、拘束するか、おそらくは余儀なくさせるだけである。それらは、ハビトゥスが形成されうる（たぶん形成されるであろう）仕方に限界を設定するが、しかしハビトゥスを生起させる能動的で発生的な閃光を含んではいない。それらは、ハビトゥスが自らの生起の物質的諸条件と結びつけられるメカニズムを、あるいはそうした諸条件によって形づくられるメカニズムを説明しない。筆者はここで、ブルデューの仕事がハビトゥスと階級との間の結びつきを立証したことを否定するつもりはない。むしろ筆者の議論は、ブルデューの説明がこの二つの間の統計的なつながりを立証してはいるが、まだそうした結びつきを説明するメカニズムは説明していないという点にある。ハビトゥスを「条件」づける「物質的諸条件」への彼の言及は、せいぜいのところこの方向に向けたヒントであって、十分な説明にはなっていない。というのも、彼の言及においては、いかにしてそのような諸条件が行動や習慣の構造に影響を与えることができるのかが明確ではないからである。

ハビトゥスと社会的位置とのつながりというこの論点と、先に述べた「社会的循環」の問題点との両者の基底にあるより大きな問題は、歴史の問題である。適切に解釈されれば、ブルデューの研究は非常に深く歴史的である。このことは彼がハビトゥスを概念化するさいにも反映されている。たとえば彼の「循環」論の代替案的な定式化において、彼は次のように主張する。すなわち、

……ハビトゥスが、つまり歴史の所産が、個人や集合的な実践を産み出し、それゆえ、歴史によって産み出された図式に従って歴史を産み出す。(Bourdieu 1977 : 82)

問題は、ハビトゥスという概念が現在の内部で過去の持続的な現存を説明しているだけで、ハビトゥスが現在から未来へと移動するときに行為において周期的に生じる変動や革新を説明していない、ということである。またその概念は、過去と現在との類似性は説明するが、その差異については説明していない。さらに適切にいえば、その概念は、ハビトゥスとして沈澱ないしは持続する形態を達成した行為の歴史を前提としている。「歴史の所産」としてハビトゥスは作られる。そして、我々はハビトゥスが作られる理由を知る必要がある。歴史自身がハ

ビトゥスによって作られるとき、ハビトゥスが「歴史」によって作られると述べるだけでは、説明としては十分ではない。それは歴史を循環させるだけではない。それは循環論的な議論なのである。

ここで我々が必要としていることは、諸々の慣習を生起させ変容させる発生的なメカニズムの説明でもって、したがって発生と保持、持続と変動の諸要素を単一の説明のなかでともに捉えることができる発生的なメカニズムの説明でもって、ブルデューの慣習への強調を補完するような説明である。すなわち我々は、ハビトゥス理論をより広範な人間の行為能力の理論の内部に位置づける必要がある。我々は、通常は変動の諸過程がすでに存在している慣習に依拠しているということは認めることができる。先に引用したブルデューの文を繰り返しておこう。

> ハビトゥスは、新たな経験に反応するときに絶えず変動する。性向は一種の永続的な改訂に従う。しかし、それは決して根源的な改訂ではない。というのは、その改訂は、それ以前の状態のなかでうち立てられた前提に基づいてなされるからである。(Bourdieu 2000b : 161)

しかしながら我々は、ここでブルデューが行っているような仕方で行為能力を消去することはとてもできない。ハビトゥスは、それ自体で単独に変動することは決してない。ハビトゥスが変動するのは、知性と身体をもった行為者が、予測不可能な変化する環境に対してさまざまに調整や適応を試みて、それと格闘するからである。この点でハビトゥスは、行為能力の事前の条件付けと同様に、大いに行為能力の所産でもあり、ハビトゥスという概念が示唆する以上に行為能力に多くを負っている。構造がハビトゥスを産み出し、ハビトゥスが構造を産み出すというブルデューの主張に加えて、我々は(たとえ原初的な形態ではあれ)行為者がハビトゥスを産み出し、ハビトゥスが行為者を産み出す、ということを付け加えなければならない。あるいはむしろ我々は、構造化された社会的世界に能動的、知性的、革新的な行為者が関わるさいの副産物として、ハビトゥスをみるようにしなければならない。

ここで次のことをつけ加えることは重要である。すなわち、「習慣」「図式」「性向」の創造は、少なくとも第一に社会的行為者のために熟慮された行為ではないし、社会的行為者が必ず意識している行為でもないということである（以下を参照）。フッサールが記しているように、行為者は習慣形成の過程を意識的に利用したり干渉したりすることはできるけれども、この過程は半ば自然的であって、意志や意図や意識からは独立して生起するのである。

> 原的な直観的把握の結果を習慣的《ハビトゥス》なものに変形するということが、意識生の一般的法則に応じて、いわば我々の関与なしに生じる。（中略）しかしそれはまた、人がこの習慣的《ハビトゥス》なものを自発的にうち立てようと努力することでもある。（中略）こうした関心は、解明的な総合を繰り返し検討する機会を与えるであろう。
> （Husserl 1972 : 123）

ハビトゥスの形態での「第二の自然」の形成は、我々の第一の自然のひとつの関数である。それは前反省的で前意志作用的なレベルで生じる。意識的で（潜在的には）合理的な存在として、我々が自分の習慣をおそらくは適切な理由で変えることを選択する場合もあるが、そうするためには我々が、習慣が形を成す半ば自然的な過程と格闘することを必要とする。もっと適切にいえば、我々の習慣の大部分は、変動の意識的試みの所産ではない。それは、行為の意図せざる結果、および行為の気づかざる結果として「自動的」に現出する。この点に関しては後に立ち戻ろう。

ここで必要とされる血肉を備えた行為者の活動の説明は、身体化された主観性、つまり身体―主観に関するメルロ゠ポンティの説明(Merleau-Ponty 1962)のなかで最もよく与えられる。これが筆者の主張である。そしてこの説明は、いくつかの重要な洞察をピアジェの研究から選択して充当することによって、さらに展開することができるという点も筆者の主張である。まず、メルロ゠ポンティの貢献に関して手短に概述することから始めて、筆者の主張を展開したい。

メルロ゠ポンティが身体―主観について書いていることの多くは、明示的にせよ暗示的にせよ「習慣」に焦点化しており、この点でブルデューのハビトゥスの説明と重なる。(5) メルロ゠ポンティは、たとえば知覚的習慣や筋肉運動的習慣について言及し、同時に習慣を実践的理解や実際的知識の観点から再定義している。我々の習慣は、世界に関する我々の第一次的で原初的な理解を我々に与え、そうした世界を我々にとって意味あるものとして、またその世界のなかに我々を位置づけるものとして構成していると彼は論じる。さらに、ブルデューの客観主義と主観主義という対をなす問題を避ける関心に先行し、メルロ゠ポンティは、「主観」と「客観」との間の第三の道として、より広い意味では「主知主義者」と「経験論者」のそれぞれによって措定された人間的生の概念化の間の第三の道として、彼がいうところの「身体―主観」を措定する。身体―主観は、行動主義者や経験論者が「身体」がそうであると信じている単なる物質的客体「より以上」であるとメルロ゠ポンティは論じる。言い換えれば、身体―主観は、固定的な物理刺激に対して、確定された反射弓によって固定された仕方で「反応」が引き起こされるというよりも、むしろ自らにとってもつ意味に対して目的的に反応する。さらに、身体を空間における単なる延長や知覚の対象とみるデカルトの概念化とは反対に、身体―主観は自らの世界を知覚する感覚構造である。しかしながら他方で、身体—主観は、古典的な主知主義的哲学の伝統によって想定された主体ないしは自我では「十全な形では、まだない」。言語および他者との相互行為を通して、身体—主観は自己反省性や再帰性の（習慣的）能力を獲得できるが、それは哲学的な神話である十全な自己透明的主体では決してなく、まず第一には前反省的、前再帰的な存在である。身体—主観は、それにとって状況がもつ意味に対して、目的的、知性的に、しかも革新的でさえある仕方で反応するが、しかしそうした意味や目的や革新に主題的にあるいは主題的ではないにしても意識的に気づいていること、あるいはさらに自らを自我ないしは行為者として気づいているということ、こうしたことはないのである。加えて、先に示したように、この「主観」が自らの世界に対してもつ理解は多分に習慣的なものであり、また習慣が文化や慣習の集合的形態を取るかぎり、この理解は社会的なものでもある。社会的世界は、身体—主観にとって、他の人びとからなる単なる外部的環境ではない。この外部性は「状況性」の一次元であるにすぎない。身体—主観は、それが知覚、思考、行為などの習慣の形で社会的世界の諸構造を内面化するという点において、自らの社会的世界（自らの歴史的、階級的、文化的な状況）を身体化するのである。この点において、メルロ＝ポンティは、現象学的哲学で通常言及される「構成的主観」という概念を、「制度化する主観」（instituting subject）という考え方に、つまり世界から獲得してきた（社会）構造によってその世界に意味を与える主観という考え方に、置き換えることを論じている。[6] その主観は制度の「なかに」存在するが、その制度も同様に主観の「なかに」存在する（そして主観の構成要素をなす）。より適切にいえば、制度は、そうした身体—主観の身体的活動によって存立もすれば存続もするということである。身体—主観は、その行為や知覚などによって制度を再生産する。この点で、メルロ＝ポンティは、ブルデューとデュルケムの両者によって提唱された行為と構造の循環的見解に接近する。我々は社会構造とともに「一種の循環」のなかにいる、とメルロ＝ポンティは論じる。

とりわけ構造は、人間が自分自身にとって異他的なものであるということ、そして社会的なものはその中心を人間のなかにのみ見いだすということ、こうしたことを我々に示すことによって、我々が社会歴史的な世界とともに一種の循環になかにいるあり方について我々が理解できるようにするのである。(Merleau-Ponty 1964b : 123)

しかしながらメルロ゠ポンティは、我々がブルデューのなかに見いだすものよりも、より広範でより動的なパースペクティヴをもっている。メルロ゠ポンティの焦点は、単に習慣の集積ないしは構造に置かれるよりも、むしろ行為者ないしは身体—主観に置かれているので、身体—主観とその世界との間での相互作用において、習慣が獲得され、形成され、変容される仕方をメルロ゠ポンティは考察することができる。身体—主観は、習慣や構造を形成したり変形したりする能動的、知性的、発生的な行為者である——そうした行為者でないとすれば、習慣や構造が社会歴史的な環境の圧力に応じて身体—主観の生に形を与えてしまうだろう。習慣は、身体—主観の能動性を決定もしなければ形成することさえしない。むしろ習慣は、身体—主観が一定の行為を安定した存続可能な構造として構成するためにもつ力を(およびおそらくまた身体—主観がそうする必要性をも)反映している。もっと適切にいえば、こうした習慣は、その程度はさまざまであれ身体—主観の発生的な実践によって歴史を通して急激に変化する。たとえば、メルロ゠ポンティは言語の歴史と芸術の歴史の両者を考察するなかで、周期的な「首尾一貫した変形」について言及している。話し手や画家が自分たちが状況づけられている意味の制度を——制度化によって、また制度化を通して——変容させてきたのである。多くの行為は、制度的パターンの周囲でつねに即興的に振舞うにもかかわらず、その制度的パターンの内部にとどまっていることをメルロ゠ポンティは認めるが、しかしいくつかの即興的振舞いが、基本的パターンそれ自体を、あるいはその何らかの相をなんとか変えようとし、結果として構造のより根底的な変化を引き起こすこともある。言葉や絵画や彫刻などが、新しい意味や新しい企てを支えることができるのである。

何人かの著者たちが、メルロ゠ポンティの身体―主観という概念とブルデューのハビトゥスという考え方との間の基本的な類似性を認めてきた。(7) 筆者はその両者に非常に強い類似性があることに同意し、そしてこの類似性が筆者自身の議論の前提であった。だが筆者はまた、メルロ゠ポンティのアプローチがブルデューのアプローチにいかなる形で付け加えを行うことができるかを我々が知るために、この二人の説明の間の差異についてもあれこれ述べて検討している（筆者はまた、ブルデューがメルロ゠ポンティの説明に多くを付け加えると考えているが、それはここでの論点ではない）。ブルデューが、行為者と社会集団にみられる習慣を物象化し抽象化して一時的に「凍結」するように思われるところで、メルロ゠ポンティは、行為者とその他者たち、およびより広い社会的文脈や物質的文脈との間の動的なやりとりのなかに、習慣の形成と変容の過程を位置づけている。ハビトゥスは行為能力を先取りするのではなく、むしろより広い行為能力の過程のなかできわめて重要な要素を形成するのである。まさにこの理由で、メルロ゠ポンティは、ブルデューがただ認めただけのものを説明することができる。すなわち、ハビトゥスは「絶えず変化」すること、そしてハビトゥスは社会的世界の固定点というよりも、むしろひとつの動きであること、こうしたことをメルロ゠ポンティは説明することができるのである。

メルロ゠ポンティの主張が誤解されないように、ここで二、三の限定をしておくことが大切だろう。まず第一に彼は、「首尾一貫した変形」ないし他の発生的な実践は身体―主観に前もって知られているか、あるいはそうでない場合でも意識的に意図されているということを示唆しているわけではない。革新と発生は実践のなかで達成され、こうした変化を媒介する行為者は、他の人たちと同様にその変化に驚く場合もある。変化を生じさせるためには、行為者は実践のなかに、つまり「ゲーム」のなかに自らを沈潜させたり投げ出したりしなければならない。そしてそうした行為者は、自分たちが生起させた構造ないしは習慣の変形によって、この過程のなかで自らを変化させるのである。第二に、変動を生じさせるために、行為者は即座に構造ないし習慣から踏み出したり、そこから自らを移動させたりする。変動は、一定の距離を取った過程や反省的な過程を通してというよりも、むしろ「内部から」構造と「戯れる」ことによって達成される。第三に、先に述べた論点を繰り返せば、ハビトゥス化とは（必ずしも、あるいは通常は）行為者が意識している意図的な過程ではなく、むしろ身体的な人間行為者の性質の構成要素である前反省的で前意志作用的な過程である。第四に、メルロ＝ポンティは、サルトルの初期の仕事が示しているような仕方で（Sartre 1969）、身体―主観に絶対的自由を帰属させているわけではない。メルロ＝ポンティは、ブルデューと同様に、このサルトルの立場に敵意を抱き、絶対的自由の概念は支離滅裂であるとさえ言うようになる。行為者はつねにすでに、自分たちの習慣や内自化された構造によって世界のなかに根づいたり位置づけられたりしており、したがって自分たちのいかなる企てもこうした根づき（rootedness）を前提にしているのである、とメルロ＝ポンティは論じる。にもかかわらず、人間社会の歴史は、こうした制度や習慣が変動するということを非常に明確に示している。人間行為は全部が全部自由ではないし、全部が全部固定されているわけでもない。それは、メルロ＝ポンティが他の箇所で述べているように、知性的な（おそらくは小規模の）構造変容からなる「動的均衡」である。最後に、変動は「無根拠」(gratuitous)ではない。行為者はさまざまに行為し、自分たちのハビトゥスの諸要素を変容するが、その変容は、自分たちがいる界のなかの出来事がそうした行為を要請する場合に限られる。「ゲーム」が変動を要求し、一人の行為者または一群の行為者たちによる各々の変動が、他のすべての変動を要求する。この点で、先に考察された示唆、すなわちハビトゥスの変動は界の要請と動態の結果であるという示唆は、間違ってはいないがかなり不完全である。ハビトゥスの変動は界の要請や動態によって引き起こされるが、しかしその事態は身体―主観の知的で発生的な能力の帰結として生じるのである。

ピアジェの問題

以上のようなまったく基本的な論点を、我々はピアジェの仕事（Piaget 1962）から引き出せるいくつかの主要な観察例を参照することによって、さらに展開することができる。ピアジェは、我々がブルデューのハビトゥス概念との関係で確認した諸問題を解決しようとするとき、我々にとっては意外に役立つ人であるように思える。彼の研究の性格とその野心は一見してかなりブルデューとは異なっているし、彼の研究はそれ自体において多くの重大な問題点もある。たとえば、ピアジェはあまりにも個人主義的であるとか、社会的影響の重要性を見過ごしているという点でしばしば批判される。彼は、しばしば大胆だと思われることを普遍的な主張だとするが、それは文化により敏感な社会学的アプローチとは満足した形でしっくりいくわけではない。さらに、彼による幼児の発達段階の説明は自民族中心主義的《エスノセントリック》だと批判されてきた。こうした批判の多くは妥当なものであるし、ピアジェとブルデューとの間にあるかなりの溝を指し示すのに十分である。こうした理由から、筆者はピアジェの理論全体を用いるつもりはない。本章の導入部で記したように、我々は自分たちの目的のためにピアジェ理論から選択的に取り上げることができると筆者は確信している。筆者は、彼はその理論から「盗む」に値すると示すことになるが、その理由は以下の通りである。すなわちそれは、ピアジェの研究のいくつかの諸相は、一見して人が思う以上にメルロ＝ポンティやブルデューのものと非常に近いゆえに、彼らの考えそれぞれに補強材料を与えることができるからであり、またとくに、メルロ＝ポンティとブルデューの両者にとって重要な諸過程に関して、ピアジェはいくつかの重要な観察例を与えるからである。以下、具体例を四点掲げて検討してみよう。

第一に、ピアジェは認知を「図式」の観点から理論化する。つまり彼は、我々がメルロ＝ポンティやブルデューのなかに見いだすのと同じ用語で理論化する。より適切にいえば、ピアジェは主として認知発達の理論家であるが、彼は一貫してメルロ＝ポンティとブルデューの両者と共鳴するやり方で行為能力と認知の身体的な相を強調している。つまり、彼の「認知」は身体的な認知である。たとえば彼は、人間の知性のもっとも基本的なレベル、つまり他のすべての知性を支えるレベルが「運動感覚的な知性」であると主張する。言い換えればそれは、世界を身体的に操作する能力のなかにある実践的知性である。このレベルで図式は、幼児が自分自身をその世界に馴染ませようとする吸啜行為といったもののなかに存在する。ピアジェの場合、幼児の後のより反省的で知性的な操作のすべては、感覚運動的な知性の根本図式に根ざしている。さらに、学習はすべて行動によって達成され、知的獲得のもっとも抽象的なものでさえも実践的で身体的な基盤をもち、メルロ＝ポンティが「身体図式」と名づけるもののなかにある。

第二に、ピアジェの研究のなかにいかに個人主義的な偏りがあろうとも、彼は決して社会化の過程の現実を否定しようとはしないであろうし、実際、社会と個人の両者にとって社会化がもつ重要性を否定しようともしていない。事実ピアジェの初期の仕事は、デュルケム、とくにその教育と社会化に関する見解から非常に多くの影響を受けていた。筆者はこのことによって、ピアジェに対する「より社会的な」批判者に一理あることを否定するつもりはない。そこには、疑いもなく改善の余地がある。筆者の論点はむしろ、ピアジェの理論に問題があろうとも、この点は質の問題というより程度の問題であり、ピアジェの仕事のもつより広範な意義を捉え損ねるべきではないという点にある。

第三に、メルロ＝ポンティが彼自身の主張を定式化するさいに、時折ピアジェの仕事に依拠するのみならず、ブルデューもまたそうしているのである。実際、筆者が本章ですでに何回か引用してきた一節で、ブルデューはハビトゥスが絶えざる変移の過程にあると示しているが、彼はこのことをさらに明瞭にするためにピアジェに依拠している。

ハビトゥスは、新たな経験に反応するときに絶えず変動する。性向は一種の永続的な改訂に従う。しかし、それは決して根源的な改訂ではない。というのは、その改訂は、それ以前の状態のなかでうち立てられた前提に基づいてなされるからである。ハビトゥスは、個人およびその個人の柔軟性や硬直性の程度に応じて変化する組み合わせ、一貫性、変異によって特徴づけられる。（知性に関するピアジェの区別を借りるならば）調節が支配的であるならば、そのときには（老人の場合のように）硬直し、自己閉鎖的で、過剰に統合されたハビトゥスが見いだされる。言い換えれば、適応が優勢なとき、ハビトゥスは世界と出会うこともできず、また統合された自己感覚ももつことができない一種の刹那主義（mens momentanea）という楽観論になってしまうのである。（Bourdieu 2000b : 161）

筆者は、ブルデューがピアジェ主義者であると言うつもりはない。だが、ブルデューがここでピアジェにとくに依拠しているという事実は、少なくともブルデューが思考のつながりの点でピアジェとの類似性を認めていることを示している。

第四に、もっとも大切な点だが、ピアジェが重要なのは次の理由からである。すなわち、ピアジェは、能動的な行為者が（最初は非常に未熟な幼児期の行為者であるにもかかわらず）自分に先立ってすでに（社会的、身体的に）構造化されている世界のなかで習熟や理解を達成しようと努める過程において図式が生じてくる、そのあり方について説明を与えているからである。さらに言えば、ピアジェは、こうした習熟や理解を与える適用図式がそこで生起するようになる調節と同化の動態が何であるかをはっきりさせたからである。調節とは、行為者が自分の環境の差し迫った事態に遭遇するさいに自分の図式や性向を調整する過程を示している。身体—主観はピアジェにとって革新的で知的な存在であり、それは環境の緊急時に対して新規の行動的な反応を産み出すことができるものである。同化とは、こうした新たな行動形態が図式ないし性向として相対的な存続可能性を獲得し、新奇の諸状況に対して展開されていく過程を示している。たとえば対象を掴む能力を獲得した後で、幼児はあらゆるものを掴むようになる。それはちょうど、社会学の初学者が社会学的に見る能力を獲得した後で、あらゆるものを社会学的に見ようとするのと同じである。このことが過度にプラグマティックで保守的だと思われないように、我々はピアジェがこうした過程に対して、想像力豊かで情感に溢れ、しかも遊び心に富んだ側面も非常に強調していたことを記しておくべきだろう。子供は身体的な緊急時に対して、ただ調節を行っているだけではない。子供は、「ゲームへの信頼」(belief in the game) ないしは遊戯心 (illusio) を獲得し[8]、同時に今度はゲームの楽しさを子供に与える遊戯心や想像力をそうしたゲームに与えながら、社会的世界を構成する「ゲーム」を発見しているのである。適応や同化による学習とは、行為者にとって楽しいものであり、同時に欲求不満を起こすようなものでもある過程なのだ。それは、認知的であると同時に情動的な過程である。

ハビトゥスと変動

ピアジェが記述していることは、筆者が先にメルロ゠ポンティとの関係で記述した「首尾一貫した変形」という考え方と重要な点で一致している。いくつかの図式と性向が、あるいは少なくともいくつかの図式と性向の一定の諸相が、その生涯全体を通して行為者に固着するとしても、その多くは、変動する世界との行為者の格闘や、変動への要求とそれが産み出す適応によって改訂を受ける。したがって、ハビトゥスもまた変動する。その変動は必ずしも抜本的なものではない。我々は、英語を話す人がある日突然、自分の母国語を捨てて自ら構築した別の言語を話し出すということを予想することは難しいであろう。しかし、変動は存在するのである。

こうしたハビトゥス観を採用するならば、我々は先に述べたハビトゥスと構造との循環を突破することができる。あるいは少なくとも、その循環のなかに変動を住まわせることができる。ある行為者のハビトゥスはたしかに社会構造によって構造化されており、またそれはこうした構造を再生産もするが、しかしそこには変容の余地もある。というのは、行為者つまり身体―主観が、同化と調節とが対になった過程を通して自らの世界に適応しようとするとき、ハビトゥスもまた絶えざる変容を受けるからである（図2を参照）。

身体―主観は、このモデルのなかの社会的に構造化された状況において、自らの行為によってハビトゥスを構成する。ひるがえって、このハビトゥスは行為能力がとる「型」である。つまり、行為者はハビトゥス的な仕方で行為する。しかしながら、行為者は、自分のさまざまな性向や図式の単なる総計以上のものである。行為者は、しばしば模倣によるにもかかわらず、自分が置かれている状況の制御を行う仕方として性向や図式を形成している動的で身体的なシステムであると見なす方が適切であろう。したがって、ここにはブルデューのモデルが認める以上の力動性がある。ハビトゥスは行為主体ではなくむしろメカニズムである。それは、行為主体が自分の社会環境において――無意識的で自動的ではあるが――それによって「なんとかうまくやっていく」メカニズムなのである。

図2　修正された社会的循環

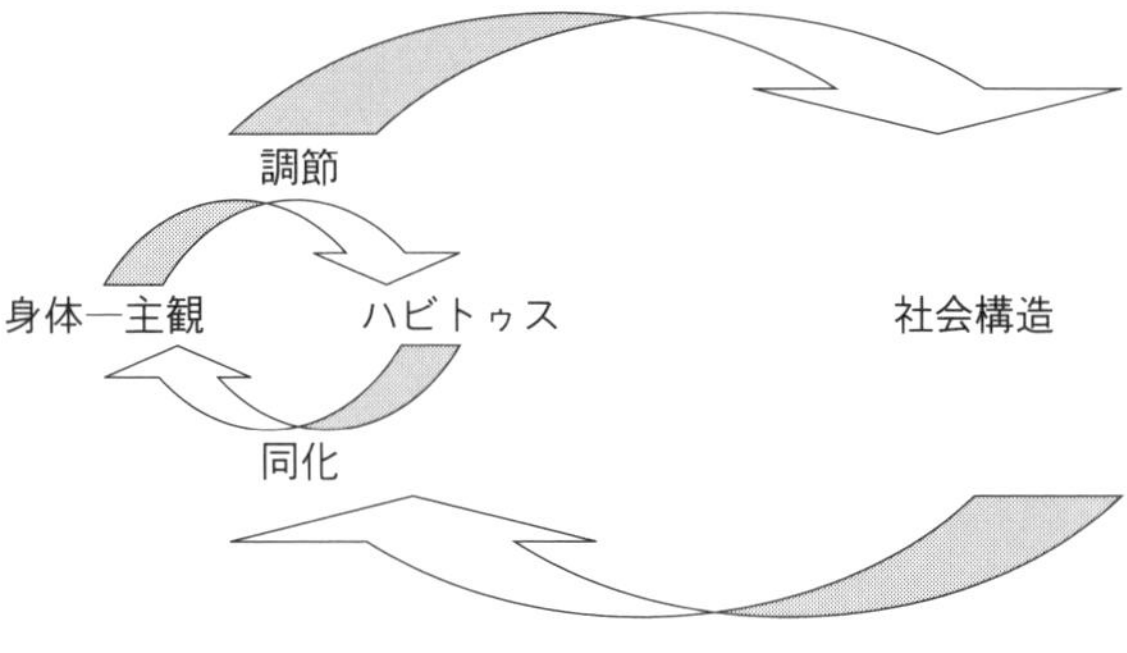

ハビトゥスの概念をこうしたより広い行為能力の説明の内部に位置づけること、そしてその適応の意義を示すことは、階級的ハビトゥスの差異を説明しようとし、さらに特定のハビトゥスとその出現条件との間に――たとえば労働者階級のハビトゥスと物質的必要性という条件との間に――見いだす「適合関係」を説明しようとする我々の試みにとっても重要である。もしハビトゥスが、一群の特定の物質的で歴史的な環境の内部に適合し「なんとかうまくやっていく」能動的な試みの所産だとすれば、そのハビトゥスはこうした環境の痕跡を帯びるであろうと予測される。工場労働者のハビトゥスは、

工場所有者のハビトゥスとは異なるであろう。なぜなら、その各々はハビトゥスに適合させる非常に異なった拘束状態にあり、またハビトゥスを受け入れる異なった機会をもつからである。この主張は決定論——この概念が意味あるならば——の問題ではない。そして、この主張が活動的で知性的な行為能力を前提としていることもまったく明らかである。この主張が行うことは、行為能力が「状況づけられて」いるいくつかの点のうちのひとつを強調すること、すなわち行為者たちは自分たちが完全には選択できず、さまざまに変形したり適応したりしなければならない特定の周囲環境のなかにつねに存在しているということ、このことを強調することである。

ハビトゥスが構築される過程は個人の過程だと見なす必要はないし、実際そのように見なすべきではない。ブルデューが論じているように、個人の歴史は集団の歴史からの抽象である。すなわち、

個人の歴史は、その個人の属している階級や集団の集合的歴史のある一定の項目以上のものでは決してないので、各々の個人の性向システムは、他の集団的ないしは階級的なハビトゥス全体の構造的な変異体——それは階級の内部ないしは外部の軌道や位置の間の差異を表現している——と見なすことができよう。「私的な」様式、つまり同一のハビトゥスの所産全体を示す個別の刻印は、実践であろうと労働であろうと、ある時代や階級の様式との関係のなかでの偏差以上のものでは決してない。(Bourdieu 1977 : 82)

そして、おそらくハビトゥスは、個々人の行為の所産であると同様に、適応的な相互行為ないしは集合行為の所産でもありうる。E・P・トムスンの『イギリス労働者階級の形成』はここで有益な準拠点である(Thompson 1963)。トムスンは、他のところでブルデューのハビトゥス概念を使っており(Thompson 1993)、自分の論考を「イギリス労働者階級のハビトゥスの形成」と題してもよかったのである。というのは、彼の論考はまさに労働者階級の生活の文化的構造の形成に焦点をあてているからである。ブルデュー同様にトムスンは、階級を構成す

るものが少なくとも部分的には、世界内の存在の特定の仕方、および世界を理解する特定の仕方であると確信している。だがブルデューとは異なって、トムスンはこの「ハビトゥス」が形成される歴史を分析することに大きな注意を向け、そしてとくに重要なこととして彼は行為能力に強調をおいたのである。トムスンの説明では、労働者階級が労働者階級のハビトゥスを作るのである。もちろん労働者階級は無から、つまり自分たち自身の選択という状況においてそれを作るわけではない。労働者階級の仕事は、労働者が受け継いできた伝統や制度を、つまり労働者にとって第二の自然である制度を「首尾一貫して変形すること」にある。そしてこの創造性は、労働者が調整しなければならない（あるいはその結果に直面しなければならない）外的な緊急事態によって形づくられる。たとえばそれは、物質的な必要性や困苦の状態にどれだけ近いかによって形づくられる。トムスンは首尾一貫した変形や状況づけられた発生のこの過程を決して理論化はしないが、筆者が本章でその概要を描こうと努めている諸過程は、少なくとも一定の理論化の道を進んでいると確信している。そのような試みとして筆者は、他の点では非常に強力なブルデューの理論枠組みのなかにあるこれまで述べてきたような諸問題点を示したのである。

危機と社会運動

こうした説明から立ち現れてくる社会変動の像は、「動的均衡」というメルロ＝ポンティの前述の考え方に類似している。すべてが運動のなかにあり、しかも変動は一般的に小さく緩やかで、中断も最小限である。しかしながら、ブルデューが彼の仕事のなかでしばしば認め、また筆者も先に記したように、行為能力の理論に基づくブルデューのハビトゥス論との関係を絶つ理由となる、危機や断絶の時代に関してはどうであろうか。ブルデューに従って、我々は次のように論じることができる。すなわち、このような危機が生じるのは、界や界の産出物における力学ないしは変動の度合いが行為者たちの期待と適合しなくなる場合や、行為者たちの性向が自分たちが従事している界とともに自分たちが通常享受している存在論的共犯関係を失う場合である、と。筆者は他のところで、最近の社会運動論の教説に依拠しながら、そのような不適合やそれが産み出す緊張は、それ自体で単独では、ブルデューがそれらの不適合や緊張との関係において指示しがちな政治的危機の類型や社会運動の活動の類型を産み出すには不十分である、と論じた（Crossley 2002）。この点は当面は別にしておくとしても、だがそうした危機がそれにもかかわらず生じることは明らかであり、我々は自分たちの説明によってこうした危機を理解することができるのかどうかを確かめてみることが必要である。その理解を行おうというのが筆者の論点である。この論点を展開するために、我々はブルデューのさらにもうひとつの側面も修正しなければならない。

ブルデューによるハビトゥスの説明の含意は、行為者たちはその大部分が「自動操縦装置に切り替え」られているというものである。筆者が先に記したように、彼が行為能力の他の諸相を認めるかぎりにおいて、彼はそうした諸相を行為能力の代替的な諸原理とみる傾向がある。筆者が本章のはじめの方で使った引用のひとつはこの点を示しており、繰り返しておくに値する。すなわち、

> ……ハビトゥスは、何よりも実践の産出原理である。そしてそれは、疑いもなく他のどんなものよりもより頻繁に作動する——ライプニッツは、「我々の行為の四分の三は経験的なものである」と言っている——が、一定の環境状態のなかでは——たしかにハビトゥスの即座の適応を場に合わせて調整するような危機状況においては——合理的計算や意識的計算といった他の諸原理に取って代わられる場合があることも無視できない。（Bourdieu 1990 : 108）

この考え方には大いに示唆的なものがある。ハビトゥスという概念や「ゲームの感覚」というそれに関連したメ

タファーは、他の大部分の理論が無視ないし曲解している行為能力の前反省的な相をうまく捉えているように思われる。おそらく我々はみな、「自動操縦装置」が作動している時を認めることができるし、我々は自分がしていることを実際に十分に自覚することなく知的にかつ革新的に振舞っている。しかしながらハビトゥスを、あたかも行為者がひとつのレベルでのみ直ちに活動できるかのように、反省的合理性や意識的計算に対置することは間違いである。このように見ることは、行為能力の前反省的な相を、もっともらしさを失わせるような点にまで誇張する傾向をもつ。しかしさらに、より重要なことは、そうした見方が次の主要な二つの論点を無視していることにある。第一に、もっとも合理的で計算高い行為者でさえ依然として自分の意思決定のさいに、広範なハビトゥス、性向、経験から得た方法などに依拠しているという点。したがって、ハビトゥスによってある程度形づけられていないような決定などはない。第二に、合理的計算や意識的算定それ自体が性向や技能——そのようなものとして、これらはハビトゥスに属している——を獲得するという点。行為者たちは物事を決定する仕方、可能性を測るやり方などを知っている。ブルデューに対して筆者は、反省的な決定や選択が、彼が示すよりも社会生活でずっと大きな役割を演じていると示すことができるが、しかしそれらはブルデューが示すようなハビトゥスからはそれほど離れていない、あるいはほとんど区別できない、ということも示したい。行為者たちは時折、完全に習慣的で前反省的な仕方で動くこともあるが、その大部分はこうした仕方で動くと同時に、より反省的な仕方でも動くのである。行為者たちは反省的で選択的であるが、その人たちの反省、知覚、選択はあらゆる側面で習慣によって支えられ、またメルロ゠ポンティが論じているように（Merleau-Ponty 1962）、このような仕方で支えられる必要がつねにあるのである。というのは、反省は獲得された技能であり、前提のない反省ないし選択はアプリオリに不可能だからである。

我々は以上のことを、政治的危機は前反省的で習慣的な行為能力の様相から、反省的で計算された様相への推移を伴うという考え方に異議を唱えることで、ブルデューの政治危機の説明の観点からさらに発展させることができる。繰り返せば、行為能力は、習慣的で前反省的な要素と、より反省的で計算される要素とを同時に結びつける。我々の行為や世界内存在のあり方は、反省的であると同時に習慣的でもある。自我や世界の一定の諸相が我々にとっては主題的となり、同時に他の諸相は気づかれずに自明視されている。この観点からすれば、危機の時期に生じていることは、通常は反省されていない想定、感情、行動のうちのいくつかが反省的思考のなかにもたらされ主題化されるということである。普段は自明視されているもののうちのいくつかがその自明性を失い、議論の主題となる。繰り返そう。この推移は行為能力の「原理」における習慣的様相から反省的様相への推移ではなく、むしろつねに同時に習慣と反省をもつ生き物である諸行為者によって反省されるものの、その内容における推移なのである。さらに、内容のレベルにおいてさえも、通常は自明視されているもののわずかな部分だけが主題となる。通常は自明視され気づかれないままのものの大部分は、そのままである。さらに、主題となったものは、熟慮や反省に関する獲得された（ハビトゥス化された）図式や技能に応じて論じられる。

こうした危機の見方は、実際にはブルデューによってその仕事のなかの数多くの論点でほのめかされている。たとえば『実践理性』において彼は、いまこのように自明視されているもの、彼の用語では「ドクサ的なもの」は、しばしば過去の闘争や議論の沈澱物であると論じている。

> 自明なものとして、意識や選択の下にあるものとして、今日我々に現れているものは、非常にしばしば闘争の賭金であって、支配集団と被支配集団の長年の対立の結果としてのみ創られてきたものである。歴史的進化の主要な影響は、過去へと格下げすることで歴史を廃止すること、すなわちそうした進化が削除した無意識的で側面的な可能性へと格下げすることで歴史を廃止することである。（Bourdieu 1998 : 56-7）

また『実践理論の概要』では別の方向から論じながら、ブルデューはとくに、危機は埋められていたドクサ的

図3　ドクサ、正統、異端

(Bourdieu, 1977 の様式に従っている)

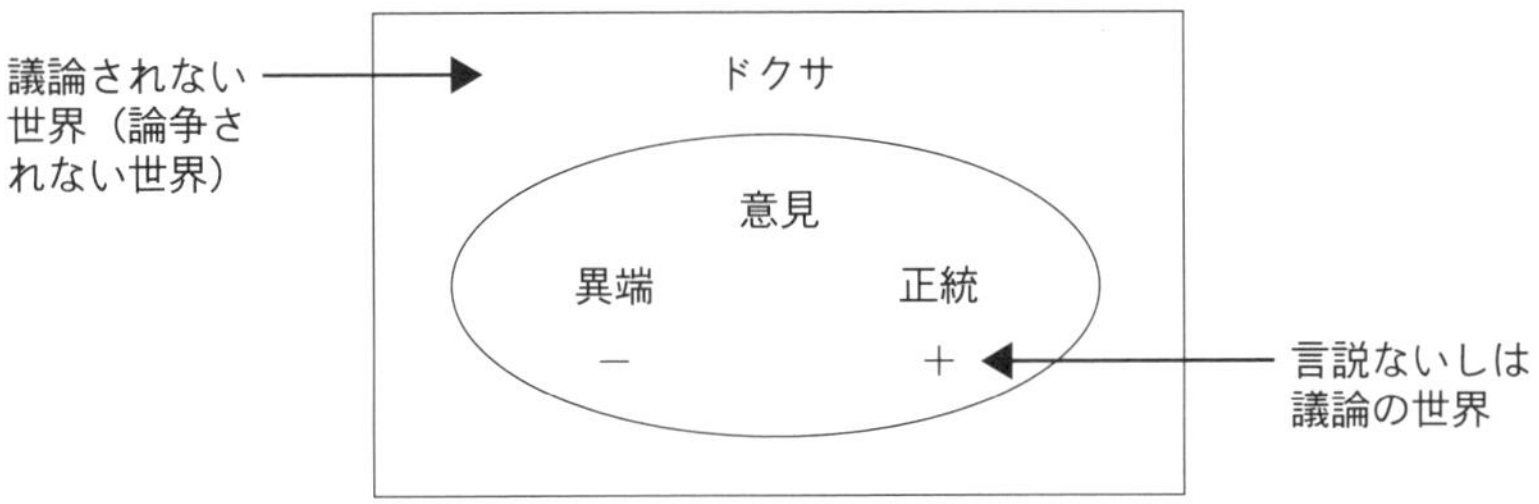

な想定や行動を掘り起こす機能を果たす、と記している。

> 議論されていないことを議論のなかにもたらし、定式化されていないことを定式化のなかにもたらす批判は、その可能性の条件として客観的な危機をもつ。そしてその危機が、主観的構造と客観的構造との直接的な適合関係を打ち破りながら自明性を実践的に破壊するのである。(Bourdieu 1977 : 169)

実際にブルデューは社会的な界の内部で、正統的な見解から異端的な見解までの連続体に沿って両極化される討論や議論に従う諸要素と、ドクサ的なものおよび言説域「以下」のもの、これらをはっきりと区別する社会的な界のモデルを提示している（**図3**を参照）。危機において起こっていることは、確実にそれ以前にあったドクサ的な想定が「言説の世界」に移動し、そしてそこで旧来のものが正統として、異端の批判者に対して自己防御を強いられるのである。こうした論点を組み立てる彼のやり方は重要なものである。反省性をあらゆる所に、あらゆる時に、あらゆる人びとに認めようとするある種のポストモダンな最近の傾向に対して、ブルデューは、反省のこうした形態が立ち現れてくる特定の条件、すなわち単純に自明視されていたことの多くがもはやそういう具合にはいかず、周囲環境の力によってどっと言説のなかに流れ込むような危機の条件を強調している。しかしながら、もしブルデューが彼自身の理論のこうした諸相を真剣に捉えたならば、彼は筆者が以上で概説してきた立場に移動したに違いない。彼は、行為能力の内部で習慣と反省の両者が同時に共存していることの可能性を肯定的に認めなければならず、また危機の間に生じる推移とは、行為能力の形態の推移ではなく、むしろドクサ的である行為者の生活世界の諸相の推移であり、そうした諸相が主題となり議論されるということを認めなければならない。さらに、そのように認めることは、彼が「ハビトゥス」をより広い行為能力の理論内部に位置づけることになる。

しかしながら、（西洋における）「60年代」のような危機の時期は、単に反省の時代であるだけではない。そうした時期は急速な変動の時期、つまり新たな運動、新たな批判、新たなライフスタイルが出現しはじめる時期でもある。こうしたことはいかにして生じるのか。それは複雑な過程であり、筆者はここでは若干の推測を提示することができるだけである。だが、本章の残りの部分の議論に依拠して筆者が示唆したいことは、本章のはじめに確認された引用文でブルデューが示唆していると思われることと同様に、反省の場合にみられるような、ハビトゥスを行為能力のもうひとつ別の原理に置き換えることを意味しているわけではないということである。示唆したいことは、ブルーマーが示したように（Blumer 1969 : 65-120）、「社会不安」の時期には習慣や規範を確実に統御する重りが持ち上げられるということもできるが、しかし行為者は首尾一貫した知性的な存在であり続け、それゆえ少なくとも自分たちの生活にこうした性質を与える基本図式を保持しているということである。ここで生じていることは、危機に対する党派間での相互行為がスピードアップするにつれて、筆者が本章で記述してきたまさに変動の漸進的な過程が「スピードアップする」ということである。このことは部分的には、かつてドクサ的であった考えが、いまや反省的言説の領域に入るという事実に負っているであろう。これまで気づかれずにいた諸々の想定が言説のレベルにまで高められるとき、そのときにはさらに「誰にでも手に入れられる」ようになり、潜在的には変容をより受け入れやすくなる。だがそれは、デュルケムが「集合的沸騰」という考え方で示唆したのと同様な事例である（Durkheim 1915, 1974）。すなわちそれは、社会の時間的リズムそれ自体がそのときにスピードアップされ、変動への推進力と原動力を産み出し、行為者たちを変動のなかに引き入れる。危機の時期に関する今日の文献は、あるいは社会運動の理論家が「闘争の周期（cycles of contention）」と呼んでいるものは、こうした「スピードアップ」という考え方を支持している（Tarrow 1989, 1998; Crossley 2001）——たとえ現代の多くの社会運動理論家がとくにデュルケムを嫌っているとしてもである。[9] 次のタローの記述を考察してみよう。すなわち、

……争いが増大する時期には、情報はより急速に流れ、政治的な注目は高まり、挑戦者の集団の間での、また挑戦者と既存の権威者との間での相互行為は、頻度においても強度においても増大するのである。（Tarrow 1998）

このスピードアップの過程は、本章で筆者が言及してきた変動のより通常の発生過程（適応、同化など）をスピードアップすると筆者は示唆したい。それは、このような時期に一般に認められる新奇性と革新性の生起を伴っている。一貫した変形と調整の諸過程が加速される。再度述べれば、主要な論点は、社会が変動のない状況から変動のある状況に移動するのではない。そうではなくむしろ、社会は恒常的な変動の過程にあるが、危機の時期に生じていることは、変動のペースが加速するということである。

筆者は、危機に関する自分の論評が示唆以上のものではないと思っている。それはもっとずっと詳細な考察を必要とするが、それがなされれば我々はこの示唆を自信をもって押し進めることができるであろう。そして筆者は、この点をさらに二つの段階で展開し、ブルデューによって概述された基本的立場に対してさらにもう一段の修正を加えたい。筆者の第一の論点は、ブルデューの研究のなかにあるハビトゥスの保守的機能に関するものである。ブルデューのハビトゥスの説明は、社会的行為者について比較的保守的なイメージを示す傾向がある。社会的行為者のハビトゥスは、自らを社会秩序を結びつけ、また社会秩序の深層構造とその再生産への社会的行為

者自身の共犯関係との両者に、自らを結びつける。あるレベルで筆者はこの点に同意するし、ハビトゥスという概念は我々がこのように見るのを認める点で有益であると筆者は示唆したい。しかしながら我々が同時に、ハビトゥスという概念を、我々が研究している社会内部の革新的ないしは批判的な伝統を理解するために用いることができないという理由はない。その視点は、再帰性や変動への力をそうした社会に導き入れることである。E・P・トムスンの労働者階級の文化に関する前述した研究は、それがそうした文化内部における一定の批判的潮流の制度化を指し示すかぎりにおいて、ここではひとつの有益な準拠点となる。トムスンにとって、労働者階級の文化は、しばしば批判的で革新的な文化である（Thompson 1963, 1993）。社会運動の文献にみられる研究の多く、とくに闘争に関する文化的および／あるいは生活史的な根源や衝撃力に焦点をあてた現代の諸研究は、同様なことを示唆している。それらは、紛争ないしは危機の時期が、我々が個人のレベルにおいても集合体のレベルにおいても「闘争への性向」と呼ぶものを促したり生じさせるさまざまな仕方を示している。一九六〇年代初期のアメリカ合衆国でのフリーダム・サマー・プロジェクト［訳注＊］に関するドーグ・マッカーダムの重要な研究は、とくに啓発的である（McAdam 1988, 1989）。マッカーダムは、この計画への参与がそれに関わった人びとに持続的な影響をもったことを示すための、非常に説得力のある事例を構成している。革新的な活動は、革新的なハビトゥスを産み出すのである。

　第二に、我々は、社会運動の計画という文脈での変動をめざす試みを通して、ハビトゥスが意識的で合理的な思考にとって対象となりうることを、以上の点に付け加える必要がある。たとえば、フェミニズム運動の内部での「意識を高める《コンシャスネス・ライジング》」計画を挙げることができるだろう。こうした計画はまさに、女性たちが自分たち自身の抑圧に巻き込まれてきた多くの知られていない習慣的なあり方を解明し、変化させようとしてきたのである。もちろん単に、ハビトゥスのこうした構造を意識するようになること、あるいはハビトゥスが変えられなければならないという決意に到達すること、こうしたことだけでは変動それ自身を引き起こすには十分ではない。先に記したように、ハビトゥスを意識的に変えることは、行為者がその「本性」――第二の本性にも第一の本性にも――に働きかけ、それと格闘することが必要である。そうした行為者は、自分たちが獲得したいと願う新たな実践に没頭しつつ、自分たちの「古いしきたり」に立ち戻ろうとする（習慣的に「選好」されてきた）傾向と闘わなければならない。しかし明らかなことは、そのような変動の計画は、ブルデューが心に描いた危機のシナリオから生じる社会運動の類型において可能となり、例証されるということである。

ハビトゥスの深さ

本章での結論を記す前の最終論点として、ひとつ重要な限定を付け加えておくことが大切である。本章を通して筆者は、能動的で知的な行為能力の帰結として、ハビトゥスの変動の可能性に焦点をあててきた。そうした変動は無からは生じない、と筆者は示してきた。その変動は特定のハビトゥス構造の「首尾一貫した変形」として、あるいはピアジェが示したように、初期のハビトゥスの獲得に基づく発達として見ることが適切であろう。このことに、いまや我々は次の点も付け加えなければならない。すなわち、いくつかの習慣構造はより深いところに位置して基底的なものであるので、何よりも変動に対しては抵抗するということである。たとえば、ある行為者の最初に獲得した言語は、たとえその行為者がさらにもうひとつの言語を獲得したとしても、その第一次的な言語の構造を残す傾向があるだろう。そして、そうした最初の言語は、たとえば食べ物や映画の好みよりもはるかにずっと安定して固定的なものである。ここはこの問題を詳細に探究する場所ではない。しかしながら、我々はハビトゥスを、中心と周縁からなり、そのすべての要素はこの両極の間にある連続体のどこかに位置しているものと見なすことができると示したい。この議論を続ければ、ある要素がより一層その中心に近ければ、それはより一層持続的で、変動に抵抗するものであるように思われる。反対に、周縁にある諸要素は、かなり頻繁に変化や変動を受け易いであろう。

結論

本章で筆者は、ブルデューのハビトゥスという概念がより広範な人間の行為能力という概念のなかに位置づけられるべきであること、そしてメルロ＝ポンティとピアジェの仕事の検討を通して、このことがいかに成し遂げられるかについて予備作業的な概要を提示すること、この両者を論じようとしてきた。とくにメルロ＝ポンティの仕事は、「習慣」が身体―主観の行為能力に関する彼の概念化において大きな役割を演じるという点では啓発的なモデルであり、しかもハビトゥスは、行為者の適応行為の所産として捉えられていると同時に、変動への要求が生じる場合やその可能性があるときには行為者による改訂や変形を受け易いものとしても捉えられているという点でも、啓発的なモデルである。メルロ＝ポンティは、社会的行為者と社会構造との間には循環関係があり、それにより構造は行為者によって内化され、行為者はそうした構造を具現化し再生産するという点について、ブルデューと見解を共にしている。しかしメルロ＝ポンティはつねに、もし状況が求めるならば行為者は構造を「首尾一貫して変形する」力をもつことに留意していたのである。

この観点からすれば、「首尾一貫した変形」は相対的に恒常的な進行中の過程であり、したがって構造もつねに「進行中の過程」のなかにある。だが本章は、こうした通常の変動諸過程が危機の時期にはスピードアップされ、より抜本的で急進《ラディカル》的な変動の形態を生じさせることがあるということも考察してきた。さらに、こうした危機の時期は、「急進《ラディカル》的なハビトゥス」の形態において、また社会運動やそれが再生産する批判的な伝統において、その時代固有のより持続的な批判という遺産を産み出すことがあることも論じられてきた。この文脈においては、ハビトゥスが保守的な役割を果たすことは少なく、むしろ根源《ラディカル》的な変動への勢いを保持しているのである。

原注

（1）本稿［原題は Habitus, Agency and Change: Engaging with Bourdieu であるが、原著者の合意を得て副題はわかりやすいように変更してある—訳者注］の第一稿は、二〇〇一年五月二三—二六日にプラハで開かれた「哲学と社会科学」会議で発表された。大会組織者と有益なコメントや質問をして下さった参加者すべてに感謝したい。

（2）本稿はこれまでの筆者の以下の研究に基づいて作成された。とくに拙著 Crossley（2001a）および拙稿 Crossley（2001b）と筆者の応答論文 Crossley（2001c）。

（3）ここでの主要な文献は、『知覚の現象学』（Merleau-Ponty 1962）である。しかしながら、メルロ＝ポンティは彼の著作の多くで、身体化された主観性に関する彼の概念に付け加えを行って、それをさらに展開している。

（4）ブルデューは界の概念を、社会的行為者を結合し社会構成をなす（客観的、主観的な）諸関係からなるさまざまな社会空間を示すために導入している。この社会空間は彼の著作では、「ゲーム」や「市場」ともさまざまな形で結びついており、動的で変動可能なものと考えられている。筆者がここで浮かび上がらせる変動に関する議論は、それらと同様なものであろう。すなわち、市場同様に、界は恒常的な革新や変動を要求し、それゆえそこには恒常的な革新や変動があるとブルデューは論じる。筆者の異論は、革新や変動への「要求」は革新や変動が生じることを保証していないという点、とくに産出メカニズムを欠く場合にはそれらが生じることを保証していないという点にある。自然選択の場合のように、変動への要求が同時にしばしば絶滅や危機に至ることもある。界についてのブルデューの議論に関しては、以下のものを参照されたい。Bourdieu and Wacquant 1992. および Bourdieu 1993: 72-7 にある Some Properties of Fields の項。

（5）さらに、Crossley（2001a）（2001b）（2001d）も参照。

（6）メルロ＝ポンティの「哲学を讃えて」および「個人の歴史と公共の歴史における制度化」（Merleau-Ponty 1968）を参照。

（7）たとえば、Loic Wacquant の Bourdieu and Wacquant（1992）への寄稿論文、あるいはまた次の論文を参照。Wacquant, L.（1993）'Bourdieu in America', Dreyfus, H. and Rabinow, P.（1993）'Can there be a Science of Existential Structure and Social Meaning?', Taylor, C.（1993）'To Follow a Rule', これらは Calhoun, LiPuma and Postone（1993）に所収されている。

（8）ゲーム同様、あらゆる「界」（注の（4）をみよ）は、ブルデューによれば「ゲームへの信頼」を前提にしている。すなわち、界の恣意的な性格と慣習は、自然で所与のものとして経験されるに違いない。ブルデューはこの点を「ゲームへの信頼」と呼び、さらに行為者をして特定の社会的ゲームを行うようにする動機づけ、つまり「遊戯心」と呼んでいる。

(9) 筆者は他の箇所で、この嫌悪は不必要だし無益であると示したことがある。しばしばこうした理論家は、自らがいかにデュルケム的であるかを認識し損ねている。Crossley (2001) を見よ。

訳注

＊フリーダム・サマー・プロジェクトに関しては、原著者が訳者の求めに応じて補注として次の説明文を提示してくれたので、全文を掲げておく。「フリーダム・サマーは、一九六四年にアメリカ合衆国で黒人の公民権運動に関わっていた人びとによって始められたプロジェクトである。それはアメリカ北部の主要大学からの（主として白人中産階級の）学生を含み、南部の黒人コミュニティの人びととともに働きながら、その過程で選挙人登録者として教育や援助に携わったりして、夏休みを過ごすというプロジェクトであった。このプロジェクトが非常に目立ったのは、参加学生のうちの三人がこのプロジェクトの初期段階で殺人事件で命を落とし、他の多くの学生も脅迫や威圧を経験したからである。」

訳者あとがき

本書は、Nick Crossley, *Intersubjectivity : The Fabric of Social Becoming*, London : Sage, 1996 の翻訳である。原著のメインタイトルを直訳すれば『間主観性』であり、それはそれでとても刺激的な題名であるが、原著者と相談のうえ、本訳書では内容がより一層明確になるように『間主観性と公共性』というメインタイトルに変更した。本書は直接に「公共性」を論じているわけではないが、「シティズンシップ」「権力」「民主主義」などは、今日の日本における「公共性」論の主要なテーマ群であるので、あえて「公共性」という語を用いて内容上の明示化を企図した。なお、副題はそのまま「社会生成の現場」と訳した。この副題は、原著者によれば、当初はメインタイトルとして考えていたものだが、原著出版社の意見を採り入れて副題としたとのことである。

さて、内容（本論七章＋付章）に関してであるが、本書全体の論旨はきわめて明快であるし、訳者の手による詳細目次も掲げたので、ここで屋上屋を架すまでもないであろう。そこでいま本書の骨組みにだけ触れて、最低限の確認を行っておきたい。原著者ニック・クロスリーは、まず第一に前半部で、フッサール、ブーバー、メルロ＝ポンティ、シュッツらの間主観性論を検討し、発達心理学などの知見も交えて、根源的間主観性と自我論的間主観性という区別を析出しつつ自分自身の間主観性論を展開する。そして彼は、第二に後半部で、自らの間主観性論をもってハーバーマス理論およびシティズンシップ／民主制などの問題の考察に、つまり「公共性」の問題に真正面から挑んでいく。本書において、この第二の論点は、ハーバーマスの「システムと生活世界」の議論を――フーコーやフクヤマへの批判的議論も絡ませて――批判的に考察したうえで、権力や差別そして「公共性」問題が、システムのレベルだけではなく生活世界のレベルでも問われているという主張につながっていく。生活世界がコミュニケーション的行為を中心とする〝牧歌的な〟世界だけではないことを、原著者は再確認しているわけである。そこに、本書の前半部でなされたヘーゲル的な闘争の議論も批判的に活かされていることを見てとることはそう難しくないであろう（原著者の最新著は「社会運動」に関するもの（後述の著作リスト④参照）であることもここで触れておこう）。

こうした原著者の議論に関して、その論旨がきわめて明快なだけに、逆に間主観性論の微妙な問題が二元論的に裁断されかねないという危惧を伴う批判も予想される。しかしながら、原著者の明快な語りと整理は、彼による議論への呼びかけという「仕掛け」だと捉えることもできるし、何よりも「二元論」の問題そのものに関しては、この著作に続く原著者の第三の著作（後述の著作リスト③参照）で、明確かつ批判的に分析・解体されているので、そうした危惧は単なる杞憂にすぎないと言っておくことができるであろう。ただし、本書の後半でハーバーマスを中心にもってきて議論を枠づけたことが、原著者の言わんとすることを明確にするための戦略として妥当であったのかどうかは、若干の疑問が残るかもしれない（事実、原著者クロスリーは、本書執筆後はむしろブルデュー理論を柱にして自分の議論を組み立てている）。原著者の志向が、ハーバーマスに依拠する形の本書では一面的に了解されてしまう怖れを、訳者としても感じないわけではない。そうした誤解を払拭する意味も込めて、本書には原著者の思考に深く関連し、次の彼の著作への導入ともなる彼自身の論稿「ブルデュー」論をも付章として訳出しておいた次第である。なお、この付章でも示されている「社会運動」への視点は、本書の副題にもある「社会生成」social becoming の論点とも大きく重なり合う。社会の発生や生成の原理論的な解明を行おうとする本書の志向は、付章だけでなく本書の前半部や結論部などにおける彼の言葉の端々に明らかである。原著者のその後の歩みは、確実にこの「社会生成」論の方向でさらに重厚な議論を交えて進んでいるのである。その方向性の一端をこの付章で読みとっていただければ幸いである。以上、全体の内容の骨子と位置づけに関してはこの程度にしておきたい。

訳語に関して、ここで二、三付け加えておきたい。本書の副題（および結語）で「現場」と訳した語の原語は、fabricである。この原語は多義的に用いられており、本書では文脈に応じて訳し分けているが、基本的な訳語としては「場」ないしは「現場」という訳語を選択した。その理由は、著者自身の結論部を参照することで了解いただけると思うが、訳者としては、まさに社会生成の「現場」とその原理ないし論理が本書の発生論的な間主観性論に絡んでいることは間違いないので、多少の違和感はあるがこれを基本訳語とした次第である。

もう一点。原著者は、原文では一貫して三人称単数の人称代名詞をhe/sheで受けて表記している。この点に関しては、訳者として異論は全くない。しかし、三人称複数の人称代名詞の原文はtheyである。これを日本語で「彼ら」と訳すことは、原著者の意向に反することになろう。英語と日本語の違いだから、といって済ますわけにはいかない。かといって「彼／彼女」と同様に、「彼ら／彼女ら」と表記するのも、かえって訳書としては読みにくくなる。しかも、この二分法自体も問題となる場合もあろう。したがって、本書では、人物が人称的に特定できる場合は別として、人称代名詞はなるべく使わずに、主語を繰り返して訳すなどの工夫をしてみたことを付け加えておきたい。

本書は、新進の社会学者の手による「社会生成の現場」を論じた著作である。社会学の研究と教育の現場では、しばしば「現場」主義であるとか「現場」を重視するとして、「理論」は不要なものであるといった考え方すらみられる。しかし、現実を見るためには視点が必要で、「事実」は「理論」を背景にして事実となっているという初歩的な科学哲学的議論においてだけではなく、「現場」の考察という作業には、まさに社会生成を、つまり人間や言語の生成をもふくめた我々の人間・社会がまさに間主観性を「現場」として発生・生成していることを、きちんと捉える基礎理論的考察もまた求められている。こうした意味での「現場」の考察なくしては、視点や基礎理論を欠き、現状を追認するだけの単なる記述主義に陥る恐れがある。調査や実証が声高に強調される最近の経験科学においてこそ、生成のこうした原理的ないしは論理的な「現場」の考察が問われていると訳者には思われるのである。

＊　＊　＊

ここで、著者と訳者との出会いに関する情報を少し記しておきたい。原著者は現在三〇代半ばのイギリス社会学の俊英である。正直言って、訳者は原著者と面識をもつまで、もちろん若手であることは認識していたが、これほどの若手であるとは予想していなかった。最初の彼の著作（後述リストの①参照）のあと、程なくして一九九六年に本書が刊行された。その刊行からさして時間が経っていない段階で、訳者は人づてに本書の存在を知り、さっそく取り寄せて一読してみた。非常に面白い。しかも訳者自身が考えてきたことと多くの点で共通する点が見られる。いずれ翻訳されて広く読まれるべき著作であるし、場合によっては自分で翻訳してみたい。このように考えた。しかしながら、原著者にとって二冊目の著書とはいえ、いまだ評価の定まっていない原著者クロスリーの著書の翻訳には、その時点では二の足を踏んでいた。だが、筆者が彼のもとを初めて訪れた二〇〇一年には、本書と同じ英国の著名な出版社 Sage から原著者三冊目の著作（後述リスト③）が刊行された。その時点でさっそく一読し、その内容もたいへん刺激的で、彼は着目に値する「本物の」社会研究者であると確信した。個人的なことになるが、たまたま昨年、筆者の所属する機関から半年間の研究専念の機会が与えられたので、迷うことなく訳者は（いわゆる客員研究員として）マンチェスター大学に向かい、原著者と議論を重ねる機会をもったのである。渡英の直前にも、正直言って一抹の不安がないわけではなかったが、その年に原著者の四冊目の単著も刊行され、即座にそれにも目を通した結果、その不安は根本から払拭された。三〇代半ばですでに四冊の単著を刊行している原著者の力量と可能性に大いに期待するものがある、と訳者は考えている。これらの単行本は、ギデンズを除いてあまり知られていないイギリス社会学の動向紹介を超えた、ヨーロッパの現状をふまえた今後の世界の社会と社会学の方向性を示す大いなる可能性を秘めた著作群である。

原著者ニック・クロスリーは、一九六八年イギリスのヨーク生まれ。シェフィールド大学で社会学を学び、同大学で博士の学位を取得している。その後、このシェフィールド大学で専任講師として教鞭を執るが、一九九八年、招かれてマンチェスター大学に移った。現在はマンチェスター大学の助教授であるが、まもなく準教授になる予定である。大学では、学部向けの社会学理論の講義と、大学院向けの社会運動に関するセミナーを担当している。なお、マンチェスター大学社会学部は、教員スタッフ三〇名近くを抱える大きな学部であり、またとくにエスノメソドロジーに関しては、W・シャロックをはじめとしてスタッフが充実しており、イギリスのみならず世界的なその拠点であるといってよいであろう。他のスタッフの研究活動も活発で、今後とも注目される機関だといっておくことができる（なお、本訳書の付章（翻訳）の初出メディアでもある『現代社会理論研究』第一二号の特集「マンチェスターの社会学」のなかに、池谷のぞみ氏によるマンチェスター大学の社会学に関する紹介があるので参照願いたい（池谷のぞみ「マンチェスター大学の社会学」『現代社会理論研究』第一二号、人間の科学社刊）。

最後に、あらためて原著者ニック・クロスリーの四冊の著作リストを列記しておく。（なお、原著者による論文も数多くあるが、本訳書に関連する文献は本書の文献リストに示されているので、ここで主要論文リストを掲げることは割愛する。）

①Crossley, N.（1994）, *The Politics of Subjectivity : Between Foucault and Merleau-Ponty*, Aldershot, Avebury.
②Crossley, N.（1996）, *Intersubjectivity : The Fabric of Social Becoming*, London, Sage.
③Crossley, N.（2001）, *The Social Body : Habit, Identity and Desire*, London, Sage.
④Crossley, N.（2002）, *Making Sense of Social Movements*, Buckinghamshire, Open University Press.

本訳書は、日本の社会学の現状を見るにつけ、本書のような原理的な議論がぜひとも必要であるとの強い思いのもとで訳出された。本訳書は、間主観性をはじめとするいわゆる現象学的思潮の議論が、とりわけ現象学的社会学が、小状況のミクロな領域しか扱わない「主観主義」のミニパラダイムではないという点の例証になるだけではなく、社会学研究が単なる事実の収集のみに終わることなく他の学問との対話にも開かれた社会理論研究の試みとして活性化されるための必読の基本図書となろう。本書の試みが（社会学教育を含めた）日本社会学の現状に一石を投じることになれば、訳者としては望外の喜びである。「日本語版への序」のなかで原著者自身が述べているように、本書が問題提起や議論の契機としての役割を果たすならば、本書の大きな狙いは達成されることになる。さらにまた原著者の「結語」にも記されているように、本書には間違いなく現在問われなければならない問題が示され、そしてその問題を問い続けることの重要さが本書によって示されているといえよう。本書が新たな世代による新たな時代の社会学的ムーブメントに繋がることを願っている。なお、本書の訳出作業の仕上げ段階では、名古屋大学大学院に籍を置く日本学術振興会の特別研究員、保坂稔・杉本学の両氏と同大学院博士課程の渡辺克典君の手を煩わせた。記して謝意を表したい。

＊　＊　＊

翻訳書としては、S・ヴァイトクス著『「間主観性」の社会学』に続いて、今回もまた新泉社の竹内将彦氏にはたいへんお世話になりました。最初の訳稿の読み手として、いろいろと適切なアドヴァイスいただいたことに深く感謝いたします。どうもありがとうございました。

二〇〇三年六月九日

訳者識す

人名索引

＊本文中（付章を含む）で挙げられた人名を50音順で掲げてある。

【ナ行】

【ハ行】

【マ行】

【ヤ行】

【ラ行】

Bibliography

Abercrombie, N., Hill, S. and Turner, B. (1986), *Sovereign Individuals of Capitalism,* London, Allen & Unwin.

Amsterdam, B. (1971), 'Mirror Self-Image Reactions Before Age Two', *Developmental Psychobiology* 5(4), pp. 297–305.

Arthur, C. (1988), 'Hegel as Lord and Master', *Radical Philosophy* 50, pp. 19–25.

Austin, J. (1971), *How to Do Things with Words,* Oxford, Oxford University Press.

Ayer, A. (1981), 'Can There Be a Private Language?', in Morick, H. (ed.), *Wittgenstein and the Problem of Other Minds,* Brighton, Harvester, pp. 82–96.

Barrel, M. (1985), 'Self and Other: Communication and Love', *Review of Existential Psychology and Psychiatry,* xviii(1–3), pp. 155–80.

Beauvoir, S. de (1988), *The Second Sex,* London, Picador.

Benjamin, J. (1991), *The Bonds of Love,* London, Virago.

Blair, T. (1995), 'The Conservative Party Seems Neither to Understand Nor to Act Upon the Concept of Duty' (*The Spectator*/Allied Dunbar Lecture), *The Spactator,* 25 March, p. 18.

Blumer, H. (1969) Collective Behaviour, in McClung-Lee, A. (1969) *Principles of Sociology,* New York, Barnes and Noble.

Bourdieu, P. (1977), *Outline of a Theory of Practice,* Cambridge, Cambridge University Press,

Bourdieu, P. (1979), 'The Economics of Linguistic Exchanges', *Social Science Information* 16(6), pp. 645–68.

Bourdieu, P. (1984), *Distinction: A Social Critique of the Judgement of Taste,* London, Routlege & Kegan Paul.

Bourdieu, P. (1990), *In Other Words,* Cambridge, Polity.

Bourdieu, P. (1992), *The Logic of Practice,* Cambridge, Polity.

Bourdieu, P. (1992), *Language and Symbolic Power,* Cambridge, Polity.

Bourdieu, P. (1993), *Sociology in Question,* London, Sage.

Bourdieu, P. (1998), *Practical Reason,* Cambridge, Polity.

Bourdieu, P. (2000a), The Politics of Protest (Interview), in *Socialist Review* (June).

Bourdieu, P. (2000b), *Pascalian Meditations,* Cambridge, Polity.
Bourdieu, P., Darbel, A. and Scnapper, D. (1991), *The Love of Art,* Cambridge, Polity.
Bourdieu, P. and Passeron, J.-C. (1993), *Reproduction,* London, Sage.
Bourdieu, P. and Wacquant, L. (1992), *Introduction to Reflexive Sociology,* Cambridge, Polity.
Bruner, J. (1991), 'Nature and Uses of Immaturity', in Woodhead, M., Carr, R. and Light, P. (eds), *Becoming a Person,* London, Routledge, pp. 247–75.
Buber, M. (1958), *I and Thou,* Edinburgh, T.&T. Clark.
Budd, M. (1989), *Wittgenstein's Philosophy of Psychology,* London, Routledge.
Burns, T. (1992), *Erving Goffman,* London, Routledge.
Butler, J. (1990), *Gender Trouble,* London, Routledge.
Calhoun, C., LiPuma, E. and Postone, M. (1993), *Bourdieu: Critical Perspectives,* Cambridge, Polity.
Case, R. (1991), 'Stages in the Young Child's First Sense of Self', *Developmental Review* 11, pp. 210–30.
Cashmore, E. and Troyna, B. (1983), *Introduction to Race Relations,* London, Routledge & Kegan Paul.
Castoriadis, C. (1987), *The Imaginary Institution of Society,* Cambridge, Polity.
Castoriadis, C. (1990), 'An Interview', *Radical Philosophy* 56, pp. 35–43.
Castoriadis, C. (1991), 'An Interview', *Free Associations* 2(4), pp. 483–506.
Clarke, R, (1978), 'The Transition From Action to Gesture', in Lock, A. (ed.), *Action, Gesture and Symbol,* London, Academic Press, pp. 231–57.
Clegg, S. (1989), *Frameworks of Power,* London, Sage.
Cohen, D. and Mackeith, A. (1991), *The Development of Imagination,* London, Routledge.
Coulter, J. (1971), 'Decontextualised Meanings: Current Approaches to *Verstehende* Investigations', *The Sociological Review* 19(3), pp. 301–23.
Coulter, J. (1973), 'The Ethnomethodological Program in Contemporary Sociology', *The Human Context* 5, pp. 103–22.
Coulter, J. (1975), 'Perceptual Accounts and Interpretive Asymmetries', *Sociology* 9 (3), pp. 385–96.
Coulter, J. (1979), *The Social Construction of Mind,* London, Macmillan.
Coulter, J. (1982), 'Remarks on the Conceptualisation of Social Structure', *Philoso-*

phy of the Social Sciences 12, pp. 33–46.

Coulter, J. (1989), *Mind in Action,* Cambridge, Polity.

Coyle, M. (1987), 'An Experiential Perspective on the Mother-Infant Relationship: The First Eight Months', *The Focusing Folio* VI, pp. 1–28.

Crossley, N. (1993), 'The Politics of the Gaze: Between Foucault and Merleau-Ponty', *Human Studies* 16(4), pp.399–419.

Crossley, N. (1994), *The Politics of Subjectivity: Between Foucault and Merleau-Ponty,* Aldershot, Avebury.

Crossley, N. (1995a), 'Body Techniques, Agency and Intercorporeality: On Goffman's *Relations in Public*', *Sociology* 29(1), pp. 133–49.

Crossley, N. (1995b), 'Merleau-Ponty, the Elusive Body and Carnal Sociology', *Body and Society* 1(1), pp. 43–63.

Crossley, N. (1995c), 'Embodiment and Communicative Action', paper presented at the *Theory, Culture, and Society* 'TCS Berlin 95' conference.

Crossley, N. (1996), 'Body-Subject/Body-Power', *Body & Society* 2(1).

Crossley, N. (2001a), *The Social Body: Habit, Identity and Desire,* London, Sage.

Crossley, N. (2001b), The Phenomenological Habitus and Its Construction, *Theory and Society* 30, 81–120.

Crossley, N.(2001c), Embodiment and Social Structure: A response to Howson and Inglis, *Sociological Review.*

Crossley, N. (2001d), Merleau-Ponty, in Turner, B. and Elliott, A., *Profiles in Social Theory,* London, Sage.

Crossley, N. (2002), *Making Sense of Social Movements,* Buckinghamshire, Open University Press.

Dahrendorf, R. (1994), 'The Changing Quality of Citizenship', in van Steenbergen, B. (ed.), *The Condition of Citizenship,* London, Sage, pp.10–19.

Davies, M. (1993), 'Healing Sylvia: Accounting for the Textual Discovery of Unconscious Knowledge', *Sociology* 27(1), pp. 110–21.

Davies, M. (1995), *Healing Sylvia: Child Sexual Abuse and the Construction of Identity,* London, Taylor & Francis.

Dean, M. (1991), *The Constitution of Poverty,* London, Routledge.

Descartes, R. (1969), *Discourse on Method and The Meditations,* Harmondsworth, Penguin.

Dews, P. (1987), *The Logics of Disintegration,* London, Verso.

Dillon, M. (1978), 'Merleau-Ponty and the Psychogenesis of Self', *Journal of Phenomenological Psychology* 9, pp.84–98.

Donzelot, J. (1980), *The Policing of Families,* London, Hutchinson.

Durkheim, E. (1915), *The Elementary Forms of Religious Life,* New York, Free Press.

Durkheim, E. (1974), *Sociology and Philosophy,* New York, Free Press.

Easton, S. (1987), 'Hegel and Feminism', in Lamb, D. (ed.), *Hegel and Modern Philosophy,* London, Croom Helm, pp. 30–55.

Edie, J. (1987), *Merleau-Ponty's Philosophy of Language,* Washington, University Press of America.

Elias, N. (1978a), *The Civilising Process, Vol. 1,* Oxford, Blackwell.

Elias, N. (1978b), *What is Sociology?,* London, Hutchinson.

Elson, D. (1988), 'Socialisation, of the Market', *New Left Review* 172, pp.3–45.

Evans, F. (1993), *Psychology and Nihilism,* New York, State University of New York Press.

Fanon, F. (1986), *Black Skin, White Masks*, London, Pluto.

Fein, G. (1991), 'The Self-Building Potential of Pretend Play, or "I Got a Fish, All By My Self"', in Woodhead, M., Carr, R. and Light, P. (eds), *Becoming a Person,* London, Routledge, pp. 328–46.

Fernando, S. (1988), *Race and Culture in Psychiatry,* London, Croom Helm.

Fernando, S. (1991), *Mental Health, Race and Culture,* London, Macmillan.

Fogel, A. (1977), 'Temporal Organisation in Mother-Infant Face-to-Face Interaction', in Schaffer, H. (ed.), *Studies in Mother-Infant Interaction,* London, Academic Press, pp. 119–52.

Foucault, M. (1965), *Madness and Civilisation,* London, Tavistock.

Foucault, M. (1979), *Discipline and Punish,* Harmondsworth, Penguin.

Foucault, M. (1980), *Power/Knowledge,* Brighton, Harvester.

Foucault, M. (1981), *The History of Sexuality Vol. 1,* Harmondsworth, Penguin.

Foucault, M. (1982), 'The Subject and Power', in Dreyfus, H. and Rainbow, P. (eds), *Michel Foucault: Beyond Structuralism and Hermeneutics,* Brighton, Harvester, pp. 208–26.

Foucault, M. (1987), *Mental Illness and Psychology,* Berkeley, University of California Press.

Fraser, N. (1989), *Unruly Practices,* Cambridge, Polity.

Freeman, M. (1993), *Rewriting the Self,* London, Routledge.

Freud, S. (1984), 'Formulations on the Two Principles of Mental Functioning', *Pelican Freud Library 11: On Metapsychology,* Harmondsworth, Penguin, pp. 29-45.

Fukuyama, F. (1989), 'The End of History', *The National Interest,* Summer, pp.3-18.

Fukuyama, F. (1992), *The End of History and the Last Man,* Harmondsworth, Penguin.

Gadamer, H.-G. (1989), *Truth and Method,* London, Sheed & Ward.

Garfinkel, H. (1967), *Studies in Ethonomethodology,* Englewood Cliffs, NJ, Prentice Hall.

Giddens, A. (1979), *Central Problems in Social Theory,* London, Macmillan.

Giddens, A. (1981), *A Contemporary Critique of Historical Materialism, Vol. 1: Power, Property and the State*, London, Macmillan.

Giddens, A. (1982), 'Labour and Interaction', in Thompson, J. and Held, D. (eds), *Habermas: Critical Debates,* London, Macmillan, pp. 149-61.

Giddens, (1984), *The Constitution of Society,* Cambridge, Polity.

Giddens, A. (1993), *New Rules of Sociological Method,* Cambridge, Polity.

Gilroy, P. (1992), *There Ain't No Black in the Union Jack,* London, Routldge.

Goffman, E. (1959), *The Presentation of Self in Everyday Life,* Harmondsworth, Penguin.

Goffman, E. (1961), *Asylums,* Harmondsworth, Penguin.

Goffman, E. (1963), *Behavior in Public Places,* Glencoe, IL, Free Press.

Goffman, E. (1968), *Stigma,* Harmondsworth, Penguin.

Goffman, E. (1972a), *Relations in Public,* Harmondsworth, Penguin.

Goffman, E. (1972b), *Interaction Ritual,* Harmondsworth, Penguin.

Goffman, E. (1981), *Forms of Talk,* Oxford, Blackwell.

Goldberg, D. (1993), *Racist Culture,* Oxford, Blackwell.

Gorz, A. (1982), *Farewell to the Working Class,* London, Pluto.

Gorz, A. (1985), *Pathways to Paradise,* London, Pluto.

Gramsci, A. (1982), *Selections from the Prison Notebooks,* London, Lawrence & Wishart.

Habermas, J. (1974), 'Labour and Interaction: Remarks on Hegel's Jena *Philosophy of Mind*', *Theory and Practice,* London, Heinemann, pp.142-69.

Habermas, J. (1987a), *The Theory of Communicative Action, Vol. Two: System and Lifeworld,* Cambridge, Polity.
Habermas, J. (1987b), *Toward a Rational Society,* Cambridge, Polity.
Habermas, J. (1988a), *Legitimation Crisis,* Cambridge, Polity.
Habermas, J. (1988b), *On the Logic of the Social Sciences,* Cambridge, Polity.
Habermas, J. (1990), *The Philosophical Discourse of Modernity,* Cambridge, Polity.
Habermas, J. (1991a), *The Theory of Communicative Action, Vol. One: Reason and the Rationalisation of Society,* Cambridge, Polity.
Habermas, J. (1991b), *Communication and the Evolution of Society,* Cambridge, Polity.
Haley, J. (1969), *The Power Tactics of Jesus Christ,* New York, Avon.
Hall, S. (1984), 'The Rise of the Representative/Interventionist State', in McLennan, G., Held, D. and Hall, S. (eds), *State and Society in Contemporary Britain*, Cambridge, Polity, pp. 7-49.
Hall, S. (1987), 'Gramsci and Us', *Marxism Today,* June, pp. 16-21.
Hammond, M., Horwarth, J. and Keat, R. (1991), *Understanding Phenomenology,* Oxford, Blackwell.
Hanfling, O. (1989), *Wittgenstein's Later Philosophy,* London, Macmillan.
Harland, R. (1987), *Superstructuralism,* London, Methuen.
Harman, C. (1989), 'The Myth of Market Socialism', *International Socialism* 42, pp. 3-63.
Harré, R. and Gillet, G. (1994), *The Discursive Mind,* London, Sage.
Hebdidge, D. (1988), *Subculture,* London, Routldge.
Hegel, G. (1971), *The Philosophy of Mind,* Oxford, Clarendon.
Hegel, G. (1979), *The Phenomenology of Spirit,* Oxford, Clarendon.
Heidegger, M. (1962), *Being and Time,* Oxford, Blackwell.
Heinzig, D. (1987), 'Maurice Merleau-Ponty and Ludwig Wittgenstein: A Synthesis', *Auslegung* 14, pp.19-36.
Heritage, J. (1984), *Garfinkel and Ethnomethodology,* Cambridge, Polity.
Hindess, B. (1982), 'Power, Interests and the Outcome of Struggles', *Sociology* 16(4), pp. 498-511.
Hindess, B. (1988), *Choice, Rationality and Social Theory,* London, Unwin Hyman.
Hirst, P. and Wooley, P. (1982), *Social Relations and Human Attributes,* London, Tavistock.

Hochschild, A. (1979), 'Emotion Work, Feeling Rules and Social Structure', *American Journal of Sociology* 85, pp. 551–75.
Hochschild, A. (1983), *The Managed Heart,* Berkerley, University of California Press.
Honneth, A. (1995), *The Struggle for Recognition,* Cambridge, Polity.
Hunter, J. (1971), 'Forms of Life in Wittgenstein's *Philosophical Investigations*', in Klemke, C. (ed.), *Essays on Wittgenstein,* Chicago, University on Illinois Press, pp. 273–97.
Husserl, E. (1970), *The Crisis of the European Sciences and Transcendental Phenomenology,* Evanston, IL, Northwestern University Press.
Husserl, E. (1972), *Experience and Judgement,* Evanston, Northwestern University Press.
Husserl, E. (1991), *Cartesian Meditations,* Netherlands, Kluwer Academic Publishers.
Irigaray, L. (1991), *The Irigaray Reader* (ed. Whitford, M.), Oxford, Blachwell.
Irigaray, L. (1993), *An Ethics of Sexual Difference,* London, Athlone.
Joas, H. (1985), *G. H. Mead,* Cambridge, Polity.
Joas, H. (1988), 'The Unhappy Marriage of Functionalism and Hermeneutics', *Praxis International* 8(1), pp. 34–51.
Kaye, K. (1991), 'The Parental Frame', in Woodhead, M., Carr, R. and Light, P. (eds), *Becoming a Person,* London, Routledge, pp. 129–43.
Kearney, R. (1991), *The Poetics of Imagining,* London, Harper Collins.
Kelly, G. A. (1965), 'Notes on Hegel's Lordship and Bondage', *Review of Metaphysics* 19, pp. 780–802.
Kojève, A. (1969), *Introduction to the Reading of Hegel,* New York, Basic Books.
Kripke, S. (1982), *Wittgenstein on Rules and Private Language,* Oxford, Blackwell.
Lacan, J. (1989), *Écrits: A Selection,* London, Tavistock.
Lamb, D. (1987), 'Sense and Meaning in Hegel and Wittgenstein', *Hegel and Modern Philosophy,* London, Croom Helm, pp. 70–102.
Lash, S. and Urry, J. (1988), *The End of Organised Capitalism,* Cambridge, Polity.
Lee, J. (1987), 'Prologue: Talking Organisation', in Button, G. and Lee, J. (eds), *Talk and Social Organisation,* Philadelphia, Multilingual Matters, pp. 19–54.
Lefort, C. (1990), 'Flesh and Otherness', in Johnson, G. and Smith, M. (eds), *Ontology and Alterity in Merleau-Ponty,* Evanston, IL, Northwestern Uni-

versity Press, pp. 3-13.

Levin, D. (1991), 'Visions of Narcissism: Intersubjectivity and the Reversals of Reflection', in Dillon, M. (ed.), *Merleau-Ponty Vivant,* New York, State University of New York Press, pp. 47-90.

Levinas, E. (1969), *Totality and Infinity,* Pittsburgh, Duquesne University Press.

Levinas, E. (1985), *Ethics and Infinity,* Pittsburgh, Duquesne University Press.

Levinas, E. (1987a), 'Intersubjectivity; Notes On Merleau-Ponty', in Johnson, G. and Smith, M. (eds), *Ontology and Alterity in Merleau-Ponty,* Evanston, IL, Northwestern University Press, 1990, pp. 55-60.

Levinas, E. (1987b), 'Sensibility', in Johnson, G. and Smith, M. (eds), *Ontology and Alterity in Merleau-Ponty,* Evanston, IL, Northwestern University Press, 1990, pp. 60-6.

Levinas, E. (1987c), *Time and the Other,* Pittsburgh, Duquesne University Press.

Levinas, E. (1989), 'Martin Buber and the Theory of Knowledge', in Hand, S. (ed.), *The Levinas Reader,* Oxford, Blackwell, pp. 59-74.

Lloyd, G. (1985), 'Masters, Slaves and Others', in Edgely, R. and Osborne, R. (eds), *Radical Philosophy Reader,* London, Verso, pp. 291-309.

Lyon, D. (1988), *The Information Society,* Cambridge, Polity.

Lyotard, J. -F. (1984), *The Postmodern Condition,* Manchester, Manchester University Press.

McAdam, D. (1988), *Freedom Summer,* New York, Oxford University Press.

McAdam, D. (1989), The Biographical Consequences of Activism, *American Sociological Review* 54, 744-60.

McCarthy, T. (1991), *On Reconstruction and Deconstruction in Contemporary Critical Theory,* Cambridge, MA, MIT Press.

Malcom, N. (1981), 'Wittgenstein's Philosophical Investigations', in Morick, H. (ed.), *Wittgenstein and the Problem of Other Minds,* Brighton, Harvester, pp. 45-81.

Mandel, E. (1970), *An Introduction to Marxist Economic Theory,* New York, Pathfinder.

Mandel, E. (1980), *The Second Slump,* London, Verso.

Marshall, T. H. (1992), *Citizenship and Social Class,* Cambridge, Polity.

Mauss, M. (1979), 'A Category of the Human Mind', *Sociology and Psychology,* London, Routledge, pp. 57-94.

Mead, G. H. (1967), *Mind, Self and Society,* Chicago, University of Chicago Press.
Meltzoff, A. and Moore, M. (1977), 'Imitation of Facial and Manual Gestures by Human Neonates', *Science* 198, pp. 75-8.
Meltzoff, A. and Moore, M. (1983), 'Newborn Infants Imitate Adult Facial Gestures', *Child Development* 54, pp. 702-9.
Meltzoff, A. and Moore, M. (1991), 'Cognitive Foundations and Social Functions of Imitation, and Intermodal Representation in Infancy', in Woodhead, M., Carr, R. and Light, P. (eds), *Becoming a Person,* London, Routledge, pp. 111-28.
Merleau-Ponty, M. (1962), *The Phenomenology of Perception,* London, Routledge.
Merleau-Ponty, M. (1964a), *Sense and Non-Sense,* Evanston, IL, Northwestern University Press.
Merleau-Ponty, M. (1964b), *Signs,* Evanston, IL, Northwestern University Press.
Merleau-Ponty, M. (1965), *The Structure of Behaviour,* London, Methuen.
Merleau-Ponty, M. (1968a), *The Visible and the Invisible,* Evanston, IL, Northwestern University Press.
Merleau-Ponty, M. (1968b), *The Primary of Perception and Other Essays,* Evanston, IL, Northwestern University Press.
Merleau-Ponty, M. (1968c), *Themes from the Lectures at the College de France,* Evanston, Northwestern University Press.
Merleau-Ponty, M. (1969), *Humanism and Terror,* Boston, Beacon.
Merleau-Ponty, M. (1973), *Adventures of the Dialectic,* Evanston, IL, Northwestern University Press.
Merleau-Ponty, M. (1974), *The Prose of the World,* London, Heinemann.
Merleau-Ponty, M. (1979), *Consciousness and the Acquisition of Language,* Evanston, IL, Northwestern University Press.
Merleau-Ponty, M. (1985), 'The Experience of Others, and Phenomenology and Psychoanalysis', *Review of Existential Psychology and Psychiatry,* xviii(1-3), pp. 33-72.
Merleau-Ponty, M. (1988), *In Praise of Philosophy and Themes from the Lectures at the College de France,* Evanston, IL, Northwestern University Press.
Merleau-Ponty, M. (1992), *Texts and Dialogues,* Princeton, NJ, Humanities Press.
Merquior, J. (1985), *Foucault,* London, Fontana.
Meyer, J. (1991), 'Power and Love: Conflicting Conceptual Schemata', in Davis, K.,

Leijenaar, M. and Oldersma, J. (eds), *The Gender of Power,* London, Sage, pp. 21–41.

Mitchell, J. (1975), *Psychoanalysis and Feminism,* Harmondsworth, Penguin.

Natanson, M. (1973), *Edmund Husserl: Philosopher of Infinite Tasks,* Evanston, IL, Northwestern University Press.

Nettleton, S. (1992), *Power, Pain and Dentistry,* Milton Keynes, Open University Press.

Newson, J. (1977), 'An Intersubjective Approach to the Systematic Description of Mother-Infant Interaction', in Schaffer, H. (ed.), *Studies in Mother-Infant Interaction,* London, Academic Press, pp. 47–62.

Newson, J. (1979), 'The Growth of Shared Understandings Between Infant and Caregiver', in Bullowa, M. (ed.), *Before Speech,* Cambridge University Press, pp. 207–22.

O'Neill, J. (1986), 'The Specular Body: Merleau-Ponty and Lacan on Infant, Self and Other', *Synthèse* 66, pp. 201–17.

Offe, C. (1984), *Contradictions of the Welfare State,* (ed. Keane, J.), London, Hutchinson.

Offe, C. (1985), *Disorganised Capitalism,* Oxford, Polity.

Parsons, T. (1960), *Structure and Process in Modern Societies,* Glencoe, IL, Free Press.

Parsons, T. (1967), *Sociological Theory and Modern Socioety,* New York, Free Press.

Passerin d'Entrèves, (1992), 'Hannah Arendt and the Idea of Citizenship', in Mouffe, C. (ed.), *Dimensions of Radical Democracy,* London, Verso, pp. 145–68.

Perkins, M. (1981), 'Two Arguments Against a Private Language', in Morick, H. (ed.), *Wittgenstein and the Problem of Other Minds,* Brighton, Harvester, pp. 97–118.

Pfuetze, P. (1961), *Self, Society, Existence: Human Nature and Dialogue in the Thought of George Herbert Mead and Martin Buber,* Westport, CT, Greenwood.

Piaget, J. (1961), *The Language and Thought of the Child,* London, Routledge & Kegan Paul.

Piaget, J. (1962), *Play, Dreams and Imitation in Childhood,* New York, W.W.

Norton.
Pollner, M. (1974), 'Mundane Reasoning', *Philosophy of Social Science,* 4, pp. 35-54.
Pollner, M. (1975), 'The Very Coinage of Your Brain: The Anatomy of Reality Disjunctures', *Philosophy of Social Science* 5, pp. 411-30.
Poster, M. (1990), *The Mode of Information,* Cambridge, Polity.
Rawls, A. (1987), 'The Interaction Order *Sui Generis*: Goffman's Contribution to Social Theory', *Sociological Theory* 5, pp. 136-49.
Ricoeur, P. (1967a), *Husserl: An Analysis of His Philosophy,* Evanston, IL, Northwestern University Press.
Ricoeur, P. (1967b), 'New Developments in Phenomenology in France: The Phenomenology of Language', *Social Reserch* 34, pp. 1-30.
Ricoeur, P. (1991), *From Text to Action,* London, Athlone Press.
Roche, M. (1973), *Phenomenology, Language and the Social Sciences,* London, Routledge & Kegan Paul.
Roche, M. (1987), 'Citizenship, Social Theory and Social Change', *Theory and Society* 16, pp. 363-99.
Roche, M. (1990), 'Motherland or Motherhood', *New Socialist,* Oct./Nov., pp.10-12.
Roche, M. (1992a), *Rethinking Citizenship,* Cambridge, Polity.
Roche, M. (1992b), 'Rethinking Social Citizenship', paper Presented at the XIIth World Congress of Sociology (New Classes and Social Movements Section), Madrid, July 1990.
Romanyshyn, R. (1982), *Psychological Life,* Milton Keynes, Open University Press.
Rose, N. (1985), *The Psychological Complex,* London, Routledge.
Rose, N. (1989), *Governing the Soul,* London, Routledge.
Rosenthal, S. and Bourgeois, P. (1991), *Mead and Merleau-Ponty: Toward a Common Vision,* New York, State University of New York Press.
Ryle, G. (1949), *The Concept of Mind,* London, Penguin.
Sacks, H. (1989), '1945-65 Lectures', *Human Studies* 12(3-4).
Said, E. (1978), *Orientalism*, Harmondsworth, Penguin.
Sandywell, B., Silverman, D., Roche, M., Fillmer, P. and Phillipson, M. (1975), *Problems of Reflexivity and Dialectics in Sociological Enquiry,* London, Routledge & Kagen Paul.
Saretzki, T. (1988), 'Collective Action vs Functionalism: Some Remarks on Joas' Critique', *Praxis International* 8(1), pp. 52-72.

Sartre, J. -P. (1948), *Anti-Semite and Jew,* New York, Schocken.

Sartre, J. -P. (1969), *Being and Nothingness,* London, Routledge.

Sartre, J. -P. (1972), *The Psychology of Imagination,* London, Methuen.

Saunders, P. (1993), 'Citizenship in a Liberal Society', in Turner, B. (ed.), *Citizenship and Social Theory,* London, Sage, pp. 57-90.

Schaffer, R. (1991), 'Early Social Development', in Woodhead, M., Carr, R. and Light, P. (eds), *Becoming a Person,* London, Routledge, pp. 5-29.

Schutz, A. (1964), *Collected Papers 2: Studies in Social Theory,* The Hague, Martinus Nijhoff.

Schutz, A. (1970), *Collectde Papers 3: Studies in Phenomenological Philosophy,* The Hague, Martinus Nijhoff.

Schutz, A. (1972), *The Phenomenology of the Social World,* London, Heinemann.

Schutz, A. (1973), *Collected Papers 1: The Problem of Social Reality,* The Hague, Martinus Nijhoff.

Schutz A. and Luckman, T. (1973), *The Structures of the Life-World,* Evanston, IL, Northwerstern University Press.

Singer, P. (1983), *Hegel,* Oxford, Oxford University Press.

Spurling, L. (1977), *Phenomenology and the Social World: The Philosophy of Merleau-Ponty and Its Relation to the Social Sciences,* London, Routledge & Kegan Paul.

Stern, D. (1977), *The First Relationship: Infant and Mother,* London, Open Books.

Stern, D., Beebe, B., Jaffe, J. and Bennet, S. (1977), 'The Infant's Stimulus World During Social Interaction: A Study of Caregiver Behaviours with Particular Reference to Repetition and Timing', in Schaffer, H. (ed.), *Studies in Mother-Infant Interaction,* London, Academic Press, pp. 177-202.

Stevenson, N. (1995), *Media Culture: Social Theory and Mass Communication,* London, Sage.

Stewart, A. (1995), 'Two Conceptions of Citizenship', *British Journal of Sociology,* 46(1), pp. 63-79.

Suchman, L. (1987), *Plans and Situated Actions,* Cambridge, Cambridge University Press.

Tarrow, S. (1989), *Democracy and Disorder,* Oxford, Oxford University Press.

Tarrow, S. (1998), *Power in Movement,* Cambridge, Cambridge University Press.

Taylor, L. and Cohen, S. (1993), *Escape Attempts,* London, Routledge.

Taylor, L. and Walton, P. (1971), 'Industrial Sabotage: Motives and Meanings', in Cohen, S. (ed.), *Images of Deviance,* Harmondsworth, Penguin, pp. 219-45.
Theunissen, M (1984), *The Other,* Cambridge, MA. MIT Press.
Thompson, E.P. (1963), *The Making of the English Working Class,* Harmondsworth, Penguin.
Thompson, E.P. (1967), 'Time, Work-Discipline and Industrial Capitalism', *Past and Present* 38, pp. 56-61, 70-3, 90-6.
Thompson, E.P. (1993), *Customs in Common,* Harmondsworth, Penguin.
Thompson, J. (1983), 'Rationality and Social Rationalisation: An Assessment of Habermas's Theory of Communicative Action', *Sociology* 17(2), pp. 278-94.
Toffler, A. (1980), *The Third Wave,* London, Pan.
Trevarthen, C. (1977), 'Descriptive Analyses of Infant Communicative Behaviour', in Schaffer, H. (ed.), *Studies in Mother-Infant Interaction,* London, Academic Press, pp. 227-70.
Trevarthen, C. (1979), 'Communication and Cooperation in Early Infancy: A Description of Primary Intersubjectivity', in Bullowa, M. (ed.), *Before Speech,* Cambridge, Cambridge University Press, 321-47.
Trevarthen, C. and Hubley, P. (1978), 'Secondary Intersubjectivity: Confidence, Confinding and Acts of Meaning in the First Year', in Lock, A. (ed.), *Action, Gesture and Symbol,* London, Academic Press, pp. 183-231.
Turner, B. (1990), 'Outline of a Theory of Citizenship', *Sociology* 24(2), pp. 189-217.
Volosinov, V. (1986), *Marxism and the Philosophy of Language,* Cambridge, MA, Harvard University Press.
Vygotsky, L. (1986), *Thought and Language,* Cambridge, MA, MIT Press.
Waltzer, M. (1986), 'The Politics of Michel Foucault', in Hoy, D. (ed.), *Foucault: A Critical Reader,* Oxford, Blackwell, pp. 51-68.
Weights, A. (1981), 'Max Weber's Sociology and the Conceptualisation of Social Agents', Unpublished PhD thesis, University of Liverpool.
White, S. (1988), *The Recent Work of Jürgen Habermas,* Cambridge, Cambridge University Press.
Wilson, E. (1985), *Adorned in Dreams,* London, Virago.
Winch, P. (1958), *The Idea of a Social Science and its Relation to Philosophy,* London, Routledge & Kegan Paul.
Wittgenstein, L. (1953), *Philosophical Investigations,* Oxford, Blackwell.

Wittgenstein, L. (1958), *The Blue and Brown Books,* Oxford, Blackwell.
Wittgenstein, L. (1961), *Tractatus Logico-Philosophicus,* London, Routledge & Kegan Paul.
Wittgenstein, L. (1969), *On Certainty,* Oxford, Blackwell.
Young, I. (1980), 'Throwing Like a Girl', *Human Studies* 3, pp. 137-56.

関連邦訳主要文献（50音順：人名表記は当該訳書に従った）

【ア】
ヴィゴツキー，L.『思考と言語』柴田義松訳，新読書社，2001年
ウィトゲンシュタイン，L.『ウィトゲンシュタイン全集1　論理哲学論考』奥雅博訳，大修館書店，1977年
ウィトゲンシュタイン，L.『ウィトゲンシュタイン全集8　哲学探究』藤本隆志訳，大修館書店，1976年
ウィトゲンシュタイン，L.『ウィトゲンシュタイン全集9　確実性の問題　断片』黒田亘・菅豊彦訳，大修館書店，1975年
ウィトゲンシュタイン，L.『青色本・茶色本』大森荘蔵・杖下隆英訳，大修館書店，1977年
ウィンチ，P.『社会科学の理念』森川真規雄訳，新曜社，1977年
エリアス，N.『文明化過程（上）』赤井彗爾ほか訳，法政大学出版局，1977年
エリアス，N.『文明化過程（下）』波田節夫ほか訳，法政大学出版局，1978年
エリアス，N.『社会学とは何か』徳安彰訳，法政大学出版局，1994年
オースティン，J.『言語と行為』坂本百大訳，大修館書店，1978年

【カ】
カストリアディス，C.『社会主義の再生は可能か』江口幹訳，三一書房，1987年
ガダマー，H.-G.『真理と方法Ｉ』轡田収ほか訳，法政大学出版局，1986年
ガーフィンケル，H.『エスノメソドロジー』山田富秋・好井裕明・山崎敬一編訳，せりか書房，1987年；『日常性の解剖学』北澤裕・西阪仰編訳，マルジュ社，1989年
ギデンズ，A.『社会学の新しい方法規準』松尾精文・藤井達也・小幡正敏訳，而立書房，1987年
ギデンズ，A.『社会理論の最前線』友枝敏雄・今田高俊・森重雄訳，ハーベスト社，

1989年
クリプキ，S.『ウィトゲンシュタインのパラドックス』黒崎宏訳，産業図書，1983年
クルター，J.『心の社会的構成』西阪仰訳，新曜社，1998年
コジェーヴ，A.『ヘーゲル読解入門』上妻精・今野雅方訳，国文社，1987年
ゴッフマン，E.『スティグマの社会学』石黒毅訳，せりか書房，1970年
ゴッフマン，E.『行為と演技』石黒毅訳，誠信書房，1974年
ゴッフマン，E.『集まりの構造』丸木恵祐・本名信行訳，誠信書房，1980年
ゴッフマン，E.『儀礼としての相互行為』広瀬英彦・安江孝司訳，法政大学出版局，1982年
ゴッフマン，E.『アサイラム』石黒毅訳，誠信書房，1983年
ゴルツ，A.『エコロジー共働体への道』辻由美訳，技術と人間，1985年

【サ】

サイード，E.『オリエンタリズム』板垣雄三・杉田英明監修，今沢紀子訳，平凡社，1986年
サッチマン．『プランと状況的行為』佐伯肝監訳，産業図書，1999年
サルトル，J-P.『ユダヤ人』安藤信也訳，岩波書店，1956年
サルトル，J-P.『存在と無（I－III）』松浪信三郎訳，人文書院，1956～1960年
サルトル，J-P.『想像力の問題』平井啓之訳，人文書院，1975年
シュッツ，A.『社会的世界の意味構成』佐藤嘉一訳，木鐸社，1982年
シュッツ，A.『シュッツ著作集　第1巻　社会的現実の問題［I］』渡部光・那須壽・西原和久訳，マルジュ社，1983年
シュッツ，A.『シュッツ著作集　第2巻　社会的現実の問題［II］』マルジュ社，1985年
シュッツ，A.『シュッツ著作集　第3巻　社会理論の研究』渡部光・那須壽・西原和久訳，マルジュ社，1991年
シュッツ，A.『シュッツ著作集　第4巻　現象学的哲学の研究』渡部光・那須壽・西原和久訳，マルジュ社，1998年
シンガー，P.『ヘーゲル入門』島崎隆訳，青木書店，1995年
スターン，D.『母子関係の出発』岡村佳子訳，サイエンス社，1979年
スパーリング，M.『メルロ-ポンティの哲学と現代社会（上）（下）』丸山敦子訳，御茶の水書房，1981，82年

【タ】
ティラー，L. & コーエン，S.『離脱の試み』石黒毅訳，法政大学出版局，1984年
デカルト「方法序説」「省察」（『世界の名著22　デカルト』）野田又夫ほか訳，中央公論社，1967年
デュルケーム，E.『宗教生活の原初形態（上）（下）』古野清人訳，岩波書店，1975年
デュルケーム，E.『社会学と哲学』佐々木交賢訳，恒星社厚生閣，1985年
トフラー，A.『第三の波』徳岡孝夫訳，中央公論社，1982年
トムスン，E.P.『イングランド労働者階級の形成』市橋秀夫・芳賀健一訳，青弓社，2003年
トレヴァーセン，C.「幼児のコミュニケーションと協力」「第2次的間主観性」，『母と子のあいだ』鯨岡峻（編訳）鯨岡和子（訳），ミネルヴァ書房，1989年
ドンズロ，J.『家族に介入する社会』宇波彰訳，新曜社，1991年

【ハ】
ハイデッガー，M.『存在と時間』（『世界の名著62　ハイデッガー』）原佑・渡辺二郎訳，中央公論社，1971年
バトラー，J.『ジェンダー・トラブル』竹村和子訳，青土社，1999年
ハーバーマス，J.『晩期資本主義における正統化の諸問題』細谷貞雄訳，岩波書店，1979年
ハーバーマス，J.『コミュニケイション的行為の理論』（上）河上倫逸ほか訳，未来社，1986年；（中）岩倉正博ほか訳，未来社，1987年；（下）丸山高司ほか訳，未来社，1985年
ハーバーマス，J.『近代の哲学的ディスクルス（Ⅰ，Ⅱ）』三島憲一ほか訳，岩波書店，1990年
ハーバーマス，J.『社会科学の論理によせて』清水多吉ほか訳，国文社，1991年
パーソンズ，T.『社会的行為の構造（1～5）』稲上毅・厚東洋輔・溝部明男訳，木鐸社、1974～1986年
ピアジェ，J.『幼児心理学』大伴茂訳，黎明書房，1967，69年
ピアジェ，J.『思考の心理学』滝沢武久訳，みすず書房，1968年
フクヤマ，F.『歴史の終わり（上）（下）』渡部昇一訳，三笠書房，1992年
フーコー，M.『精神疾患と心理学』神谷美恵子訳，みすず書房，1970年
フーコー，M.『狂気の歴史』田村俶訳，新潮社，1977年
フーコー，M.『監獄の誕生』田村俶訳，新潮社，1977年
フーコー，M.『性の歴史Ⅰ　知への意志』渡辺守章訳，新潮社，1986年

フーコー，M.「主体と権力」渥海和久訳『ミシェル・フーコー思考集成IX』筑摩書房，2001年
ブーバー，M.『我と汝／対話』植田重雄訳，岩波書店，1979年
フッサール，E.『ヨーロッパ諸学の危機と超越論的現象学』細谷恒夫・木田元訳，中央公論社，1974年
フッサール，E.『経験と判断』長谷川宏訳，河出書房新社，1975年
フッサール，E.『デカルト的省察』浜渦辰二訳，岩波書店，2001年
ブルデュ，P.『実践感覚（1・2）』今村仁司・港道隆訳，みすず書房，1988，90年
ブルデュー，P.『再生産』宮島喬訳，藤原書店，1990年
ブルデュー，P.『ディスタンクシオン（I-II）』石井洋二郎訳，藤原書店，1991年
ブルデュー，P.『社会学の社会学』田原音和監訳，藤原書店，1991年
ブルデュー，P.『話すということ』稲賀繁美訳，藤原書店，1993年
ブルデュ，P.，ダンベル，A.，シュナッパー，D.『美術愛好』山下雅之，木鐸社，1994年
ヘーゲル，G.『精神現象学』（『世界の大思想12　ヘーゲル』）樫山欽四郎訳，河出書房新社，1966年
ベンジャミン，J.『愛の拘束』寺沢みづほ訳，青土社，1996年
ポスター，M.『情報様式論』室井尚・吉岡洋訳，岩波書店，1991年
ホックシールド，A.『管理される心』石川准・室伏亜希訳，世界思想社，2000年
ボーヴォワール，S.『第二の性』生島遼一訳，新潮社，1959年

【マ】

マーシャル，T.H.『シティズンシップと社会的階級』岩崎信彦・中村健吾訳，法律文化社，1993年
ミッチェル，J.『精神分析と女の解放』上田昊訳，合同出版，1977年
ミード，G.H.『精神・自我・社会』稲葉三千男・滝沢正樹・中野収訳，青木書店，1974年；『デューイ＝ミード著作集　6　精神・自我・社会』河村望訳，人間の科学社，1995年
メルロ＝ポンティ，M.『行動の構造』滝浦静雄・木田元訳，みすず書房，1964年
メルロ＝ポンティ，M.『眼と精神』滝浦静雄・木田元訳，みすず書房，1966年
メルロー＝ポンティ，M.『知覚の現象学』(1) 竹内芳郎・小木貞孝訳訳，みすず書房，1967年；(2) 竹内芳郎・木田元・宮本忠雄訳，みすず書房，1974年
メルロー＝ポンティ，M.『シーニュ（1，2）』竹内芳郎監訳，みすず書房，1969-70年

メルロ＝ポンティ，M.『弁証法の冒険』滝浦静雄ほか訳，みすず書房，1972年
メルロ＝ポンティ，M.『言語と自然』滝浦静雄・木田元訳，みすず書房，1979年
メルロ＝ポンティ，M.『世界の散文』滝浦静雄・木田元訳，みすず書房，1979年
メルロ＝ポンティ，M.『意味と無意味』滝浦静雄ほか訳，みすず書房，1983年
メルロ＝ポンティ，M.『見えるものと見えないもの』滝浦静雄・木田元訳，みすず書房，1989年
メルロ＝ポンティ，M.『意識と言語の獲得』木田元・鯨岡峻訳，みすず書房，1993年
メルロ＝ポンティ，M.『ヒューマニズムとテロル』合田正人訳，みすず書房，2002年
メルキオール，J.『フーコー』財津理訳，河出書房新社，1995年
モース，M.『社会学と人類学　I』有地亨・伊藤昌司・山口俊夫訳，弘文堂，1973年
モース，M.『社会学と人類学　II』有地亨・山口俊夫訳，弘文堂，1976年

【ラ】

ライアン，D.『新・情報社会論』松崎清介監訳，コンピュータ・エージ社，1990年
ライル，G.『心の概念』坂本百大・宮下治子・服部裕幸訳，みすず書房，1987年
ラカン，J.『エクリ（I，II，III）』宮本忠雄ほか訳，弘文堂，1972年
リオタール，J-F.『ポスト・モダンの条件』小林康夫訳，書肆風の薔薇，1986年
レヴィナス，E.『倫理と無限』原田佳彦訳，朝日出版社，1985年
レヴィナス，E.『時間と他者』原田佳彦訳，法政大学出版局，1986年
レヴィナス，E.『全体性と無限』合田正人訳，国文社，1989年

訳者紹介

西原和久（にしはら・かずひさ）

東京都生まれ
名古屋大学大学院環境学研究科／文学部・社会学講座教授，博士（社会学），南京大学客員教授・東京社会学インスティチュート代表，ほか

専門分野：社会学理論・現象学的社会学・グローバル化とアジア

単著：『社会学的思考を読む』人間の科学社，1994年／『意味の社会学』弘文堂，1998年／『自己と社会』新泉社，2003年

編著：『現象学的社会学の冒険』青土社，1991年／『権力から読みとく現代人の社会学・入門』有斐閣，1996年／『水・環境・アジア』新泉社，2007年，『入門 グローバル化時代の新しい社会学』新泉社，2007年，ほか

共著：『岩波講座 現代社会学 別巻 現代社会学の理論と方法』岩波書店，2006年／『社会学理論の〈可能性〉を読む』情況出版，2001年／『聞きまくり社会学』新泉社，2006年，ほか

訳書：A. シュッツ『シュッツ著作集』（全 4 巻）マルジュ社（共訳），1983-1998年／ S. ヴァイトクス『「間主観性」の社会学』新泉社（共訳），1996年／ N. クロスリー『間主観性と公共性』新泉社，2003年／N. クロスリー『社会学キーコンセプト』新泉社（監訳），2008年／N. クロスリー『社会運動とは何か』新泉社（共訳），2009年，ほか

間主観性と公共性――社会生成の現場

2003年10月20日　第 1 版第 1 刷発行
2010年 5 月20日　第 1 版第 2 刷発行

著　者＝ニック・クロスリー

訳　者＝西原和久

発行者＝株式会社　新　泉　社
東京都文京区本郷 2-5-12
振替・00170-4-160936番　TEL03(3815)1662　FAX03(3815)1422
印刷／太平印刷社　製本／榎本製本

ISBN978-4-7877-0310-1　C1036